LES SUITTES DE LA SECONDE SEMAINE

Du même auteur

Du Bartas, *La Sepmaine,* rééd. 1994.

Du Bartas, *La Seconde Semaine,* en collaboration avec J. Dauphiné, † C. Faisant, F. Lestringant, I. Pantin, J. Rieu, F. Roudaut et G. Schrenck, 2 vol. 1991 et 1992.

Ouvrage publié avec l'aide du Centre national du Livre

Guillaume de Saluste
du Bartas

Les Suittes
de la Seconde Semaine

édition établie, présentée et annotée par
Yvonne Bellenger
Paris, Société des Textes Français Modernes 1994

Conformément aux statuts de la Société des Textes Français Modernes, ce volume a été soumis à l'approbation du Comité de lecture, qui a chargé M. André Thierry d'en surveiller la correction en collaboration avec Mme Yvonne Bellenger.

ISSN 0768-0821
ISBN 2-86503-235-2 3

INTRODUCTION

L'œuvre inachevée.

Quand du Bartas meurt en 1590, les deux premiers Jours de *La Seconde Semaine* ont été publiés : le Jour d'Adam et le Jour de Noé, selon les termes de la « prophétie » d'Adam dans « Les Artifices »[1]. Il en reste cinq : le Jour d'Abraham, le Jour de David, le Jour de Sédécias, le Jour du Christ et le Jour de l'Apocalypse. Soit, avec le Jour d'Abraham : l'installation des Hébreux en Terre sainte ; avec le Jour de David : leur grandeur ; avec le Jour de Sédécias : leur déclin ; avec le Jour du Messie ; la rédemption de l'humanité, etc. Mais seuls les deux premiers seront composés : les IIIe et IVe Jours posthumes, qui constituent les *Suittes de la Seconde Semaine* publiées dans le présent volume.

Avant d'aller plus loin, cependant, trois précisions : la première, pour observer que la rédaction des IIIe et IVe Jours ne fut jamais achevée — au double sens du mot, d'une part parce que l'auteur n'a pas vécu assez pour y mettre la dernière touche, ce qui vaut à certains passages d'être hâtifs ou peu étoffés (comme « Les Peres », par exemple) et d'autre part parce que ces poèmes n'ont pas été de bout en bout relus et corrigés comme l'auteur l'au-

1. Prophétie dans laquelle Adam parlait « soudain poussé d'une fureur secrete » (*Sec. Sem.*, Ier Jour, « Artifices », 573). Pour la prophétie proprement dite, voir *ibid.*, 605-628. Nos références à *La Sepmaine* et à *La Seconde Semaine* renvoient à nos éditions publiées par la S.T.F.M.

rait sûrement fait avant de les livrer à l'imprimeur s'il n'était pas mort trop tôt.

Deuxième précision : le programme annoncé par Adam, même limité, n'est pas exactement respecté puisque le IVe Jour se termine sur la vision du peuple hébreu à Babylone et réduit en esclavage avec son roi, Sédécias, scène qui semblait plutôt devoir s'inscrire dans le Ve Jour, promis mais jamais composé[2].

Troisième précision enfin : elle porte sur le caractère posthume des deux Jours en question. Posthumes, ces poèmes ne le sont pas tous[3], puisque certains passages — peu, il est vrai — ont paru du vivant de leur auteur. Mais rien ne permet d'assurer que ce fut avec son aveu.

Enfin, on soulignera une autre différence entre les précédentes publications de Du Bartas et celle-ci : tant les sept Jours de la première *Sepmaine* que les deux Jours de

---

2. Cf. Adam, même passage que dans la note précédente : « Cestuy-là qui le suyt [le IVe Jour] prend son commencement / Par la nuict de ce Roy, qui voit cruellement / Massacrer ses enfans : et sur la rive grasse / D'Euphrate transporter la Judaïque race » (*Sec. Sem.*, « Artifices », 615-618).

3. Contrairement à ce que laissait entendre Holmes, dans son étude, au demeurant excellente, des éditions de Du Bartas : « Il faut considérer quatre moments dans cette œuvre [*La Seconde Semaine*] : la fraction originale achevée de huit épisodes [ceux des deux premiers Jours] publiés par leur auteur en 1584 ; les poèmes inachevés [*unpolished*] laissés à un ami à La Rochelle et publiés par Haultin en 1591 en deux sections (la première composée des *Peres* et de *Jonas*, et la seconde des *Trophees,* de *La Magnificence* et de quelques poèmes mineurs [ce sont *La Lepanthe* et le *Cantique de la victoire d'Yvry*]) ; et la *Seconde Suite* fragmentaire mise au jour et publiée en 1603 chez Jean Houzé par Jacques du Pin, gendre de Casaubon. Cette *Seconde Suite* comprenait "La Vocation", "Les Capitaines", "Le Schisme" et "La Decadence". "La Loy" fut publiée par Goulart en 1593 » (t. I, p. 83). Et encore : « Les neuf derniers poèmes de *La Seconde Semaine* furent publiés *après la mort du poète* » (t. III, p. v ; souligné par nous). Holmes ignorait donc les publications partielles de 1585 et de 1588 dont nous parlons ci-dessous.

La Seconde Semaine avaient paru dans l'ordre où le lecteur devait les découvrir : Ier Jour, puis IIe Jour, etc. Ici, rien de semblable : les poèmes ont été publiés de façon discontinue, à des dates et sur des presses différentes.

La publication des *Suittes*.

Revenons en arrière : après 1584, les éditions de *La Seconde Semaine* se multiplient, à Paris, à Lyon, à Rouen, à Genève[4], et à La Rochelle où l'imprimeur Jérôme Haultin sort, en 1588, un texte qui mérite de retenir l'attention : à la suite du IIe Jour, on y trouve deux poèmes nouveaux, intitulés « Les Peres » (462 vers) et « Histoire de Jonas » (178 vers)[5].

Cette édition Haultin de 1588 était signalée depuis longtemps : par Ashton, par Holmes, et plus récemment par Louis Desgraves dans le livre qu'il a consacré en 1960 à cette famille d'imprimeurs[6]. Mais aucun spécialiste de Du Bartas ne s'était avisé de l'intérêt qu'elle présentait avant qu'Isabelle Pantin n'en rappelât l'existence et n'en décrivît le contenu lors de la préparation de notre édition de *La Seconde Semaine*[7].

Ce n'est pas tout. La publication des *Suittes de la Seconde Semaine* ne s'est pas faite en un jour et, avant même celle de 1588 à La Rochelle, il y en avait eu une autre, limitée il est vrai à un très petit nombre de vers, dès 1585. C'est à cette date qu'Antoine du Verdier fit paraître,

4. Voir notre édition de *La Seconde Semaine,* et les indications d'Isabelle Pantin qui y figurent (p. XII-XVI et XX).

5. Le seul exemplaire connu subsistant de cette édition se trouve à la Bibliothèque universitaire d'Edimbourg (cote*. 33. 45.). Nous devons à l'obligeance du conservateur, Mrs. Jean Archibald, d'avoir pu travailler sur un microfilm.

6. H. Ashton, *Du Bartas en Angleterre,* Paris, E. Larose, 1908 ; Slatkine Reprints, 1969. Louis Desgraves, *Les Haultin. 1571-1623 (L'Imprimerie à La Rochelle,* 2), Genève, Droz, THR XXIV, 1960, p. 46-47, n° 85.

7. Voir ci-dessus, note 4.

à Lyon, sa *Bibliotheque françoise*, où il consacrait un article élogieux à Du Bartas. Il ne citait pas de texte : *La Sepmaine* jouissait d'une trop grande renommée pour que cette précaution fût nécessaire[8]. Cependant, à la fin de son livre — l'extrême fin, puisqu'il s'agissait des trois dernières pages —, Du Verdier revenait à Du Bartas pour annoncer une nouvelle peu banale :

> Je finissoy icy ceste Bibliotheque quand à l'instant m'est venue es mains la continuation de ce divin Esprit[9].

Et de citer 48 vers : le début de « la premiere partie du troisiesme jour de la seconde sepmaine » que l'auteur de *La Bibliotheque,* qui situait bien le morceau, intitulait par erreur « Les Peres »[10]. C'était en fait le début de « La Vocation », non encore parue, et le début de l'ensemble des *Suittes.* Chose intéressante, Du Verdier laissait entendre sans équivoque que le reste du texte lui était connu et que c'était par scrupule qu'il n'en livrait pas plus :

> J'auroy grand desir de transcrire tout du long ceste premiere partie du troisiesme jour de la seconde Sepmaine, mais craignant de desplaire à l'autheur et de prophaner d'avantage une chose si sacree, je m'en abstiendray[11].

Ces 48 vers seront repris par Simon Goulart (qui signale très honnêtement Du Verdier comme sa source[12])

---

8. Antoine du Verdier, *La Bibliotheque,* Lyon, B. Honorat, 1585, p. 509-510.

9. *Ibid.,* p. 1225.

10. Alors que le IIIe Jour commence par « La Vocation » et se poursuit avec « Les Peres », l'un et l'autre évoquant Abraham, ce qui a pu favoriser la confusion. Il est vrai qu'avant la publication complète des *Suittes*, les choses n'étaient pas si claires et qu'on pouvait s'y tromper.

11. *Op. cit.,* p. 1227.

12. Voir ci-après, p. 18, n. des vers 1-48.

dans l'édition Chouet qu'il donnera des *Suittes* en 1601[13] — peut-être dès 1593, quoique cela nous semble peu probable[14] — sous le titre « Fragment ou commencement de preface ». Il situera ce Fragment en reprenant le titre erroné de Du Verdier (« Les Peres »[15]) et il le placera en tête de la deuxième partie du IIIe Jour, au lieu de la première.

Voilà donc où l'on en est à la mort du poète : peu de choses, et des textes qui semblent avoir été publiés sans son consentement. Du Verdier le dit sans ambage. Quant à Haultin, il adresse dans son édition de 1588 un avis au lecteur dont il serait imprudent d'assurer qu'il garantit l'acquiescement du poète :

---

13. Simon Goulart réédite l'ensemble des premières *Suittes,* soit : un avertissement au lecteur (voir ci-après, p. 3), « Les Peres », « La Loy », « Les Trophees », « La Magnificence » et « Jonas », suivis du Fragment de 1585 (nos 48 vers), de la *Lepanthe* et du *Cantique de la victoire d'Yvry* à Genève, chez J. Chouet, en 1601. La première édition qu'il avait donnée de ces poèmes date de 1593 (voir note suivante).

14. Nous n'avons pas réussi à obtenir un microfilm de l'édition Chouet de 1593, l'originale pour « La Loy » (3e partie du IIIe Jour dans les *Suittes*). Le seul exemplaire connu se trouve à la Bibliothèque universitaire du Michigan à Ann Arbor. C'est très probablement celui sur lequel avait travaillé Holmes pour publier « La Loy » (voir son édition, t. III, p. v) : l'éditeur américain des *Semaines* notait que le volume appartenait alors au professeur Hugo Thieme, de l'Université de Michigan (*ibid.,* p. vi), ce qui laisse penser qu'il peut s'agir du même. Or si cette édition de 1593 mentionnait le Fragment publié par Du Verdier , il semble que Holmes l'aurait signalé, alors qu'il n'en est rien. Cela pourrait indiquer que les vers publiés par Du Verdier en 1585 n'ont été repris par Goulart qu'en 1601. Et comme, après la publication de « La Vocation » par l'imprimeur parisien Houzé en 1603, le Fragment isolé de son contexte perdait tout intérêt, cela explique que Goulart ait cessé de le citer dans ses éditions ultérieures.

15. Les deux premières parties du IIIe Jour, consacrées l'une et l'autre à Abraham, s'intitulent successivement « La Vocation » et « Les Peres ».

L'Imprimeur au Lecteur

Je ne me tormente pas beaucoup, Amy Lecteur, du plaisir que prendras en ceste derniere Impression des œuvres du Sieur du Bartas, m'asseurant que tu en auras autant à les lire que j'en ay eu à te les presenter. Et d'autant que je sçay que les nouveautez aydent volontiers au plaisir, je t'ay bien voulu faire voir par mesme moyen ces deux eschantillons de la Suitte de sa Sepmaine, l'un du sacrifice d'Abraham [« Les Peres »], l'autre du miracle de Jonas, que j'ay retiré des mains d'un mien amy, à qui ledict Sieur les avoit laissé en garde, lors qu'il partit de ceste ville à son retour d'Ecosse. J'eusse desiré qu'il en eust eu d'avantage, mais j'ay esté contraint de me contenter de ce peu, te promettant que s'il me fait part du reste je travailleray à les mettre au jour avec autant de soin et d'industrie que tu sçaurois souhaitter. Quoy qu'il soit, aye pour agreable ma bonne volonté, attendant que mes effects te donnent plus de satisfactions. A Dieu[16].

Du Bartas était revenu d'Ecosse en septembre 1587. Avait-il laissé à son ami de La Rochelle la liberté de faire imprimer les deux courts morceaux en vers qu'il lui confiait ? On peut se demander, aussi, dans quelle mesure l'ami en question ne détenait pas déjà tout ce que Haultin allait publier en 1591, puisque Du Bartas ne retourna pas à La Rochelle après son passage dans cette ville en 1587. Dans ce cas, pourquoi avoir attendu au lieu de tout mettre sous presse en même temps ? L'ami et l'imprimeur espéraient-ils recevoir de nouveaux compléments ? Mais alors, pourquoi l'impression fragmentaire des « Peres » et de « Jonas » dès 1588 ? A ces questions, il ne faut guère espérer recevoir de réponse.

Toujours est-il que ce n'est qu'après la mort du poète, en 1591, que Jérôme Haultin va réimprimer *La Seconde Semaine* avec une *Suitte* plus substantielle, constituée des

---

16. *La Seconde Semaine,* éd. de 1588, p. 162 (exemplaire de la Bibl. univers. d'Edimbourg).

deux pièces de 1588 et augmentée de deux autres, intitulées « Les Trophees » — c'est l'histoire de David — et « La Magnificence » — l'histoire de Salomon. « Les Trophees » sont signalés comme « premiere partie du quatrieme Jour », « La Magnificence » les suit. « Les Peres » appartiennent à la seconde partie IIIe Jour, « Jonas » se place on ne sait trop où, au point que Simon Goulart considère ce fragment comme « une pièce à part »[17]. Plus ou moins complets, ces textes ne se suivent pas (sauf « Les Trophees » et « La Magnificence »), contrairement à ceux qui avaient paru sous le contrôle du poète en 1584. D'autre part, la nouvelle publication de 1591 reprend l'avis de l'Imprimeur au Lecteur de 1588 sans la modifier. Elle ajoute une dédicace de Haultin « au serenissime Roy d'Ecosse » qui ne figurait pas dans l'édition précédente[18]. Elle insère aussi le poème du roi d'Ecosse sur Lépante tel que l'a traduit Du Bartas, ainsi que le *Cantique sur la victoire d'Ivry,* dernière production du poète[19]. Haultin ignore le Fragment publié par Du Verdier.

C'est en 1593 que paraît à Genève par les soins de Simon Goulart, chez Jacques Chouet, un nouvel inédit : « La Loy », annoncée comme troisième partie du IIIe Jour. Sans tarder, les imprimeurs intègrent ce texte à ceux que Haultin avait précédemment publiés et l'ensemble va constituer pendant dix ans la première *Suitte* de *La Seconde Semaine* (avec l'ajout, à part, du Fragment de 1585 dans l'édition genevoise de 1601).

Cinq pièces disparates, par conséquent, publiées dans l'ordre (ou le désordre) suivant : « Les Peres », « La Loy », « Les Trophees », « La Magnificence » et l'« Histoire de Jonas »[20].

---

17. « Jonas » ne trouvera sa place qu'avec la publication de la deuxième *Suitte,* à la fin du « Schisme ». Voir plus loin, p. 285.

18. Voir plus loin, p. 185.

19. Comme en fait foi la lettre de Du Bartas adressée au roi de Navarre, devenu roi de France entre-temps, en mars 1590 : voir Holmes, t. I, p. 202, lettre III.

20. « La Loy » se trouvant reportée, dans certaines éditions autres que celles de Chouet, après « La Magnificence ».

Première *Suitte*	
IIIe Jour	IVe Jour
1. 48 vers parus en 1585. Cités dans des éd. Chouet, malencontreusement attribués aux « Peres ».	1. « Les Trophees » (1591)
2. « Les Peres » (1588)	2. « La Magnificence » (1591)
3. « La Loy » (1593)	3. —
4. —	4. —
	? « Jonas » (1588)

Dix ans après « La Loy », en 1603, sortent, des presses parisiennes de Jean Houzé, quatre très longs poèmes : « La Vocation », « Les Capitaines », « Le Schisme » et « La Decadence », qui totalisent plus de 4 400 vers et qui viennent compléter les manques des IIIe et IVe Journées de *La Seconde Semaine*. Et c'est alors, dans « La Vocation », au début du poème, que les 48 vers publiés en 1585 par Du Verdier trouvent leur place, de même que l'« Histoire de Jonas », primitivement parue en 1588 chez Haultin, qui s'ajoute à la fin du « Schisme ».

Deuxième *Suitte*	
IIIe Jour	IVe Jour
1. « La Vocation » (dont les 48 premiers vers déjà parus en 1585)	1. —
2. —	2. —
3. —	3. « Le Schisme » (+ « Jonas »)
4. « Les Capitaines »	4. « La Decadence »

Œuvre inachevée, publiée par des tiers, interrompue et reprise en désordre, les deux *Suittes* constituent donc, dans leur présentation traditionnelle, un véritable puzzle où les fragments se succèdent de façon peu cohérente. Pourtant, c'est ainsi qu'on les publia en leur temps, en les séparant en deux grands groupes de textes : ceux d'avant 1603 et ceux de 1603.

Simon Goulart et les *Suittes*.

Goulart, qui avait commenté *La Sepmaine* avec tant de soin et aussi, quoique un peu plus superficiellement, *La*

Seconde Semaine, expliqua dans son édition des nouveaux poèmes[21] qu'il se contenterait cette fois de Sommaires parce qu'il attendait pour faire mieux de découvrir ce qui restait encore caché « des autres poëmes de ce grand personnage : afin que si quelques autres pieces viennent en avant, nous puissions voir des observations sur le tout si Dieu le permet »[22]. Il y ajoutait seulement des manchettes, c'est-à-dire des annotations marginales au fil du texte, afin d'en faciliter la lecture, mais il ne rédigea pas de commentaires et, dans sa préface-avertissement de 1601[23] ainsi que dans les Sommaires qu'il composa pour chaque poème, il se borna à en résumer le contenu.

Il fit la même chose pour la deuxième *Suitte* dans les éditions genevoises de Jacques Chouet[24], où il inséra des textes de présentation et des manchettes après avoir annoncé dans la préface que Du Bartas , qui avait « magnifiquement representé l'estat du monde et de l'Eglise [...] jusques au deluge, [...] jusque à Abraham » et qui nourrissait l'« intention [...] de poursuivre, selon l'adresse de l'Esprit de Dieu »[25], n'avait pu donner de ce vaste projet qu'« un Sommaire lequel le Poëte pouvoit embellir, amplifier et amener à perfection, si nostre Seigneur luy eust allongé la vie ». Sur quoi Goulart précisait que « La Vocation » racontait l'appel d'Abraham hors de Chaldée, « Les Capitaines » « l'histoire de Josué, des Juges, de Samuel, jusques à l'election de Saul », « Le Schisme » les événe-

---

21. Dans son « Avertissement au lecteur sur le reste des œuvres de G. de Saluste, Sieur du Bartas », avant la première *Suitte*. Voir plus loin, p. 3.

22. Voir plus bas, p. 6.

23. De 1593, récrite en 1601 : « cet advertissement répété en 1601 », lit-on (voir ci-après, p. 7).

24. Éditions qui seront reprises chez d'autres imprimeurs avec les notes de Goulart, en particulier chez les trois imprimeurs parisiens de la grande édition folio de 1610, T. du Bray, J. de Bordeaulx et C. Rigaud.

25. Voir p. 13.

ments qui allaient « de la mort de Salomon jusques à la delivrance miraculeuse de Samarie » et « La Decadence » la vengeance de Dieu sur la maison d'Achab jusqu'à la ruine de Jérusalem.

Le contenu des *Suittes*

Huit parties, donc, qui suivaient les récits de l'Ancien Testament, qui en développaient parfois une image, un portrait, une scène, mais qui, le plus souvent, abrégeaient ou résumaient.

Nous prenons ces parties dans l'ordre du récit et non dans celui de la publication.

IIIe JOUR

1re partie : « La Vocation ».

Elle occupe 1308 vers[26] et reprend la *Genèse,* 10-19[27], pour dire l'appel que Dieu adresse à son serviteur Abraham[28] en lui ordonnant de sortir de Chaldée et d'entraîner son peuple en terre de Canaan.

On peut y distinguer les moments suivants :

1 – Une préface sur la poésie et une dédicace au roi Jacques VI d'Ecosse (v. 1-220).

2 – Une transition avec la fin du IIe Jour : l'exil d'Abraham en Canaan (v. 221-448).

3 – Le récit des événements qui marquent l'arrivée des Hébreux dans leur nouveau pays : guerre et défaite des rois ligués contre eux (v. 449-770).

4 – Retour d'Abraham victorieux parmi son peuple. Louange du patriarche. Dieu instaure le rite de la circonci-

---

26. Dont les 48 vers publiés d'abord en 1585.

27. Ces références à l'Écriture sont données globalement. Elles ne sont pas fausses, certes, mais il aurait été préférable de les détailler épisode par épisode. Cela exigeait malheureusement une annotation plus fine et plus ample, qui était impossible (voir plus bas, p. XXVIII-XXIX).

28. Nommé le plus souvent « Abram » dans le texte de Du Bartas.

sion. Il annonce à Abraham la naissance de son fils Isaac (v. 771-927).

5 – Extermination de Sodome et Gomorrhe. Rôle de Loth, neveu d'Abraham et seul juste des villes maudites, sauvé par Dieu : sa fuite ; sa femme transformée en statue de sel ; ses filles, coupables — et seules coupables — de l'inceste avec leur père[29] (v. 928-1312).

Au terme de cette longue partie, l'aventure d'Abraham n'est pas achevée et va se poursuivre dans l'épisode suivant.

2e partie : « Les Peres ».

Beaucoup plus court que le précédent (462 vers), le poème n'est qu'un fragment qui raconte le sacrifice d'Abraham (*Genèse,* 20-22).

1 – Amour d'Abraham pour son fils Isaac[30]. Dieu décide de le tenter (mais à l'inverse de Satan, quand Dieu tente sa créature, c'est pour la « pousse[r] au bien »[31]). Le poète invoque le Père éternel pour qu'il lui donne l'inspiration (v. 1-70).

2 – La tentation : Dieu ordonne à son serviteur de sacrifier Isaac. Douleur et révolte, puis soumission d'Abraham (v. 77-228).

3 – Le sacrifice : Abraham emmène son fils et exhale sa peine. Étonnement puis obéissance d'Isaac. L'intervention divine retient la main d'Abraham : sacrifice d'un agneau (v. 229-402).

---

29. Cette opinion n'est pas propre au poète, mais elle reprend l'Écriture (*Genèse,* 19, 31-36). A la décharge des deux filles de Loth, rappellerons-nous que leur père n'avait rien trouvé de mieux, quelque temps plus tôt, que de les offrir à la concupiscence des Sodomites qui lorgnaient les Anges du Seigneur réfugiés chez lui, rien de moins ? Plutôt que de laisser souiller les envoyés divins, le patriarche sacrifiait sans balancer la vertu de ses petites, ce que Du Bartas trouve quand même un peu fort ! (Voir « Vocation » 1077-1084, et *Genèse* 19, 7-8).

30. Dit plutôt Isac.

31. « Peres », 31.

4 – Commentaire : le poète chante la grandeur d'Abraham. Célébration du mystère d'Isaac qui annonce la venue du Christ rédempteur (v. 403-462).

3e partie : « La Loy ».

C'est la partie la plus longue des *Suittes* : 1374 vers. Du Bartas s'inspire de la *Genèse*, 10-11, et de l'*Exode*, 1-20. « La Loy » raconte l'histoire de Moïse.

1 – Le début du poème est un nouvel appel à l'inspiration et pose le sujet qui va être traité : les Hébreux en Egypte sont opprimés par Pharaon (v. 1-138).

2 – La mission de Moïse : ramener ses frères en Terre promise. Pour vaincre l'obstination de Pharaon, Aaron, frère de Moïse, multiplie les miracles. Pharaon s'entête : en châtiment, Dieu lui inflige les dix plaies d'Egypte (v. 139-534).

3 – Départ des Israëlites et passage miraculeux de la mer Rouge (v. 535-710).

4 – Israël au désert : la manne ; les dix commandements; le veau d'or ; la mort de Moïse (v. 711-1374).

4e partie : « Les Capitaines ».

Du Bartas appelle ainsi[32] ceux que la tradition désigne par les termes de « Juges » ou de « Prophètes ». Dans ce passage, encore fort long (1 116 vers), le poète suit — et résume considérablement — plusieurs livres de l'Ancien Testament : *Josué,* 1-13, *Juges,* 3-7, 11 et 14-16, I. *Samuel,* 3, 8 et 9. C'est dire qu'il accompagne Josué, successeur de Moïse, jusqu'à la Terre promise, et qu'il mène le lecteur jusqu'à l'avènement de Saül, premier roi des Hébreux.

Trois moments dans cette longue partie :

1 – Les exploits de Josué qui, entre autres miracles, fait passer le Jourdain à pied sec aux Hébreux (répétition du miracle qui avait écarté les eaux de la mer Rouge devant Moïse), assiège Jéricho dont, comme chacun sait, les

32. On trouve aussi le mot « duc » (lat. *dux*) pour désigner les grands meneurs d'hommes de la Bible : Abraham, etc.

murailles s'écroulent, et arrête le soleil dans sa course. Au terme de tant de merveilles, c'est le retour au pays de Canaan (v. 1-551).

2 – Histoire mouvementée et souvent peu exemplaire du peuple d'Israël sous la conduite des « capitaines » qui succèdent à Josué et précèdent Samuel : parmi eux, Débo-rah la prophétesse. Un passage évoque les prouesses de Samson contre les Philistins. Au terme de ce développe-ment, l'anarchie règne parmi les Israëlites (v. 552-870).

3 – Vient alors Samuel. La fin du poème est surtout l'occasion d'une série de harangues sur les avantages et les inconvénients des trois formes de gouvernement : monar-chie, aristocratie et démocratie[33]. Malgré les objurgations de Samuel qui presse le peuple de s'en tenir à sa coutume, celui-ci s'obstine et réclame un roi. Saül est choisi.

Ainsi se termine le IIIe Jour — jour d'Abraham.

IVe JOUR

Le IVe Jour est le jour de David.

1re partie : « Les Trophees ».

Dans ces 1 094 vers, Du Bartas reprend I. *Samuel,* 13-31, et II. *Samuel,* 2-18. Le titre renvoie évidemment aux trophées de David, comme Goulart l'explique longuement dans son Sommaire[34].

1 – Une fois de plus : prière du poète adressée à Dieu pour en recevoir l'inspiration nécessaire afin de chanter un si grand roi (v. 1-44).

2 – Récit du combat de David contre Goliath (v. 45-350).

---

33. Ce qui montre que Du Bartas connaissait les théories d'Aristote sur la question ou, pour le moins, les discussions qui avaient cours alors autour de ces théories sur les formes de gou-vernement (n'oublions pas que les guerres de religion font rage).

34. Ou plutôt dans la partie de la préface de 1601 qui en tient lieu, puisque Goulart avait oublié de rédiger ce Sommaire. Voir ci-dessous, p. 187.

3 – David, devenu héritier de Saül, est en butte à la haine du roi. Sorcellerie et satanisme de Saül : le mauvais roi finit par se suicider (v. 351-704).

4 – David lui succède. C'est un grand roi et un grand poète (v. 705-886).

5 – Ses amours avec Bethsabée[35] : le grand homme donne l'exemple déplorable de l'adultère et du crime. Il est maudit dans sa descendance par le prophète Nathan (v. 887-1094).

2e partie : « La Magnificence ».

Après l'histoire du père, celle du fils : Salomon[36]. Du Bartas reprend dans ces 1 292 vers I. *Rois,* 1-10. Il décrit la splendeur, la sagesse et la gloire du roi : « La Magnificence » est probablement l'une des pièces les plus achevées des *Suittes*.

1 – Préambule sur la difficulté de la tâche entreprise par le poète, et décision de s'y tenir malgré les fatigues et les embûches (v. 1-50).

2 – Passage qu'on pourrait intituler : l'« Institution du roi Salomon », à l'instar de tant de poèmes du temps évoquant des éducations de princes. David y fait ses recommandations à son fils avant de mourir (v. 51-221).

3 – Règne du roi Salomon : sa sagesse. Là se place l'épisode connu du jugement rendu sur l'enfant disputé par deux mères. Renommée du grand roi (v. 221-556).

4 – Les amours et le mariage de Salomon avec la princesse d'Égypte (malgré la vaine mise en garde du poète contre les mariages avec des infidèles, sources d'erreurs et de reniements !). Les noces du roi : la naissance de l'amour, la fête à Jérusalem, le banquet et le bal, tout cela évidemment pourvu d'une valeur symbolique et spirituelle qui rappelle que Salomon est l'auteur du *Cantique des Cantiques* (v. 557-990).

5 – Construction du Temple de Jérusalem (« la maison

---

35. Toujours nommée Bersabée dans le texte.

36. Dans le texte : Solomon (une fois : Solmon).

de Dieu »). Rapports entre le Temple et l'Écriture. Allusion aux livres bibliques traditionnellement attribués à Salomon (v. 991-1128).

6 – Visite de la reine de Saba, hommage à la grandeur du roi et à la vérité de son Dieu (v. 1129-1272).

7 – Éloge de Jacques VI d'Écosse (v. 1272-1292).

3e partie : « Le Schisme » et l'« Histoire de Jonas ».

Avec « Le Schisme » (806 vers), auquel se rattache l'« Histoire de Jonas » (178 vers), soit un total de 984 vers, on entre dans des récits plus compliqués et, disons-le, souvent plus confus. Pour narrer l'histoire du peuple hébreu après la mort de Salomon — ici jusqu'à la délivrance de Samarie —, Du Bartas reprend I. *Rois,* 12-22, et II. *Rois,* 1-8. Pour l'« Histoire de Jonas », c'est II. *Rois,* 7, sans parler, cela va sans dire, du *Livre de Jonas*.

1 – Un préambule évoque « d'Isaac les batailles civilles » et déplore les guerres qui déchirent la France (v. 1-20).

2 – Scission des tribus héritières de David et de Salomon en deux royaumes (c'est le « schisme » du titre) : le royaume de Juda, gouverné par Roboam, fils de Salomon et mauvais roi, néanmoins roi légitime, et le royaume d'Israël, mené par Jéroboam révolté contre son souverain héréditaire, donc dans l'erreur, et par surcroît tombé dans l'idolâtrie (v. 21 à 172).

3 – Évocation de la lignée des rois de Juda (v. 173-272).

4 – Évocation de celle des rois d'Israël, successeurs de Jéroboam, jusqu'au calamiteux Achab, funeste époux de la non moins funeste Jézabel (v. 273-314).

5 – Venue du prophète Elie, envoyé par Dieu pour tonner contre l'impie Achab et contre son faux dieu Baal. Ravissement du « voyant » dans un tourbillon de feu qui le transporte au ciel (v. 315-580).

6 – Lui succède le prophète Elisée, dont le poète rappelle les miracles : le moindre n'est pas sa prédiction de la délivrance, pourtant improbable alors, de Samarie, capitale du royaume d'Israël (v. 581-806).

Telle est la fin du « Schisme » proprement dit. Suit l'« Histoire de Jonas ».

7 – A ces miracles, succède en effet celui qui sauva Jonas, disciple d'Elisée, mais infidèle à sa mission et pour cette raison puni, sur le bateau où il se trouvait : une tempête effraie les marins, qui jettent leur passager à la mer (v. 1-103). Jonas est englouti par une baleine ; dans le ventre de la grosse bête, il se repent sincèrement (v. 104-126) ; cela lui vaut d'être recraché indemne et de se retrouver à Ninive, là où il devait justement aller. Mission accomplie, il obtient pour les Ninivites, eux aussi repentants, le pardon de Dieu (v. 127-178).

4e partie : « La Decadence ».

Dans ces 1 008 vers au titre peu encourageant, Du Bartas suit II. *Chroniques,* 22-25, et surtout II. *Rois,* 9-25, ainsi que *Jérémie,* 38-39. C'est la fin de la grandeur des descendants de David et la punition infligée par Dieu à leur méchanceté et leur infidélité.

1 – Nouvel appel à Dieu, invoqué contre les mauvais rois — allusion probable à l'actualité française (v. 1-32).

2 – Le poète narre la punition de la maison d'Achab par Jéhu (v. 33-254).

3 – Confusion du royaume de Juda, livré aux mains de l'abominable fille d'Achab, Athalie[37]. Celle-ci une fois anéantie, le royaume passe sous la coupe à peine moins néfaste de Joas, l'enfant-roi au règne d'abord prometteur mais devenu idolâtre et cruel à son tour (v. 255-422).

4 – Heureusement, viendra Ezéchias, le bon roi, pour rétablir le culte du vrai Dieu. Le poète dit à cette occasion la maladie et la miraculeuse guérison d'Ezéchias, et son triomphe sur l'Assyrien Sennachérib qui assiégeait Jérusalem (v. 423-656).

5 – Le bonheur ne dure pas. Avec le règne du triste Sédécias, c'est la catastrophe : nouveau siège de Jérusalem, victoire de Nabuchodonosor, prise et ruine de la ville, déportation et réduction en esclavage du peuple hébreu et

37. C'est le personnage de la tragédie de Racine.

de son roi — à qui la férocité du vainqueur crève les yeux (v. 657-1008).

C'est sur cette vision navrante que se terminent les *Suittes de la Seconde Semaine.*

« Une si grande mer d'histoires ».

Leur lecture laisse le lecteur sur une curieuse impression : le poème n'est pas terminé, il souffre de longueurs, de lourdeurs, d'ellipses ou de manques, et l'on s'y perd parfois un peu — cela à côté de passages admirablement réussis, n'omettons pas de le dire. Mais l'étonnement ne tient pas à ces quelques insuffisances. En fait on se rend très vite compte que ce qu'on trouve ici, dans le meilleur comme dans le moins bon, est tout autre chose que ce qu'on admirait dans *La Sepmaine*. Ce que les *Suittes* offrent de nouveau n'est pas seulement l'histoire — les histoires — que raconte Du Bartas, mais une esthétique qui n'est plus la même que dans ses précédents poèmes.

Expliquons-nous.

Dans la première *Sepmaine,* la totalité de l'ouvrage (presque 6 500 vers) paraphrasait quelques lignes, moins de deux pages, du livre saint. La tâche du poète consistait alors à élargir, à orner, à amplifier. Pour les deux premiers Jours de *La Seconde Semaine,* en 1584, l'entreprise n'était déjà plus tout à fait la même : les événements se multipliaient, de même que les personnages, et l'évocation devenait plus narrative. Pourtant, la paraphrase ne portait que sur quelques chapitres de la Genèse[38]. C'était déjà beaucoup : rien auprès de ce qui allait suivre.

Nous avons indiqué schématiquement[39] quelques références à l'Ancien Testament. Ces références, pour rapides qu'elles soient, suffisent à montrer que le récit de Du Bartas laisse de côté quantité d'épisodes bibliques. L'histoire

38. *Genèse,* 2-9.

39. Après Goulart dans ses Sommaires, et après Holmes qui, dans ses notes, renvoie de façon généralement très précise à l'Ancien Testament.

d'Abraham dans la *Genèse*, par exemple, ne s'arrête pas après le sacrifice de son fils. A tout instant, le poète supprime dans les *Suittes* des pans entiers, et non les moindres, de l'Histoire sainte : il passe sur tout ce qui se rapporte à la vie d'Isaac, à celle de Jacob, à celle de Joseph — à qui il fait seulement une rapide allusion au début de « La Loy ». Les quarante chapitres de l'*Exode* se trouvent resserrés, abrégés, et non plus amplifiés comme les premiers versets de la *Genèse* l'étaient dans la première *Sepmaine*. Rien, ou presque, sur le *Lévitique*, les *Nombres*, etc. Quant aux « Capitaines », ils brossent à grands traits les principaux faits de l'histoire de Josué, mais Du Bartas n'y dit pas grand-chose sur le prophète Samuel (qui, dans l'Ancien Testament, occupe deux livres entiers). Certes, David et Salomon se taillent la part belle, mais il ne s'agit plus, dans les deux admirables poèmes qui leur sont consacrés (« Les Trophees » et « La Magnificence »), de paraphrase de l'Écriture à proprement parler, mais de récits tirés de celle-ci. Et, avec « Le Schisme » et « La Decadence », le mouvement s'amplifie : les livres des *Rois* et les *Chroniques* sont passés si rapidement en revue que le récit se transforme par endroits en une simple énumération, voire en une série d'allusions fragmentaires. Le poème devient alors litanie et la narration se réduit à une juxtaposition de faits ou de noms à peine cités :

> Mais le tiers successeur ne porte la Thiare
> Du fin Jeroboam, une fureur barbare
> Regne dans sa maison, son sceptre ensanglanté
> De famille en famille est en bref transporté,
> Et son cher filz Nadab avec toute sa race,
> Sent du cruel Baza la parricide audace,
> Sa posterité sent la fureur de Zamri,
> Zamri sa propre rage, apres eux regne Omri,
> Maudit pour ses forfaicts et plus maudit encore
> Pour avoir mis au monde Achab qui fol adore
> Les Demons de Sidon : bastit un temple à Bal,
> Et comme par despit adjouste mal sur mal.[40]

---

40. « Schisme », 273-284. Voir encore « Schisme », 305-314, « Decadence », 337-344, 355-360…

Or Du Bartas a eu parfaitement conscience de ces difficultés. Dès les premiers vers de « La Vocation » (ceux qui furent publiés en 1585), il a même pris soin de les signaler et d'annoncer la différence entre ce qu'il entreprenait et ce qu'il avait déjà fait. Les 48 vers publiés par Du Verdier montrent que c'est immédiatement, en s'attaquant aux *Suittes,* que le poète en a mesuré la nouveauté :

> Muse jusqu'au jourd'huy, tu cours une carriere
> Ceinte de toutes parts d'une estroitte barriere,
> Dans un petit sentier tu captives tes pas,
> Tu ne peux voltiger [...]
> Mais ores te voicy dans la rase campagne
> Où gaillarde tu peux comme un genet d'Espagne [...]
> T'esbatre, manier, courir à toutte bride,
> Où la saincte fureur de ton zele te guide.
> [...] Je me crains seulement
> Que tu perdes ta route en si vaste argument
> Et que le choix exquis de si grande chevance
> Ne te peine pas moins que jadis l'indigence.[41]

On notera l'insistance : « jusqu'au jourd'huy » opposé à « mais ores » ; l'« estroitte barriere », le « petit sentier » et, au dernier vers, l'« indigence », opposés à la « raze campagne », à « courir à toute bride », à « si vaste argument » et à « chevance ». La richesse, l'abondance, mises en contraste avec la maigreur des événements dans les autres poèmes. Et c'est en effet une question qui n'est pas facile à résoudre que l'embarras du choix dans une matière pléthorique. D'où cette nouvelle méthode — nouvelle esthétique — annoncée, répétons-le, dès la première page :

> Sçais-tu que nous ferons, ô muse mon soucy,
> Mes delices, mon tout ? [...]
> *Nous courrons par dessus l'histoire de tous ages,*
> *Et faisant une trie,* et des grands personnages
> Et des miracles faicts parmy le peuple Hebrieu,
> L'offrirons sur l'autel de la gloire de Dieu[42].

---

41. « Vocation », 1-4, 9-10, 13-14, 19-22.

42. *Ibid.,* 23-24, 33-36. Souligné par nous.

Mais c'est même plus tôt encore que Du Bartas s'est montré conscient de la nouveauté de sa tâche, puisque dès la fin de l'année 1584, dans son *Brief Advertissement,* il l'a décrite, au moment justement où, après les deux premiers Jours de *La Seconde Semaine,* il s'apprêtait à passer aux IIIe et IVe Jours.

On lui avait reproché sa longueür ?

> Les autres pensent que j'ay recerché industrieusement plusieurs disgressions et hors de propos pour faire une vaine parade de suffisance, et me rendre admirable au vulgaire.

Loin de s'en excuser, il prévenait qu'on se trompait fort si l'on s'attendait à ce qu'il se restreigne à l'avenir :

> Mais je desire qu'ils soient advertis que *d'orenavant j'entre en une si grande mer d'histoires,* que je ne puis eviter, bien que je presse mes discours, et geine mon stile, que je ne face de chacune des journees suivantes quatre Livres assez grands : et que souhaitant (comme je le doy) qu'en toutes les parties de cet ouvrage il y ait quelque proportion, j'ay esté contraint d'y rapporter divers discours pour reparer les bresches, et fermer les jours qui paroissent en la deduction des gestes avenus en deux premiers âges du Monde, où j'avoy, comme chacun sçait, *bien peu de sujet* : ce que sur tout je les prie et reprie de considerer[43].

« Bien peu de sujet » ici, d'où la nécessité des « disgressions » afin d'assurer « quelque proportion » entre les premiers poèmes et les suivants, pleins, quant à eux, d'« une si grande mer d'histoires ». La justification laisse entendre que dès le début de la première *Sepmaine,* le poète aurait mesuré la future difficulté des *Suittes.* C'est possible, ce n'est pas certain. En tout cas, l'argument tombe juste : il a fallu développer plus tôt, il faudra désor-

---

43. *Brief Advertissement,* publié à la suite de *La Sepmaine,* p. 346-347, l. 102-105, 107-118. Souligné par nous.

mais resserrer. On accordera que les deux pratiques sont contraires.

Les *Suittes* sont une œuvre largement posthume : accordons à Du Bartas de n'avoir pas eu le temps de maîtriser toujours également la nouvelle technique qu'il devait adopter. Mais il est vrai aussi qu'il n'a pas lui-même publié ses poèmes : on peut penser que c'est parce qu'il ne les estimait pas prêts. C'est en tout cas ce que suggèrent les derniers mots d'Antoine du Verdier à ce sujet[44].

Cela dit, rappelons qu'il est dans les *Suittes* de beaux passages, nombreux et variés, dignes du plus grand Du Bartas. Les comparaisons restent souvent somptueuses, certaines scènes, des dialogues, des descriptions, sont saisissantes. Ainsi du jugement de Salomon[45]. Ainsi de la description du bouclier donné par Deborah à Barac, le champion des Hébreux, dans « Les Capitaines », bouclier sur lequel sont peints trente-six lustres, soit cent quatre-vingts ans de l'histoire d'Israël, ce qui permet à Du Bartas de résumer des faits qu'il n'a pas le temps de narrer, et de rappeler du même coup qu'il a lu Homère et qu'il connaît la pratique de l'ecphrase et les lois de l'épopée[46]. Ainsi encore de l'évocation de la tendresse de David pour son enfançon Salomon, qui ne laisse pas de faire penser à celle d'Hector pour Astyanax :

> O du juste David juste fils…
> … quand encor' tout chaud, tout sanglant, tout pantois,
> Il revenoit chargé des despoüilles des Rois
> Il couroit t'embrasser, te berçoit en sa targe,
> Et pleurant t'elevoit sur son espaule large,
> Tu prenois lors sa barbe, et riois en voiant
> Un autre Solomon rire en l'or flamboiant.
> Du casque paternel mignardois cent minetes
> A travers le duvet de ses blanches aigrettes,

---

44. Voir plus haut, p. IV (à l'appel de la note 11).

45. « Magnificence », 421-522.

46. « Magnificence », 727 sq.

Et semblois de grans flots d'un pennache couvert,
L'oiselet qui s'esbat dedans un buisson vert.[47]

On trouve dans les *Suittes* plusieurs « scènes à faire » réussies : le combat de David contre Goliath[48], le bal où Salomon tourne avec son épousée en entraînant dans sa danse celle du ciel et des astres :

Ce n'est une demarche, ains un doux glissement,
L'harmonie est leur frein, tous vont esgalement :
Ils accordent accorts leurs passages en sorte
Qu'on diroit à les voir qu'un seul esprit les porte,
Encor qu'ils aillent viste on ne le diroit pas,
Ils postent sans bouger entre cent mille pas,
Ils en reculent un, ils font rondes sur rondes,
Et jettent en courant des œillades fecondes.
[...]
Ces bien-heureux Amans d'un pas exercité
Trepignent en avant, en arriere, à costé,
Ils dansent à les voir la pavane Espagnole [...]
Ce couple ore se baisse, or se va reculant,
Se void or d'un œil mousse, or d'un œil scintillant,
Marche à front, marche à flanc, d'une course ines-
[gale...[49]

Voire les horreurs de la guerre, à propos desquelles Du Bartas ne ménage pas beaucoup la sensibilité de son public — il est vrai que ce public, à la fin du XVIe siècle, avait le cuir endurci. Car violences et massacres, et autres abominations décrites directement ou par le biais de comparaisons, ne manquent pas dans l'histoire des Hébreux telle que la Bible la raconte et telle que le poète français la retranscrit[50].

---

47. « Magnificence », 465, 469-478.

48. C'est tout le deuxième grand mouvement des « Trophees », 45-350.

49. « Magnificence », 801-808 et 937-939, 949-951.

50. Du massacre de Jéricho par les bons soins de Josué dans « Les Capitaines » aux persécutions infligées par Nabuchodonosor à Sédécias et aux siens à la fin de « La Decadence », en passant par les horreurs qui parsèment « Le Schisme » — sans parler

Restent, indéniables, des défauts, parfois des particularités, qui peuvent surprendre : défauts dont les plus flagrants sont ceux d'un texte posthume, évidemment mal relu ici ou là, encore que les ratages véritables y soient rares : quelques vers négligés, plats ou mal scandés[51].

Et puis on retrouve des habitudes, des traits propres à

---

de certaines comparaisons où l'on dirait que Du Bartas se plaît à en rajouter. Voir ci-dessous, n. 55.

51. « Ma fleur, entre les fleurs est un lis, une rose, / Est une rose, un lis, l'un desclos, l'autre close » (« Magnificence » 979-980). « Vos loix, qui sainctes ont pris pied depuis tant d'ages... » (« Magnificence » 1098). « Et d'un seul ventre, par une execrable guerre... » (« Schisme » 238). — Mais on rappellera aussi certaines caractéristiques de la prononciation du XVIe siècle qui peuvent expliquer l'apparente maladresse des vers : e, dit muet, prononcé et formant une syllabe dans des mots comme vië (« Peres » 100, 110), joyë (« Peres » 331), louë (« Peres » 399), m'amië (« Magnificence » 971), etc. — mais « fleau », abondamment usité dans les *Suittes,* prononcé en une seule syllabe [flo], comme toujours chez Du Bartas ; apocope du pronom personnel complément : « Prenez le au mot » (à prononcer : « Prenez l'au mot », « Capitaines » 832 ; cf. Molière, *Misanthrope* : « Mais, mon petit Monsieur, prenez-le un peu moins haut » : « Prenez-l'un... », acte I, sc. 2, v. 433). Voire, une fois, « poësie » en deux syllabes : à dire comme « poisie » (« Trophees », 850), ce qui est assurément une négligence. Différence aussi dans l'articulation des mots, donc dans la scansion des vers. Cela se vérifie dans des combinaisons syllabiques modulées différemment aujourd'hui : « meurtrier », « sanglier », « bouclier » en deux syllabes, à cause de la synérèse, mais « furieux », « piété » en trois, à cause de la diérèse (nous avons déjà signalé tout cela : voir *Sepm.,* Introd., p. LXVIII-LXIX, et *Sec. Sem.,* Introd., p. XLIX). Certaines habitudes orthographiques, enfin, peuvent déranger : elles sont banales au XVIe siècle, comme la confusion fréquente entre -ar et -er, qui donne « perfumé » pour parfumé (« Magnificence » 155), « guere » pour gare (« Capitaines » 367), ou eu pour u (« meu », « peu », « deu » pour mu, pu, dû), la diphtongue oi prononcée [wè] ou [è] mais jamais [wa], l'équivalence eu et ou (« treuve » pour trouve, « preuve » pour prouve), encore vraie au XVIIe siècle. Etc.

l'auteur : les adjectifs composés[52], les syllabes initiales redoublées en début de mots auxquelles Du Bartas ne renonce pas même si, comme à son habitude, il ne les emploie qu'en petit nombre : 9 pour plus de 8 000 vers[53]. Quant à son « mauvais goût », on se félicite que Sainte-Beuve n'ait pas poussé sa lecture jusqu'à la fin des *Suittes*, car les mots se seraient sûrement étranglés dans sa gorge sans lui laisser proférer un son[54], tant il est vrai que certaines scènes sont rudes. Ainsi, par exemple, dans « Les Capitaines », le massacre de Jéricho sous la conduite de Josué :

Ainsi le camp Hebrieu, forcené, despité,
Par tous les tristes coings de l'ouverte Cité,
Brusle, rompt, desmolit, dedans le sang se baigne
Et fait d'une grand ville une raze campagne.
Les Temples des Dæmons et les Palais pointus
Des infideles Rois, sont rez-terre abbatus.
Le feu haut craquetant se mesle avec les nues,
Un torrent tiede-rouge ondoye par les ruës
Le glaive de Jacob vangeur n'espargne pas
L'enfant qui foible encor, se traine sur ses bras :

---

52. Mais on avait déjà tant glosé sur ce chapitre après la première *Sepmaine* qu'on ne trouvait peut-être plus grand-chose à en dire : voir *Brief Advertissement*, p. 351, l. 240 sq. et notre Introduction à *La Sepmaine*, p. XXXII-XXXIII.

53. Accordons néanmoins, comme précédemment, que ce petit nombre est encore trop élevé (voir notre Introduction à *La Sepm.*, p. XXXIII-XXXIV). Voici la liste des neuf mots relevés dans les *Suittes* : dans « La Loy » : cra-craquettans (903) et bou-bouillonnent (343) ; dans « Les Trophees » : ba-bate (228) ; dans « La Magnificence » : tourne-tourne (14), dru-dru (649) et ba-bat (934) ; dans « Jonas » : bou-bourdonnante (34), qu'on retrouve dans « La Decadence » (680) ; et dans « Le Schisme » : gra-graillantes (250).

54. Voir notre *Du Bartas et ses divines Semaines*, Paris, SEDES, 1993, p. 81. — D'autre part, puisqu'il est question de Sainte-Beuve, le lecteur sera peut-être intéressé de savoir que, pas plus ici que dans les poèmes précédents, nous n'avons trouvé trace de « duc des chandelles » : voir *Sepm.*, Introd., p. XXXIX-XXXV (et p. 356).

Celuy qui va portant la neige sur sa teste,
Et la glace en son cueur : non pas la moindre beste,
Acte digne vrayment, non du sainct peuple Hebrieu,
Ains des fiers Hesilins, si la bouche de Dieu
Ne leur eust commandé, si le seigneur luy mesme,
N'eust contre Jerico jetté son Anatheme,
Reservant seulement pour le sacré thresor
De son palais errant l'airain, l'argent, et l'or.[55]

Mais quoi ! nous ne sommes plus au XIXe siècle et les langueurs romantiques nous exaspèrent aujourd'hui plus souvent qu'elles ne nous charment, alors que nous sommes assez nombreux à trouver parfois une solidité vigoureuse, voire roborative, du moins sur le papier, à certaines verdeurs et même à certaines outrances de l'âge dit baroque.

La présente édition.

On trouvera dans ce volume les poèmes des *Suittes* dans le texte de leur première édition, à deux exceptions près : pour les 48 vers initiaux de « La Vocation », nous avons respecté dans son entier le texte de 1603 procuré par l'imprimeur Houzé et nous nous sommes contentés d'indiquer en variantes les différences avec celui de Du Verdier en 1585 et celui de Simon Goulart en 1601. Pour « La Loy », nous donnons le texte de 1601 faute d'avoir pu nous procurer celui de 1593. Toutefois, comme Holmes reprenait cette édition de 1593[56], nous avons comparé son texte au nôtre, ce qui nous a permis de constater la fidélité de la réédition à l'originale. Tous les autres passages des *Suittes* apparaissent donc tels que dans les éditions Haultin, Chouet ou Houzé, soit :

1588. « Les Peres » et « Histoire de Jonas ».
La Seconde Semaine ou Enfance du monde, La Rochelle, Haultin.

---

55. « Capitaines » 213-230. Voir aussi, rien que pour « Les Capitaines », 251 sq., 655 sq., 783 sq. etc.

56. Voir ci-dessus, n. 14.

Exemplaire de la B.U. d'Edimbourg, cote *S. 33. 45. (consulté sur microfilm).

1591. « Les Trophees » et « La Magnificence ».
La Seconde Semaine..., La Rochelle, Haultin.
Exemplaire de la B. Interuniversitaire de la Sorbonne, cote Rra 1049, in-12.

1601. « La Loy ».
Le seul exemplaire répertorié de l'édition de 1593 (Genève, Jacques Chouet) appartient à la B.U. de l'Université du Michigan à Ann Arbor. Nous avons consulté l'édition de 1601 : *La Seconde Semaine,* Genève, J. Chouet.
Exemplaire de la B. Interuniv. de la Sorbonne, cote Eugène Manuel n° 1026. (Volume composite : éditions de 1601, avec la première *Suitte,* et de 1604, avec la deuxième *Suitte,* sous la même reliure.)

1603. « La Vocation », « Les Capitaines », « Le Schisme », « La Decadence ».
La Suitte de la Seconde Semaine du feu Sieur du Bartas, Paris, Jean Houzé.
Exemplaire de la Bibl. de l'Arsenal, cote 8° BL 8905, in-12. (Le volume contient les textes signalés ci-dessus. « Jonas » est imprimé sans titre séparé à la suite du « Schisme ». Après « La Decadence » figure, sous le titre « Suitte de la Vocation », le texte des « Peres » repris de l'édition Haultin de 1588 et plusieurs fois réimprimé depuis. Puis vient le texte de « La Loy ».)

Il nous restait à procéder à un choix sur lequel nous avons hésité : fallait-il publier la première *Suitte* avant la deuxième, c'est-à-dire les textes rassemblés jusqu'en 1593 d'abord, puis l'ensemble de ceux parus en 1603 ? Cette solution présentait l'avantage de donner les pièces dans l'ordre de lecture qui avait été celui des contemporains et de rendre sensible, peut-être, une certaine lassitude du poète dans les trois dernières pièces publiées, plus touffues et moins réussies en plusieurs endroits, nous a-t-il semblé.

Mais à la réflexion, nous y avons renoncé : d'abord parce que rien ne permettait d'affirmer que cet ordre de publication soit conforme à l'ordre de composition, et parce que l'apparente fatigue, l'élan plus mou que nous croyions sentir vers la fin de la publication de 1603, pouvaient s'expliquer par mille autres raisons et même correspondre à une impression subjective et discutable. En outre, si l'histoire biblique était bien connue du premier public de Du Bartas (encore que les précisions apportées par Simon Goulart dans ses Sommaires montrent que des éclaircissements s'imposaient déjà), elle l'est beaucoup moins aujourd'hui et le danger était grand de voir les lecteurs, même de bonne volonté, s'embrouiller entre tous ces épisodes et tous ces personnages aux noms quelquefois obscurs : Achas, Achan, Achab, Jéhu, Joram d'Israël, Joram de Juda, Benhadad, Gédéon, Ephraïm, etc. Nous avons donc décidé de faire comme Holmes il y a plus de cinquante ans et de rétablir l'ordre narratif des deux Journées d'Abraham et de David. D'autant qu'en y regardant bien, on pouvait s'étonner du respect scrupuleux de l'ordre : première *Suitte,* deuxième *Suitte,* dans les publications posthumes au XVIIe siècle, puisque les premières éditions des poèmes indiquaient déjà très clairement en sous-titre la place de chaque fragment : « deuxiesme partie du troisiesme Jour », « troisiesme partie du quatriesme Jour », etc.

Nous nous sommes bornée à noter, à côté de chaque titre (et dans les titres courants en haut de chaque page) la première date de publication, qui rappellera l'histoire cahotante de ces *Suittes.* Le tableau suivant la résume. Les éléments de la première *Suitte* y figurent en romains, ceux de la seconde en italiques :

IIIe JOUR	
1. *La Vocation*	1603, Houzé
2. Les Peres (suite immédiate de *La Vocation*)	1588, Haultin
3. La Loy	1593, Chouet
4. *Les Capitaines*	1603, Houzé
IVe JOUR	
1. Les Trophees	1591, Haultin

2. La Magnificence	1591, Haultin
3. *Le Schisme*	1603, Houzé
immédiatement suivi de Histoire de Jonas[57]	1588, Haultin
4. *La Decadence*	1603, Houzé

La présente édition propose les textes, précédés des Sommaires rédigés par Goulart. Elle est peu annotée. Notre édition de la première *Sepmaine,* pour 6 500 vers, comptait 425 pages. Celle de *La Seconde Semaine,* pour 5 500 vers, 564. Dans ces proportions, il aurait fallu au moins 700 à 800 pages pour les 8 600 vers des *Suittes.* Outre que cela ne s'imposait pas pour un texte posthume qui n'a pas reçu l'aveu de son auteur — et quand bien même on le regretterait pour quelques passages particulièrement bien venus —, notre éditeur, malgré sa générosité, risquait de reculer devant le poids d'un tel projet. Nous avons donc commencé cette édition, comme nous l'annoncions dans l'Introduction de *La Seconde Semaine*[58], dans l'intention de la livrer sans note ni variante.

Nous avons presque tenu parole pour les variantes : sauf pour les 48 premiers vers de « La Vocation », les seules précisions que nous apportions concernent pratiquement les corrections du texte quand celui-ci est fautif : dans ce cas, nous indiquons en italiques ou entre crochets nos interventions et nous donnons en bas de page le texte tel qu'il figure dans l'édition de référence.

En revanche, pour les notes, nous avons dû revenir sur notre décision : il était à craindre en effet que, sans explication, bien des passages paraissent trop embrouillés pour ne pas décourager les lecteurs. Faute de fil conducteur, beaucoup risquaient de s'y perdre. Nous nous sommes donc résolue à adopter une solution bâtarde, qui consiste à prendre les manchettes des éditions Goulart et à les donner en notes, entre guillemets pour les distinguer au premier

57. Dans l'édition Houzé. Dans d'autres éditions, ultérieures à 1603, « Jonas » reste placé dans la première *Suitte,* après « La Magnificence ».

58. *Sec. Sem.,* Introd., p. XIX.

coup d'œil des quelques rares annotations proprement dites semées çà et là quand il n'y avait vraiment pas moyen de faire autrement.

Comme pour les éditions des *Semaines,* nous avons, selon l'usage, distingué le i et le j, le u et le v. Nous avons développé les abréviations (y compris le &), ajouté éventuellement les accents grammaticaux et conservé en principe la ponctuation originale — sans grande illusion cependant, tant elle varie d'un imprimeur à l'autre. Nous proposons dans les dernières pages du volume un Index des noms propres et un Lexique, qui pallieront en partie, nous l'espérons, l'économie de l'annotation.

Enfin, dernière précision, on ne trouvera pas, comme dans notre édition de *La Seconde Semaine,* l'ensemble des pièces liminaires qui encadrent la première *Suitte* ou qui précédent la seconde : ces pièces varient et s'augmentent d'une édition à l'autre et elles auraient accru l'ampleur du volume d'une façon disproportionnée à leur intérêt. Nous laisserons donc ici Du Bartas en compagnie du seul Simon Goulart, compagnie qui n'est pas la plus mauvaise.

Sur quoi, arrivée à la fin de sa *Seconde Semaine* inachevée, nous prendrons congé de notre poète et, pour parler comme lui dans les derniers vers de sa première *Sepmaine,* nous jetterons l'ancre, car

> … c'est assez vogué pour le jour du Sabat[59].

Montgeron, dimanche 5 décembre 1993.

59. *Sepm.,* VII, 716.

LES SUITTES

DE LA

SECONDE SEMAINE

ADVERTISSEMENT AU LECTEUR

SUR LE RESTE DES ŒUVRES DE G. DE SALUSTE, SIEUR DU BARTAS[1] (1601)

Puis que la Justice de Dieu, se vengeant de nos pechez n'a point permis que le Seigneur du Bartas ait achevé les cinq derniers jours de sa seconde Sepmaine : ains l'a retiré au repos des bien-heureux, il y a long temps : l'Imprimeur estant sur le point de publier une nouvelle edition de ce qui esté divulgué cy devant en divers livres : j'ay recueilly ensemble ce qui regarde la suite de la seconde Sepmaine : estant deliberé, amy Lecteur, de faire tout ce qui me sera possible, incontinent que les commoditez s'en presenteront, de tirer ce qui n'est encores en mes mains, pour le te communiquer, si je ne suis prevenu. Et ce me sera un singulier contentement, comme à toy aussi, je m'en asseure, si les heritiers ou les plus privez amis de cet excellent Poëte Chrestien mettent en lumiere ce qu'ils en auront de reste. Or és cinq pieces qui sont en ce volume, il est aisé à voir que ce grand esprit là ne s'estoit point assujetty à suivre tout d'un train le parachevement de son œuvre, mais qu'il dressoit ses desseins, selon que son

1. L'avertissement, d'abord publié dans l'édition de 1593 et répété en 1601, ne concerne que les *Suittes* publiées à cette date : « Les Peres », « Histoire de Jonas », « Les Trophees », « La Magnificence » et « La Loy ».

Uranie l'eschauffoit, se prenant tantost à une histoire, tantost à une autre, comme le fragment des Peres et de Jonas le monstre. Et j'ay ouy parler du grand Capitaine, et de quelques autres pieces, dont j'estime que les unes sont achevées, les autres eussent peu estre renduës meilleures par l'auteur. Mais laissant à parler de ce qui est loin de moy : Quant aux PERES, c'est un fragment lequel contient le sacrifice d'Abraham seulement. J'estime que la premiere partie du troisiéme jour de la seconde Sepmaine, se peut appeller L'ALLIANCE[2] : pource qu'apres le Deluge, et les sciences conservées par les fils de Noé, ensemble leurs departemens et migrations, le changement estant survenu en la Religion, Dieu ne voulut permettre que le mensonge triomphast de la verité, ains retira Abraham du pays des Chaldéens, pour le faire habiger en Chanaan, pays destiné à son Eglise jusques à la venuë du Messias promis, et traitta alliance avec son serviteur, laquelle est soigneusement enregistrée par Moyse, avec toutes ses dependances, depuis le xij. chap. de Genese, jusqu'au commencement du xviij. Le second livre se nomme LES PERES, et se commence apres la circoncision d'Abraham. Il doit contenir l'apparition du fils de Dieu, accompagné de deux Anges à Abraham, la promesse que Sara aura un fils, la destruction de Sodome et villes circonvoisines, la naissance et circoncision d'Isaac, l'ejection d'Ismaël, le commandement fait à Abraham de sacrifier son fils, son obeissance, la mort et sepulture de Sara, le mariage d'Isaac, le second mariage d'Abraham, le partage fait à ses fils, sa mort et sepulture. S'ensuit la vie d'Isaac, de Jacob, et de Joseph, depuis le xxv. chapitre de Genese, jusques à la fin, où il y a une infinité d'enseignemens, et matiere pour un beau poëme, tel qu'on devoit l'esperer de la Muse de nostre Poëte. Car en xxv. chapitres qui comprennent la vie de ces trois Patriarches, les hauts mysteres de Dieu, en la

2. Ce sera « La Vocation ».

conduite des siens, et les accidens merveilleux de sa providence y reluisent de toutes parts : toutes les affections humaines s'y rencontrent ; les Rois, leurs conseillers, les peuples, les peres, meres, enfans de famille, serviteurs, riches et pauvres, s'y trouvent ; Dieu et ses Anges y apparoissent, les descriptions de toutes choses grandes et petites y peuvent estre commodément appropriées, pour representer en quelque sorte une partie des merveilles que l'Esprit de Dieu nous y descrit succinctement et clairement. Si donc nous n'avons que ce fragment du sacrifice d'Abraham, considerons quelle perte nous avons faite, estans privés du reste.

Au regard de la LOY, que j'estime pouvoir estre appellée troisiéme partie du troisiéme jour, ce que je vous presente contient un assez exact recit de l'estat du peuple de Dieu en Egypte, et de ses deportemens au desert, jusques à la mort de Moyse : toutesfois, j'ose penser, que si l'autheur eust vescu, ce livre s'en fut senti, soit à donner un coup de lime douce en quelques endroits, à s'estendre en quelques autres, ou à changer ce qui est tresbien, en mieux. Soit qu'il l'ait fait, ce que je n'estime : (car ce que je vous en presente fut donné par luy mesme à un de ses amis, au voyage qu'il fit en Angleterre et en Escosse) soit que l'œuvre n'ait esté reveu[e] d'avantage, il y a, si je ne me trompe, beaucoup à apprendre : pour le moins je l'ay ainsi essayé. De vouloir dire quels sont les tiltres des autres livres sur ce iij. jour et les suivans, d'autant que ce sont conjectures inutiles, je n'y touche point.

[La suite de l'Avertissement constitue un Sommaire des « Trophees », pour lesquels Goulart avait oublié d'en composer un. On trouvera ce texte plus loin, p. 187. Après quoi l'auteur revient à son propos et présente les autres pièces.]

S'ensuit la MAGNIFICENCE ou Seconde partie du quatriéme jour de la seconde Sepmaine, où Salomon est proposé, esleu pour successeur à son pere. Sa sapience, son mariage, son temple basty à l'Eternel, y sont si magnifiquement descrits qu'en cet eschantillon le Sieur du Bartas semble avoir voulu surmonter soy-mesme, et par ses riches inventions debatre avec la dignité d'un si sublime sujet.

L'histoire de JONAS est une piece à part[3], où particulierement le Poëte a fait une description de la tourmente en mer, dedans laquelle le Prophete fut jetté, puis englouti, et finalement vomy par un grand poisson. Si quelqu'un veut comparer ceste piece avec celle des anciens Poëtes, tant Grecs que Latins, specialement des François il aura du plaisir en la consideration de ceste diversité d'esprits, et admirera nostre Poëte, qui a si bien fait apres tant d'autres. J'ay dressé sur ces cinq pieces les sommaires et briéves annotations, comme és deux Sepmaines, pour rendre la lecture plus agreable et aisee aux moins exercez, et y ay adjousté les trois autres poëmes suivans cy devant imprimez et recueillis avec applaudissement de chacun[4] : afin qu'en ceste diversité des dons communiquez à un mesme homme, on remarque la bonté de Dieu. La Judith, l'Uranie, le Triomphe de la Foy, le Cantique de la Paix, les neuf Muses sont en leur volume à part. Je n'ay point fait d'explications sur quelques difficultez du texte, attendant ce que le temps nous descouvrira de ce qui est encor caché des autres poëmes de ce grand personnage : afin que si quelques autres pieces viennent en avant, nous puissions voir des observations sur le tout si Dieu le permet. Cependant, recevez cecy de bon œil, et souhaitez que quelqu'un apparoisse (car rien n'est impossible au Tout puissant) qui paracheve ce que le seigneur du Bartas avoit si heureusement commencé. Et d'autant que luy mesme en sa Preface sur la premiere Sep-

---

3. Elle trouvera sa place en 1603, à la suite du Schisme.

4. C'est-à-dire le Fragment ou commencement de Preface annoncé sur la page de titre et effectivement publié après les *Suittes,* La Lepanthe et le Cantique de la victoire d'Yvry.

maine a respondu à ce qu'on pouvoit luy objecter, je mets fin à cest advertissement, repeté sur la fin du mois de Février, l'an 1601.

S.G.S.[5]

5. Simon Goulart Senlisien. Goulart n'a pas composé d'avertissement général, ou de préface, aux secondes *Suittes* de 1603, seulement des Sommaires, comme pour les pièces précédentes. On les trouvera chacune à sa place.

IIIe JOUR

Première partie

LA VOCATION

SOMMAIRE

Les sept livres de la premiere Sepmaine du sieur du Bartas servent de commentaire au premier, et à une partie du deuxiesme chapitre de Genese, où Moyse en peu de lignes descrit le grand et petit monde. Ce que l'histoire poursuit depuis le deuxiesme et troisiesme chapitre jusques tout à la fin du dixiesme, est exposé par nostre poete és livres de sa seconde Sepmaine. Par ainsi en ces deux volumes il a magnifiquement representé l'estat du monde et de l'Eglise, sous le temps des Patriarches, devant et apres la cheute d'Adam jusques au deluge, et depuis Noé jusques à Abraham. Son intention estant de poursuivre, selon l'adresse de l'Esprit de Dieu, il avoit tracé diverses pieces, dont aucunes, comme les Peres, la Loy, les Trophées, la Magnificence, Jonas ont esté jà publiées. Maintenant en ce volume, nous representant la Vocation, les Capitaines, le Schisme, la Decadence, faisant un corps de tout, nous avons un sommaire de l'histoire sainte depuis la sortie d'Abraham hors d'Ur en Chaldée, pour venir en Canaan, comme Moyse en parle sur la fin du ch. 11 de Genese, jusques à la fin du regne de Sedecias, dernier Roy de Juda, sous qui Jerusalem fut destruit par les Chaldeens. C'est un Sommaire, lequel le Poëte pouvoit embellir, amplifier et amener à perfection, si nostre Seigneur luy eust allongé la vie. Mais estant raisonnable, que chacun de nous acquiesce à la sage volonté du Tout-puissant, sans insister davantage sur nostre perte, disons un mot de ce livre, intitulé *La Vocation*.

En iceluy le Poëte a compris ce que nous lisons en Genese depuis le commencement du douziesme chapitre, jusques à la fin du dixneufiéme : c'est assavoir les choses plus remarquables és vies d'Abraham et de Loth son neveu, en l'espace d'environ vingt-huit ans. Le tout se rapporte à cinq parties principales : dont *la premiere* (precedée de preface propre à la suite de l'œuvre, et de dedicace au Roy d'Escosse) propose la Vocation d'Abraham, lequel apres divers combats en son ame, respond à Dieu, quitte Chaldée, et s'achemine vers Chanaan, avec Loth, puis se separent, à cause des incommoditez que leurs grandes commoditez engendroient. *La seconde* partie descrit la guerre des quatre Rois contre cinq autres, proposée au 14. chapitre de Genese, represente leur bataille, la deffaite du Roy de Sodome et de ses alliez, leur fuite, leur stratageme inutile et pernicieux, la resistance et captivité de Loth. En la *troisiéme* nous avons le recit du courage d'Abraham, lequel favorisé du Tout-puissant attrape et deffait les vainqueurs, recoust Loth, et obtient une tresbelle victoire. Nous voyons en la *quatriéme* le retour d'Abraham triomphant, reconnu par Loth et les autres, salué et benit par Melchisedec auquel il donne la disme du butin, puis est fortifié par une speciale vision et faveur du Souverain avec lequel il traite alliance, et entend combien grandes choses luy sont promises en Isaac. *La cinquiéme* et derniere partie de ce livre traite l'histoire speciale de Loth, vers lequel Dieu envoye deux Anges pour le tirer de la caverne horrible où il habitoit. Les crimes des Sodomites sont descrits, item l'hospitalité de

Loth indignement assailly par des execrables ribleurs lesquels il ne peut adoucir. Pourtant Dieu les chastie par divers supplices, le dernier desquels, assavoir celuy du feu celeste, est vivement depeint, ensemble la transmutation de la femme de Loth en statuë de sel, avec le forfait execrable des deux filles de ce Patriarche. Le tout enrichi de tous ornemens poetiques, comme la lecture en fera foy.

TROISIEME JOUR

AU ROY D'ANGLETERRE, ET D'ESCOSSE

LA VOCATION*

Premiere partie du troisiesme jour de la seconde Sepmaine du Sieur du Bartas

Muse jusqu'au jourd'huy, tu cours une carriere
Ceinte de toutes parts d'une estroitte barriere,

1-48. *Avant l'édition Houzé de 1603, les 48 premiers vers de « La Vocation » avaient été publiés dès 1585 par Antoine du Verdier dans sa* Bibliotheque *(voir Introduction, p. IV) sous le titre erroné « Les Peres » et la précision juste « Premiere partie du troisiesme jour de la seconde sepmaine ». Ce passage fut repris par Simon Goulart sous le titre de « Fragment ou commencement de preface » dans l'édition de 1601 qu'il donna des* Suittes *dans* La Seconde Semaine *chez Jacques Chouet — peut-être même dès son édition de 1593, que nous n'avons pas pu consulter (voir Introduction, p. 5, n. 14) mais qui était celle dont Holmes s'est servi pour « La Loy » : toutefois l'éditeur américain ne mentionne nulle part, sauf erreur, cette pré-publication des 48 premiers vers de « La Vocation ». Dans l'édition Chouet de 1601, ces 48 vers se trouvent précédés d'un avis de « L'Imprimeur au Lecteur » ainsi rédigé : « Nous vous presentons au bout des poëmes sacrez et parties des jours de la seconde Sepmaine du Sieur du Bartas trois autres pieces à part du mesme autheur, c'est assavoir, un fragment qui semble estre la Preface de la seconde partie du troisiesme jour de la seconde Sepmaine, la Lepanthe, et le Cantique de la journée*

---

* Texte de 1603, Paris, J. Houzé. Exemplaire de la Bibl. de l'Arsenal, à Paris (cote 8° BL 8905). Première pièce de la deuxième *Suitte*.

1. « Preface à son Uranie. » Rappelons que les notes encadrées de guillemets renvoient aux manchettes des éditions de Goulart (voir Intr., p. XXVIII).

Dans un petit sentier tu captives tes pas,
Tu ne peux voltiger, et seulement tes bras
S'estendans hors les murs dont la lice est enclose,
Empoignent en courant quelque odorante rose,
Quelque vermeil œillet et curieux en font
Un tissu de bouquets pour couronner ton front.
Mais ores te voicy dans la rase campagne
Où gaillarde tu peux comme un genet d'Espagne
Qui rompant son licol et ses fers empeschans,
A brusquement gaillard gaigné la clef des champs,
T'esbatre, manier, courir à toutte bride,
Où la saincte fureur de ton zele te guide.
Tout le monde est à toy doresnavant tu metz [9v°]

d'Yvry. Ce fragment ou Preface s'est trouvé en la Bibliotheque Françoise d'Antoine du Verdier, et contient ce qui s'ensuit. » Sur un point, on le voit, l'imprimeur (ou, plus probablement, Simon Goulart) s'est trompé et a mal interprété ce qu'il lisait chez Du Verdier : au lieu de retenir la mention « Premiere partie du troisiesme jour », il a retenu le titre « Les Peres », qui forme effectivement la seconde partie de ce même troisième jour. Le fragment en question se raccorde en réalité à « La Vocation », c'est-à-dire au début des Suittes, *et le poète y annonce un nouveau programme poétique. Les versions données par Du Verdier puis par l'éditeur Chouet présentent quelques variantes avec celle de Houzé. On les trouvera ci-dessous (DV renvoie à l'édition de 1585 de* La Bibliotheque *de Du Verdier, 1601 à l'édition Chouet, 1603 à l'édition Houzé).*

7 *DV, 1601* Quelque pasle viole…
12 *DV, 1601* Brusquement courageux gaigne…
15 *DV* … est à luy, doresnavant…
1601 … à toy, doresnavant…

9. « Le privilege d'icelle en la continuation de son dessein au parachevement des Jours de la 2. Sepmaine. »

Tes faux dans la moisson des champs plus renommez :
Et flottant sur la mer des plus riches histoires
Cent prodiges nouveaux, cent routes, cent victoires
En blocq s'offrent à toy. *J*e me crains seulement
Que tu perdes ta route en si vaste argument
Et que le chois exquis de si grande chevance
Ne te peine pas moins que jadis l'indigence.
Sçais-tu que nous ferons, ô muse mon soucy
Mes delices, mon tout ? nous ferons tout ainsi
Que la pucelle main d'une jeune bergere
Qui ne va despouillant toute la primevere
De ses peintes beautez, et ne va ravissant
En un jour tout l'honneur d'un jardin verdissant
Ains couppe en ce quarreau une fleur azuree,
En l'autre une blanchastre, en l'autre une doree
De ses cheveux les lie, et chaste les baisant
A son cher fiancé s'en-court faire un present :
Nous cour*r*ons par dessus l'histoire de tous ages,
Et faisant une trie, et des grands personnages
Et des miracles faicts parmy le peuple Hebrieu,
L'offrirons sur l'autel de la gloire de Dieu.
J'espere que celuy qui non moins bon que sage
Nous a mis en besongne, et donné le courage

19	*DV, 1601*	… à toy, je ne crains seulement…
	1603	… à toy ? Je me…
28	*DV, 1601*	En un jour tout l'honneur d'un jardin florissant
33	*1603*	… courons… [*Corrigé d'après DV.*]
34	*DV, 1601*	… une trie des plus grands personnages,
38	*DV*	…, et donne…

24. « Comparaison. »

33. « Sommaire de son intention. »

37. « Correction bienseante. »

De faire le desseing d'un bastiment si beau
Nous servira de plomb, de reigle, et de niveau,
Qu'il changera le tuf de nos basses pensees
En perles d'orient bravement agencees,
Et qu'il ne lairra point dans ces murs precieux
Rien qui puisse offencer d'un bon maçon les yeux.
Ou s'il y laisse rien, ce sera quelque trace
De cet aveuglement commun à nostre race,
Pour abattre ma gloire et me faire sentir
Que mortel je ne puis que de boüe bastir. [10]
Jaques le riche honneur de l'Escossoise terre
Qui de la mesme main qui brandit le tonnerre,
Conduis d'un stile d'or les traicts audacieux
Sur l'immortalité d'un papier cheu des cieux,
Et nouveau Delien chantes en ton enfance
Sous des noms empruntez ta future vaillance,
Hé ! qui pourroy-je mieux estrener de ces vers
Que toy qui m'as rendu fameux par l'univers,
Que toy de qui la main doctement liberale
As paré des esclairs d'une robbe roiale
Ma muse qui jadis dessus le double mont
Entre ses chastes sœurs n'osoit lever le front
Couverte de haillons la honte d'Aonye

41 *DV, 1601* Qu'il changera le tout de nos…
42 *DV, 1601* … d'Orient proprement agencées,
43 *1601* Et qu'il ne permettra…
45 *DV* Ou s'il y reste rien…
1601 Ou bien s'il y restoit, ce sera…
47 *DV* … gloire de me faire…
48 *1601* … qu'en la boüe bastir.

49. « Dedicace de son œuvre au Roy d'Escosse. »

Et se targeant à tort du sainct nom d'Uranye[?]
Elle est par toy celeste, ô Roy brave et sçavant
Puisses-tu surmonter tous ceux qui cidevant
Ont commandé l'Escosse et ces peuples sauvages
Qui leur cuir martial marquetoient tout d'images,
Face le trois-fois grand que le premier *F*regous
Qu'un Evene, un *D*onald, de ton los soient jalous,
Que l'Escossois David, ou plustost l'Idumee
Le grand fils de Jessé cedde à ta renommee,
Et qu'il te donne encor et son zelle et son heur,
Ainsi qu'il *t'a* donné son archet doux-sonneur.
Bien que des dieux nouveaux le profane service
Eust delugé la terre et que l'effronté vice
Coulant avec le cours des peuplemens divers
Se feust en fin rendu tyran de l'univers,
Son siege capital estoit dans la Chaldee
Senar son seur Azile et la ville fondee
Sur le flanc bitumeux de l'Euphrate au long cours,
Le palais où, superbe, il tenoit ses grand jours, [10v°]
Si que mesme de Sem et d'Heber la lignee,
Où Dieu sembloit avoir sa grace confinee
Des champs Assiriens l'air infect attirant
Va, singe des Paiens, tous les jours conspirant,
Oublie le vray Dieu : l'erreur commun l'emporte,
S'abastardist, se perd, se desseiche en la sorte
Qu'un excellent fruictier, de toutes pars pressé
Et de l'ombre et des bras d'un buisson herissé,

62 *1603* ... d'Uranye.
67-68 *1603* ... fregous / ...un donald,...
72 *1603* ... qu'il ta...

---

73. « [1.] Entr[é]e en matiere liant son propos avec la fin du dernier livre du 2. Jour de sa 2. Sepmaine. »

Qu'il descroist tant plus haut le bois voisin se pousse
Et, bruslé, pour tout fruict ne porte rien que mousse.
    Mais Dieu qui desiroit plus pour nous que pour soy
Sauver en un seul parc la plante de la foy,
Comme au jour que ce tout fut ravagé de l'onde,
En un autre il sauva la semence du monde
Marque Abram de son coin, et du service faux
Des hommes, des demons, des *t*roncs, des animaux,
Benin l'attire au sien non tant par l'artifice
Qui dore le plancher de ce rond edifice,
Par le pouvoir fecond des monts et des costaux,
Qui de grains si menus font des arbres si haults,
Par la diversité de tant de fleurs bisarres,
Par le cours de la mer qui joue comme aux barres,
Et ses flus et reflus baveusement flottans
Gouverne par raison, par mesure et par temps,
Que par le mouvement du sainct Esprit qui selle
Au centre de noz cœurs sa parole fidelle
Et sage dispensant ses dons en temps et lieu
Tesmoigne à nostre esprit que c'est l'esprit de Dieu.
    La saincte foy d'Abram ne languit point oysive,
Elle veille, elle sue, et produit tousjours vive,
L'humilité, l'amour, le zele vehement,
La bonté, la rondeur, fruicts qui comme un aymant,
Tirent son pere au Ciel et guident à dieu l'ame

89 *Leçon ultérieure (retenue par Holmes), notamment des éd. Chouet :*
    Descroist tant plus en haut le bois voisin se pousse,
96 *1603* ... Troncs,...

---

91. « Dieu tire Abram hors de Ur de Chaldée. »

109. « Abram appellé sort emmenant son pere, sa femme, son nepveu. »

Et de Loth son nepveu, et de Sara, sa femme,
Qui suivant avec luy la voix du tout puissant, [11]
S'acheminent au bord du Jordain doux-glissant,
Se desmembrent du corps de leur chere patrie,
Et post-posent zelez, une paisible vie,
Un bien hereditaire, un domaine fertil
Aux penibles hazards d'un *e*ternel exil.
O sacré fondement des vertus plus parfaictes,
O bouclier des martirs, ô phare des prophetes,
O collire de l'ame, ô restaurant du cœur,
Seche-pleurs, dompte-ennuy, guide-espoir, chasse-peur,
O voye de salut : ô foy que de merveilles
Tu produis tout d'un coup lors que tu nous resveilles
D'un sommeil lethargique, et nous fais concepvoir
Par esprit les beautez, qu'œil jamais n'a peu voir.
Helas ! dit Abraham faut-il donc que je quitte
Le sejour bien-heureux du rivage Euphratite ?
Icy j'ay l'air vital humé premierement
Icy j'ay d'un doux rire adoucy le tourment
De ma mere acouchee, icy de mes gencyves
J'ay mo*r*dillé le *bout* de ses fontaines vives,
Qui de l'yvoire blanc d'un besson montelet,
Almes faisoient jallir du Nectar pour du laict,
Icy mes chastes sœurs, mes oncles et mes tantes
Ont ry du son confus de mes voix begayantes,
Icy mignardement j'ay pendu leger pois

120 *1603* … d'un Eternel exil.
134 *1603* … modillé le bruit…

121. « Louange de la vraye foy. »

129. « Combats spirituels d'Abraham, esquels le Poete exprime les pensees dont sont traversez ceux que Dieu appelle à sa connoissance, et qu'il retire de l'idolatrie pour le servir purement. »

Mon corps au col ridé de mon pere cent fois,
Icy de quatre pieds j'ay rampé sur la plaine,
Icy premierement d'une douillette layne
Mon menton s'est frizé, de l'esprit et du corps
Gaillard j'ay faict icy les plus nobles efforts,
Icy j'ay jà passé la plus part de mon age,
J'y possedde un certain et second heritage,
Du ciel j'y ay compris les secrets mouvements
Et les divers effects de noz quatre elements, [11v°]
Faict cent et cent amis, acquis beaucoup de gloire
Et laissé de mes faicts une douce memoire;
En faut-il desloger pour errer vagabond,
A travers les rocher*s* d'un effroiable mont,
Les torrens escumeux qui le long des campagnes
Emmeinent forcenez des entieres montaignes,
Les deserts où le ciel de ses rais plus ardans
Nous cuira par dehors et la soif par dedans,
Les bois qui s'horriblans de funestes ombrages
N'ont tant de chesnes verds que de bestes sauvages ?
Pour chercher un pays dont le nom incongnu
A peine estoit encor jusqu'à nous parvenu ?
Le bourdon à la main vaguer de lande en lande,
Mener incessamment une vie caymande ?
S'accommoder aux meurs des hommes qui ne sont
Hommes que de maintien, de paroles et de front ?
Bref n'avoir rien de propre en toute la nature
Non pas mesme le lieu de nostre sepulture ?
Pourray-je voir des miens les pleurs et les sanglots
Sans mourir de douleur ? hé pauvre de quels mots
Useray-je au depart ? auras-tu la puissance
De dire ainsi à dieu au lieu de *t*a naissance ?
O ciel chaldee, à dieu à dieu, cheres douceurs :

152 *1603* … les rocher
170 *1603* … de ma naissance ?

D'un Eternel à dieu, à dieu freres et sœurs.
Pourray-je de leurs bras me depestrer sauvage,
Bras qui me presseront plus que dans un boscage
Le lierre fueilleux de son tortis rameau
Estreint le chesne verd ou la vigne l'ormeau,
Doy-je donc exposer de ma femme pudicque
La beauté non vulgaire à ce peuple lubrique
Qui n'espargne son sexe, ains de qui le desir
Brutal ne cour qu'apres un deffendu plaisir ?
Puis quelle cruauté ? mais bien quel paricide
De trainer ce vieillard du rivage Tigride, [12]
Jusqu'au bord du Jordain, vieillard qui ne peut pas
Mettre en avant un pied que porté de noz bras.
Si le faut-il pourtant, l'Eternel le commande,
Des raisons de la chair l'homme charnel depende,
La raison de la foy j'ay pour toute raison,
Ceux qui logent chez Dieu ne sont point sans maison.
Joyeux doncque*s* il marche et bien que le viel age
Et la mort de Tharé r'alente son voyage
Il conduit en Chanan les reliques des siens,
Où Dieu leur faict pleuvoir une hiade de biens,
Si bien qu'en peu de jours leur auguste richesse,
Semble vaincre leurs vœux, et de Dieu la promesse.
Leurs haras n'y sont tels que ceux des Elephans
Qui ne portent point fruict que de douze en douze ans,
Et tardifs à se joindre, et plus encore à naistre.
Torturent nuit et jour d'un long espoir leur maistre :
Tout blanchit de leur layne : et leurs riches troupeaux,

189 *1603* … doncque, il marche… *Vers faux.*

---

185. « Victoire de la loy. »

188. « Effets d'icelle victoire. »

193. « Richesse d'Abram et de Loth. »

Conçoivent en pigeons, frayent en estourneaux,
Leur bien est hors de prix, et jà leurs domestiques
De trop d'aises enyvrez osent entrer en picques,
Mais craignant que le mal qui glisse en leur hostel,
Gaignant tousjours païs, ne parvienne mortel
Des membres jusqu'aux chefs, le Pere des fidelles
Et le pere d'Amon coupent broche aux querelles,
Et pour vivre d'esprit plus que de corps unis
Divisent prevoyans leurs troupeaux infinis
Et s'en vont vivre à part : l'oncle prend la montagne,
Et le nepveu se tient en la grasse campagne,
Se loge dans Sodome, et se faict le bourgeois
De ceux qui de nature ont trangressé les loix.

O Loth quel lot prens-tu ? la verdure Eternelle,
La prodigue moisson, et l'onde qui ruisselle [12v°
Par cent mille canaux au long d'un si beau lieu
Qu'il semble estre moulé sur le jardin de Dieu,
Troublent ton jugement, et te font miserable
A caser au meilleu d'un peuple abhominable,
Et qui t'envelopant en ses guerriers mal-heurs,
Changera tes deux yeux en *deux* ruisseaux de pleurs.

Le fier Chodorlamor, grand Monarque elamite,
Irrité par l'orgueil du tyran Sodomite,
Et des princes mutins de l'estroitte Seghor,
De Seboym d'Adame et de Gomorrhe encor,
Dont le col temeraire avoit jetté par terre
Son joug accoustumé, leur denonce la guerre

204 *1603* … pais,
220 *1603* … en 2. ruisseaux…

---

205. « Ils se separent. »

213. « Loth prend le plus gras et le plus perilleux. »

221. « Seconde partie de ce livre descrivant la guerre des quatre Rois contre les cinq. »

Avecques Arioc satrape d'Eleazar,
Thadal le roy des gens, Amraphel de Senar.
Les deux camps sont jà pres : Jà l'homicide rage
Des soldats moins vaillans horrible le visage,
Une nouvelle ardeur enflamme leurs esprits,
Tout leur sang est esmeu, jà leurs alaigres *cris*
Devancent la rumeur des tabourins funestes[,]
Et desjà forcenez ils combattent de gestes,
Les chevaux pieds-de-fer, de leur maistre espousant
La cause et la fureur vont la terre arousant
D'une pluye escumeuse : ils pompent sous leur charge,
Et souvent hennissant cent fois sonnent la charge.
Desjà l'un et l'autre ost marche superbement,
La plaine au meilleu d'eux descroit egallement,
Et des deux ennemis les poudreuswes fumees,
Entrechoquent en l'air, en terre les armees.
La guerre est encor belle : on voit briller encor
Les glaives et boucliers, le sang ne souille l'or
Des riches hallecrets : le casque n'est sans teste,
Le cheval sans picqueur, sans chartier la charette.
Mais le bras rougissant du grand Dieu couroucé [13]
Ne descoche plus d*r*u sur un champ herissé
Des rangs d'une moisson jaulnement barbelee
Les bondissans balons d'une vameur gelee
Qu'espais on voit pleuvoir les traits de toutes parts :
Un nuage ferré jà prive les soudars
De l'usufruict du Ciel et les volantes armes
Ne pouvant prendre terre offencent les gensdarmes.
Il n'y a Javelot qui n'ait un corps pour blanc,

232 *1603* … leurs alaigres corps
233 *1603* … funestes ?
248 *1603* … plus dou sur…

247. « Representation vive de la bataille donnee entre eux. »

Fonde qui son caillou ne trempe dans le sang
Ou si les darts jettez n'apportent la mort blesme
Au moins s'entrechoquans ils se blecent euxmesme :
Tous coups viennent du Ciel, le guerrier plus adroit
Est meurtrier et meurtry de celuy qu'il ne voit,
Le dardeur sans viser sa javeline lance
Et le sort fait encor l'effect de la vaillance.
Ainsi que deux beliers qu'un aiguillon jaloux
Au front de deux troupeaux esperonne au couroux,
Courent viste à droict fil, et comme deux tempestes
Se choquent forcenez des cornes et des testes.
Ainsi l'un et l'autre est doublant ses vistes pas,
Sanglante le long bois et puis le coutelas
Et puis la dague encor : donne charge et ne cesse
Que l'adversaire pied, l'ennemy pied ne presse,
Que l'estoc du bouclier n'enfonce quelquefois
La poincte dans le cuir du contraire *pavois*
Et que de l'ennemy le bigarré pennache
Sur le casque ennemy ne flotte tout bravache.
De tant de coups ruez nul coup ne tombe en vain
Le pied demeure ferme, en mouvement la main [:]
Qui deçà qui delà les bandes acharnees
Abandonnent au fer les gorges obstinees
Mais non jamais le dos, non pas mesme le flanc,
Du sang de ses haineux et de son propre sang [13v°
On fait pareil marché : Les rangs en fin se troublent,
Les menaces, les cris, les plaintes se redoublent,
Pesle-mesle on combat : la rage aveugle Mars,
Et l'escharpe ne peut discerner les soudars.

272 *1603* ... contraire François (*corr. d'après les éd. ultérieures*).

276 *1603* ..., en mouvement : la main

---

284. *L'escharpe.* Faute d'uniformes, les armées se distinguaient au XVIe siècle par le port d'un insigne différent : souvent une écharpe.

Le Palestin combat soubs l'enseigne Elamite,
Et celuy de Senar dessoubs la sodomite :
Tout ainsi deux essains de bruyans moucherons
Se trouvans front à front brouillent leurs escadrons,
Qui va, qui vient, qui tourne, une sifflante nue
Voltige sur nos chefs une poudre menue,
A des aisles au flanc, et chacun des deux Rois
Gaigne, et perd un soldat en un moment cent fois.
  Mais peut on esperer d'une bande douillette
Qui ne sent rien que muse, qu'ambre gris, que civette,
Qui n'a plus grand plaisir que de perdre l'honneur
Qui veut estre vaincue un invincible cueur,
D'un camp effeminé une masle constance,
D'une lascive armee une longue vaillance ?
O Gomorrhe, ce n'est, non ce n'est point icy
Que le son fredonné du luth charme-soucy,
Se marie à la voix, ô vilaine Sodome.
Non ce n'est point icy que l'homme eschauffe l'hom- [me
D'un feu contre nature, ô Seboin, les nœuds,
Et les plis annelez des tortillez cheveux
En ce lieu n'ont point lieu, et celuy qui se farde
Icy dans un miroir sa face ne regarde.
Adama ce n'est point icy qu'on fait l'amour :
Qu'à la table, et qu'au bal on despend tout le jour.
Seghor ce n'est icy que de langue on bataille,
Et qu'un Mars desguisé d'un fer moussé chamaille
Ainsi qu'en vos tournois. Quittez picques et dards,
Des balafres, le sang, la sueur, sont nos fards : [14]
Les miroirs nos pavois, nos instrumens de guerre
D'un effroyable bruit imitent le tonnerre,
L'espouventable mort jouë icy des cousteaux.

---

293. « Cause apparente et seconde de la deffaite de l'armée du Roy de Sodome et de ses alliez. »

Icy nous apprestons un banquet aux corbeaux,
Fuyez tournez le dos, ainsi que de coustume
Vous avez exercé ce mestier sur la plume :
Mais oultrez à ce coup d'estoqs et de longs bois,
Vous le prattiquerez pour la derniere fois.
Ainsi dit Amraphel et les charge en la sorte
Qu'il semble que soudain un tourbillon emporte
Tous les lasches guerriers, les uns bien advisez
Fuyent sur les coupeaux des monts plus aiguisez,
Les autres par la plaine, et n'ont mesme courage
De monstrer en fuyant la moitié du visage.
Leur peur n'a point de frain, et moins encore d'art,
L'un gette son bouclier, l'autre gette son dard,
Les estocs, les brassals, le morion, la lance
Servent d'empeschement et non point de defence.
Ils ont avec leur cueur presque perdu les yeux,
Et lasches postposans un tombeau glorieux
A mille infames morts, ils se jettent dans l'onde
Qui du riche Chanan rend la plaine feconde.
Contr'eux le clair Jordain lors commence à s'armer,
Postillonne en torrent, s'enfle comme une mer.
Les estangs sousterrains dans son canal se rangent,
Et ses guez plus aisez en abysme se changent.
Il bouillonne, il escume, il forcene, et ses flots
Irez, tourbillonneux semblent bruire tels mots,
Mourez vilains mourez, perdez, ô plus qu'infames,
Monstres perdez icy vos detestables ames,
Flots choquez, tempestez, et que vostre froideur
Esteigne le flambeau de leur damnable ardeur,
Abismez ces poltrons, et bavant de cholere [14v°]
Vangez l'outrage fait à nature ma mere.

---

321. « Leur route [*déroute*] et fuite. »

341. « Invective par prosopopee excellente contre ces vilains fuyards. »

Le fleuve ravineux tourne-vire les corps,
Son dessus d'arcs il pave et son dessous de morts
Et le pennache peint qui sur les ondes flotte
Fait mesme pour un temps flotter la bourguignotte :
Les nageurs plus gaillars en fin s'en vont là bas.
Ils veulent rendre l'ame et si ne peuvent pas
Car le fleuve qui crainct de souiller son eau nette
De si sales esp*ri*ts dans leur sein les rejette :
Là dedans les estouffe et puis avec leurs corps
Les conduit dans la mer, ou les jette à ses bords.
Lors le Roy de Gomorrhe et le Roy Sodomite
Esperant atirer l'adversaire exercite
Dans un champ plain de puits que fins ils ont couverts
Pour tromper l'ennemy de quelques rameaux verts
Courent vers cette part : mais leur fuite confuse
Fait qu'ils sentent en fin dommageable leur ruse.
Ils perdent là dedans de leurs soldats la fleur,
Trouvent plustost la mort : que de la mort la peur.
Cestuicy lors qu'il fuit d'une jambe tremblante
Le dart qui perce à jour son eschigne sanglante,
S'entortile aveuglé la jambe dans les plis
D'une vigne au long bras qui s'estend pres d'un puits,
Il bronche et jette en bas, dans la fosse il s'alonge
Tout son corps dedans l'eau ju*s*qu'aux genoux se
[plonge :
Par trois *P*arques il est sous le *L*ethe envoyé
Et meurt, miracle grand ! tué, pendu, noyé :
Et l'autre quand d'un sault franchir un puits il cuide
Le pied luy va glissant dessous le bord humide

354 *1603* ...espirts...
371 *1603* ...parques... lethe...

357. « Stratageme inutile et pernicieux aux vaincus. »

Il tombe là dedans : tombé soudain se prend
Au cable qui mouillé dans la cisterne pend
Le presse des deux mains : et d'une adresse prompte
Jusqu'au sommet du goufre *à boutees* remonte. [15]
Adonc Thadal luy crie : Est-ce ainsi ô putain
Que tu veux secouer le joug Elamitain ?
Est-ce avec ceste escrime, est-ce avecques ces armes
Que tu veux faire teste à nos braves gensdarmes ?
Va quitte ton eschelle il faut qu'ores ce fer
Te face un beau degré pour descendre en Enfer :
Va va payer au Roy de la noire province
Le Tribut esconduit à ton souverain Prince.
Il tire en mesme instant son brillant coutelas
Et d'un puissant revers luy coupe les deux bras,
Ses desgoutantes mains serrent la corde ronde,
Le tronc gangne le fonds, le sang nage sur l'onde.
Cestuicy rudement par l'ennemy poussé
Chet cul sur teste au fond d'un bitumeux fossé.
Dans le sale limon de la fosse gluante
Son chef tout debiffé profondement se plante,
Et ses jambes et bras, vers le Ciel se mouvans
Representent un arbre agitté par les vents :
Et cest autre à cheval passant d'un cours agille
Sur les rameaux couvrans une mine d'Argille
S'abisme tout d'un coup, le Cheval vigoureux
Se cognoit en tombant doublement mal-heureux,
Car il se rompt le col et fichant les escailles
D'une luisante anime ès maistresses entrailles,
Il sert ô crevecœur ! à celuy de tombeau
Qui cent fois a peigné son crin nettement beau
Et l'a soulé cent fois dans le creux de sa targe

378 *1603* …aboutees remonté

---

385. « Vive description de la misere de ces gens. »

D'aveine, de gueret, et d'une espeaute large.
Non autrement veoit-on choir d'un roide coupeau
(Double perte à leur maistre) et la vigne et l'ormeau
Elle de son espoux regrette le boscage
Luy de sa femme pleure et les bras et l'ombrage.
Mais surtout il se plaint qu'estendu de son long [15v°]
Les raisins bien aymez il foulle de son Troncq,
Et que mortellement son corps presse et terrasse
Celle qui par amour si doucement l'embrasse.
Le seul Loth assisté de bien peu de soudars
Oppose sa poictrine à l'orage de Mars,
Et poussé du desir d'acquerir renommee
Du grand Chodorlamor pied ferme attend l'armee :
Mais tout ainsi qu'un bois estroit et clairsemé
De jeunes balliveaux n'est plustost entamé,
Que coupé tout à fait des haches afilees,
D'un grand camp assailly par les aspres gelees
Tout l'escadron de Loth pour estre environné
De tant de coutelas est soudain moironné.
Il se retrouve seul toutesfois il fait rage :
Et le danger croissant il augmente en courage :
Tel qu'un dogue estranger que neuf ou dix mastins
Dans une basse court vont attaquant mutins.
Il monstre à tous les dents, et ne pouvant plus courre
Aculé dans un coing, or l'un, or l'autre il bourre,
Bave, gronde, tient bon jusqu'à tant qu'il ait mis
Hors d'haleine le camp de ses fiers ennemis.
Arioc admirant et craignant sa prouesse
Adonc luy parle ainsi : Cesse, ô jeune homme cesse.
Veux-tu comme à credit, helas, pauvret veux-tu
Perdre avecques ton sang le bruit de ta vertu ?
Je regrette ton sort, et certes ton langage,

415. « Loth courageux s'efforce (mais en vain) de faire teste aux victorieux. »

Tes armes, ta livree, et surtout ton courage
Monstrent que de Sodom la lubrique cité
Ne t'a conceu jamais, ny Gomorrhe alaicté :
O fleur des chevaliers, reserve ta vaillance
Pour quelque exploit meilleur, rends les armes, et pense
Que ta valeur j'honore, et qu'estant si grand Roy
Je ne voudrois fausser pour cent sceptres ma foy. [16]
Il se rend sur sa foy, de son Chameau devalle,
Et devallé s'en court baiser la main Royalle :
Et l'Ost s'estant chargé du plus riche butin
Reprend victorieux la route du matin.
A peine eut on jetté de *c*es tristes nouvelles
Dans l'oreille d'Abram les moindres estincelles,
Qu'il s'arme sur le champ, desireux d'arracher
Aux infidelles Rois un pillage si cher.
Le *saint* homme est suyvi de trois cens domestiques
Armez legerement de traits, cailloux et picques
Et pour plus grand renfort il s'accompagne encor
D'Ascol, Aner, Mambré, trois braves fils d'Amor.
Il talonne l'armee, et capitaine sage,
Ne la veut attaquer qu'avec grand advantage,
Favori des chemins qu'en desordre elle suit,
Et couvert du manteau de la trompeuse nuict.
Dans les champs de Grunland se trouve une caverne,

439 *1603* ...de Sedom...
449 *1603* ...de ses tristes...
453 *1603* Le S. homme...

---

449. « 3. Troisieme partie, contenant la desfaite des victorieux, la recousse de Loth, de l'insigne victoire d'Abram. »

461. « Poetique description du somme assopissant les victorieux par la providence speciale de Dieu. » Cette description poétique rappelle celle de Ronsard dans l'*Hymne de l'Hyver* (éd. Laumonier, STFM, t. XII, p. 80, v. 285 sq.).

Plus sombre mille fois que le soulfreux Averne,
L'entree est sans portail, à fin qu'en se tournant
Dessus les gonds rouillez il n'aille cresinant,
Le silence luy sert de portier et de porte,
Gardien baillonné, qui sur son corps ne porte
Le sifflant taffetas et camelot cracquant
Et n'a ses pieds assis sur un patin clicquant,
Ains de peur qu'en marchant quelque bruit il ne meine
Sa robbe est de cotton, et ses souliers de laine.
L'Indice de sa gauche il presse entre les dents,
De celuy de sa dextre il fait signe aux torrents,
Aux cocqs teste-timbrez, aux mugissans Æoles,
Et muet semble user de semblables paroles,
Dormez ô clair torrens, ô coqs ne donnez plus,
Les aubades à l'aube, ô vents vivez reclus
Dans la grotte natalle et d'un murmure horrible [16v°]
Ne troublez tempesteux nostre loge paisible.
Au centre de ce creux gist dans un lit branlant,
Le chassieux sommeil qui d'un sein panthelant,
Et d'un nareau ronfleur vineusement exhale
Une noire vapeur haut et bas par la sale.
L'oubly qui ne congnoit ny les autres ny soy,
L'hermite songe-creux bersé d'un branle coy,
Et la paresse encor triste mal-habilee
Change-advis : traine-faim : crasseuse, eschevelee
Pressurant sur ses yeux le glayeul azuré
Le bacharre odorant, le solatre doré
En coust ses mornes cils d'une gluante cole.
Autour du lict muet confusement bavole
Un fantasque escadron de songes jaulnes, pers,
Fauves, noirs, colombins, tannez, rouges, et vers,
L'un faux et l'autre vray : l'un sacré, l'autre enorme,
L'un court et l'autre long : mais tous monstreux en [forme,
Ils volettent sans bruit et semblent proprement

Les atomes legers qu'un confus mouvement
Tourneboulle sans fin dans le ray qui penettre
En un logis obscur, par un trou de fenestre.
C'est là que l'Eternel desireux de punir
L'orgueil de *c*es tyrans fait son Ange venir,
Qui n'est si tost entré que les torches jumelles
Qui flambent en ses yeux et l'esclair de ses aisles
N'alument un clair jour dans l'hostel de la nuict.
Le bisarre escadron des vains songes s'enfuit,
Et l'aislé messager ouvrant la tante brune
Et de main et de voix le sommeil importune.
Le silence desloge au premier mot qu'il oyt,
Mais le somme est stupide, il n'oit, ne sent, ne voit : [17]
On l'appelle cent fois, et d'une aspre secousse
Le ministre vollant six ou sept fois le pousse,
Mais toutesfois en fin les bras gelez tordant
Ouvrant à demy l'œil et ses jarrests tendant
Quatre ou cinq fois il baille et d'un geste maussade
Sur le coude apuyé escoute l'ambassade.
O repos des humains ô pere abrege-nuicts
Repare-esprits puissant, charme-soins[,] chasse-ennuis,
Debout, debout dit-il, et va-t'en, mais fay viste,
Piper d'un froid pavot le vaincueur exercite
De ces rois orgueilleux, qui de butin chargez
Par les monts de Chanan sont sans ordre logez.
L'ange remonte au Ciel d'une carriere isnelle
Et le pigre Sommeil ses tristes ours atelle,

500 *1603* … de ses tyrans…
516 *1603* …, charme-soins-chasse-ennuis,

---

499. « L'Ange se represente et parle aux hommes. »

515. « Sommaire de son message. »

521. « Execution d'iceluy. »

Et porté sur un char qui se roule sans bruit
Porte la pesanteur, le silence et la nuict.
L'air espaissi s'endort par tous les lieux qu'il glisse
Le Loup gist dans le bois, sur le pré la Genisse,
L'orque dessous la mer, et, dans le lict plumeux,
L'homme estendu du long pousse un esprit fumeux.
Le Rossignol perché sur les branches nouvelles,
D'un flayrant aubespin laisse pendre ses aisles :
L'arondelle est muette et les plus aspres flots
Sur la terre inclinez goustent le doux repos.
L'if est sans mouvement, le tremble plus ne tremble
Et le Pin se courbant veut dormir, comme il semble.
   Soudain qu'il embrassa de ses cerceaux volans
L'exercite Payen, les guerriers chancellans
Cherchent les matelas, jà la teste leur panche,
Leur main perd doucement de leurs haches le manche,
Leurs yeux se font petits, dans leurs bouches les mots [17v°]
Se perdent imparfaits et l'enchanteur Repos
Dans les veines coulant, rend comme lethargiques,
Et les Roys mescreans, et les soldats Ethniques.
Abram soudain qu'il voit les feux du Camp fumer,
Hardy vient par ces mots ses troupes animer,
   Voicy (dit il) soldats, ceste nuict fortunee,
L'heureuse nuict qui doit reparer la journee
Perdue dans Siddin, et venger par cet ost
La honte de Sodome, et les chenes de Loth.
Il semble que desjà la victoire estoffee
D'arcs, casques, et brassals me dresse un beau trophee
Sur ces pins esbranchez et que mon chef guerrier
Est desjà couronné de verdissant Laurier.
Le chemin de vertus est pour nous dans la plaine,
Le gain est sans danger, et la gloire sans peine.

---

535. « Effet de sa puissance sur les victorieux. »

545. « Harangue d'Abram à ses soldats. »

Le camp que vous voyés n'est ce camp qui vainqueur
Fut le fleau de Gomorrhe, et de Segor la peur :
L'ost cognu du Jourdain de l'Euphrate et du Gange :
C'est un troupeau de porcs, veautré dedans la fange.
Contemplez quels ils sont, non quels ils ont esté,
Ne songez à leur nombre, ains à leur lascheté,
Cil qui sommeille est mort, le mort ne fait point guerre.
Enfans, qu'attendés-vous ? ils sont desjà par terre,
Ils vous tendent la gorge, ils vous ouvrent le sein,
L'heur seulement appelle à son secours la main.
Suyvez-moy, mais plustost le grand Dieu des armees,
La frayeur des Tyrans, devant qui consommees
Sont les forces du monde, allez, heureux troupeau,
Marchez, suyvez de Dieu l'invincible drapeau.
Cela dit tout soudain, je ne sçay quelle grace,
Quel rayon tant divin s'espand dessus sa face :
Car tout ainsi qu'en *m*ars le serpent, despoüillé, [18]
D'un cuir salement vieil sort de son trou souillé,
Siffle, poingt, leve au ciel sa teste plus superbe,
Et flambant tout en or se traine parmy l'herbe,
Le ciel inspire en luy une verte vigueur,
Son sang se renouvelle, et son cueur reprend cueur,
Un desir Martial dans son sein se ralume,
Il paroist de beaucoup plus grand que de coustume
La jeunesse le peint de ses roses et lis,
D'un doux luysant esclair ses yeux sont embellis,
Et jà son grave port et sa voix plus qu'humaine
Rendent aux plus coüards la victoire certaine.

571 *1603* … qu'en Mars…

---

569. « Tableau d'un chef de guerre benit de Dieu pour quelque insigne execution. »

Tel dans le camp il donne où par monts et par vaux
Gisent pesle meslez, chars, soldats et chevaux,
Le somme occupe tout, et couvert de fumees,
Le feu languit au bout des bouches consumees,
Les champions Hebrieux frappent dessus le dos
Sur le chef sur les bras selon que le repos
Lye les corps à terre, et ravissent les vies
Que de la mort l'image, en image a ravies.
Cestuyci decollé sur un tronc de Sapin,
Verse ensemble le sang et l'esprit et le vin,
Le casque plein sautelle, et d'une voix confuse,
Murmurant quelque temps son cruel sort accuse :
Cet autre qui surprins par le charmeur Repos,
Gist parmy les flascons, les tasses et les pots,
Par le coup qu'il reçoit en sa ronflante gorge,
Dans ses propres goubeaux, le vin humé regorge.
Cest autre cependant qu'il pince ingenieux
Les nerfs bien accordez d'un luth harmonieux,
Le sommeil va sillant ses deux ieux d'une nue
Et toutesfois la main son hymne continue :
Mais, elle est avallee et le poulce tremblant [18v°]
Pensant battre un bourdon ne bat rien que du vent,
Son ame descendant és cavernes plus sombres
S'en va dire la fin de sa chanson aux ombres,
Miserable est son vers, non tant pour l'argument
(Car il chantoit d'amour) que pour l'evenement.
Et cest autre esveillé du bruit de tant d'alarmes,
Sur un pied chancelant cherche à tatons les armes,
Il les trouve à son dan. Car il sent qu'un poignard
Luy perce ensanglanté le corps de part en part.
La tigresse ayant fait plus espaisses ses taches

---

583. « Abram charge de nuict les victorieux et en fait terrible boucherie. »

613. « Comparaison propre. »

Du sang des fiers Taureaux et des timides vaches
Et pavé tout un champ d'esgorgez animaux
Contemple à toutes mains ses genereux travaux
Passe sur les vaincus et superbe n'est aise
Que l'ennemy luy manque, ou que sa faim s'apaise.
L'Hebrieu non autrement rode alentour des morts
Menace, mais en vain et voudroit que les corps,
Reprinsent leur vieille ame, ou plustost que ces croupes,
Enfantassent soudain des non dormantes troupes,
Qui dedans leurs valons rougement ondoyans
S'osassent opposer à ses bras foudroyans.
Les trois enfans d'Amor ne font moindre carnage,
Abram combat de zele ; ils combattent de rage
Qui d'un grand coup d'espieu fiche en terre un soldat
Qui deux chefs de deux chefs d'un seul revers abat
Qui tue le chartier veautré sous sa charette
Qui coupe un bras, un pied, une oreille, une teste.
Desjà les pavillons flottent dessus le sang
Sortant icy du sein, là du col, là du flanc.
Chacun d'eux semble un loup qui, dedans sa poitrine [19]
Ayant les sourds abois d'une seiche famine
Se fourre dans un parc tandis que le mastin
S'endort à la fraischeur du rosoyant matin
Où, derouillant ses dents, tue, deschire, traine
Le plus gras et plus beau du troupeau porte-laine.
A la fin toutesfois le vaincu s'esveillant
Atacque ralié le superbe assaillant
Il chasse Aner Escol et Mambré par les landes
Et sans qu'Abram y court c'estoit fait de leurs bandes.
Dormez ô pauvres sots Payens rendormez-vous,
Puis qu'il vous faut mourir mourez d'un trespas doux,
Mourez sans y penser, et vomissez moy l'ame

---

625. « Exploits associez d'Abraham. »

639. « Resistance d'Amraphel et des siens. »

Parmy vos songes gays, n'attendez que ma lame
Martelant sur le fer imprime en vostre cœur,
Mesme avant que mourir de mille morts l'horreur.
    Abram parle en la sorte, et marchant aussi viste
Du pied que de la voix, charge leur exercite
Plus roide mille fois qu'un nuage orageux
Qui nourri des vapeurs, filles d'un mont neigeux,
Sur les fresles tuyaux de la moisson nouvelle,
Fier, descoche le vent, et la pluye et la gresle :
Il court tout à travers le sang, le fer, les corps,
La poussiere les chars les dangers et les morts,
Et partie en chocquant, partie à coups d'espee
Il fend la plus grand presse à parer occupee,
Et sans-dessus-dessous fait choir par ses travaux,
Vifs morts et demymorts, chevaliers et chevaux. [19v°]
Jamais son glaive aigu sans frapper ne menace,
Ne frappe sans blecer, ne blesse qu'il ne chasse
Quelque ame de son corps, fier il s'attaque à tous,
Et donne en combattant plus de morts que de coups.
    Tout ainsi que le Nort rasserenant la face,
Du ciel porte-nuaux vers le midy rechasse
Les pluies que l'Autan espongeux a puisé
Dans le flot dans le mur *d'O*ram est arousé,
Par tout où nostre Hebrieu haussa sa main guerriere,
Et que son grand Escu d'une grande lumiere
Frappe les champs voisins par tout on fuit devant,
On tourne au duc le dos, et la face au levant,

668 *1603* … le mur D'oram…

649. « Recharge d'Abram. »

658. « Deffaite des ennemis. »

665. « Comparaison. »

672. « Victoire d'Abram. »

La gloire, la vertu, la honte, l'esperance,
Tombent de leur esprit, et de leur main la lance,
Que si quelqu'un encor' d'entreux semble sans peur,
La victoire il n'arreste et haste son mal-heur.
   Dy-nous en quelle escholle ô perle des gens-darmes,
Apris-tu de tirer de tant de sortes d'armes ?
De quel maistre tiens-tu tant et tant de façons,
D'estocades, revers, assaults, et stramassons ?
   N'est-ce pas du grand Dieu dont la saincte puissance,
Dans un rien et de rien mit en estre l'essence
De la terre et du ciel ? du Dieu qui t'a juré
Qu'invincible il seroit ton rampart asseuré ?
Du Dieu qui de ses filz le zelé cœur enflame,
Et donne aux orgueilleux un courage de femme.
   Ton glaive abat l'armé, le fort, l'audacieux,
Tu fends, tu pars : tu romps du fouldre de tes yeux,
De ta tonnante voix, de ta superbe mine, [20]
Ceux qui n'ont fer dessus, ny cœur sous la poitrine.
A ta solde combat le desespoir, l'horreur,
Le desordre, la mort, la crainte[,] la fureur,
Tu meurtris cestui-cy : celuy-là tu menaces[.]
Tu desdaignes cest autre : et cest autre tu chasses.

688 *1603* …tu pers. *Les versions Chouet ultérieures transcrivent :* tu perds, *ce qui n'offre aucun sens et contredit tout le passage. Il nous semble plus logique de supposer une confusion, fréquente au XVIe siècle, entre les sons* ER *et* AR, *pour proposer la lecture :* tu pares, *mais en deux syllabes, ce qui peut donner :* tu pars (ou : tu par's).
692 *1603* …, la crainte la fureur,
692 *1603* … tu menaces ?

677. « Qui est la cause. »

687. « Description de sa valeur au combat. »

Bref tu vainc tout d'un coup, chevalier brave-heureux,
Armez et desarmez, couards et genereux.
Icy ton juste glaive en deux moitiez separe
Entre les deux sourcils la teste d'un barbare,
L'une et l'autre moitié sanglante pend en bas,
Et le poil divis*é* flotte sur les deux bras.
Ton homicide traict d'outre en outre icy passe
L'estomac d'un geant nonobstant sa cuirasse,
Faicte de douze cuirs de bufles du Levant.
Le fer paroit derriere et les pennes devant,
Le blecé jà chancelle et l'ame cramoisine
Sort moitié par le dos, moitié par la poitrine.
  Ton espieu fend icy la barde et le poitral
D'un cheval furieux, il sent desjà son mal,
Tourne bride blecé, et d'une ancre pourpree,
Escript desesperé son mal-heur sur la prée.
Les cuisses d'un Chaldee icy de part en part,
Voulant tirer au flanc tu lardes de ton dart.
Il accuse le ciel, il deplore sa vie,
Et voulant coure il marche à saults comme une pie.
Tandis Loth, depestré des Elamites mains,
Et deschargé du poids de ses fers inhumains
Vange le tort receu : ses pieds prennent des aisles,
Son sein un autre cœur, ses nerfs forces nouvelles,
Ainsi le fier poulain de l'estable eschappé,
Bat les vens de sa teste et de son crin hupé,
Revoit les pieds cheris, faict cent bonds, cent ruades, [20v°]
Dans son ombre courante admire ses bravades,

700 *1603* ... divise...

---

697. « Représentation de force guerriere. »

715. « Loth desgagé des mains ennemies, est introduit combatant vaillamment. »

Dresse sa forte queue, et parmi les jumens
Faict retentir les monts d'aigus hennissemens.
   Loth ores va rompant une Cornette espece,
Ores un bataillon de fondiers il despece,
Un bocage d'espieux or*es* il perce à jour,
Or il fend les archiers, or il rode alentour
D'une roche au ciseau droictement escarpee,
Où s'est fuyant la mort une bande campee,
Loth trouvant un sentier qui mene sur la croupe
Monte, charge et desfaict en mesme instant la troupe,
Ore il jette un rocher qu'à peine trois humains
Pourroient en nostre temps soustenir de leurs mains,
Et pressant de son poids un soldat contre terre
Mesle dedans sa chair, l'os, le fer, et la pierre,
Or il brandit la picque ore de l'arc il tire,
Mille sentent sa main, et tous craignent son ire.
Il frappe au front, aux yeux, au dos, au ventre, au flanc,
Faisant un mont des corps, et de sang un estang,
En fin le camp payen quitte du tout la place,
Tous courent à l'envy mais l'un fuit l'autre chasse,
L'un s'aide des pieds seuls l'autre des pieds et bras,
L'un veut un beau chemin, l'autre que sous ses pas
La terre se crevasse, et mugissante avalle
Cil qui suit, cil qui fuit dans la fosse infernale.
L'un ne donne que coups, l'autre rien que du sang, [21]
Et vaincueurs et vaincus se tirent de leur rang,
Ils marchent pesle mesle affublez de poussiere,
On n'oyt commandement, menace ne priere.
Toy-mesme qui disois que ton blanc corserot

727 *1603* … or il perce… *Vers faux.*

741. « Route [*déroute*] de l'armée ennemie. »

751. « Les vaincus sont poursuivis par les victorieux. »

Sans mouiller ses talons marchoit dessus le flot,
Et ne marquant du pied les arenes mouvantes
Laissoit à dos le vent et les flesches volantes,
D'un roide javelot par Abram eslancé,
Es entre la cuirace et la selle blecé ;
Et toy qui jà trois fois pres de la claire source
Du Tigre avois gaigné le beau pris de la course,
Es atrappé de Loth ; et navré jusque au cœur
Pers en perdant l'esprit de bien courir l'honneur.
  Ce ne sont des combats, ce sont de purs supplices,
Qui se sauve du fer n'echape aux precipices,
Ou s'il en reste encor il en reste bien peu
Pour en porter le dueil, car l'oncle et le neveu
Ne cessent jusqu'à tant que de toute la terre
Des enfans de Chanan ils ont chassé la guerre :
Tout ainsi deux vautours poursuyvent courageux
Un grand vol de pigeons par les airs orageux,
Chargent l'un, chargent l'autre, et la fuye percee,
A peine peut sauver sa famille lassee.
  Au retour du combat les satrapes et Roys
Du peuple palestin d'une humble gaye voix
Saluent nostre Abram : ses bandes rafraichissent
Leur teste à ses genoux, et leurs genoux flechissent
A ses pieds tous poudreux : ô Chevalier vaincueur
Pren de tes afranchis pour hommage le cœur,
Reçoy leur volonté, si ton bien faict demande
De nous en payement quelque chose plus grande,
Pren disent-ils noz champs, nostre bestail, nostre or,
Noz femmes, noz enfans, pren nos vies encor,
Tu ne nous feras tort tout est en ta puissance,
Tu prendras seulement les fruicts de ta vaillance.

---

761. « Abram et Loth mettent fin à ceste guerre. »

771. « Quatriesme partie descrivant le retour d'Abram victorieux reconnu par ceux qu'il avoit delivrez. »

Là vient Melchisedech qui prestre du seigneur
Et prince de Salem bien-heure son bon heur
Par sa saincte presence, et d'une voix zellee
Perce devotement la cambrure estoillee,
Benit soit l'Eternel qui faict dedans sa main
Tourner les cieux ardans : qui sur le genre humain
Commande absolument, qui d'un soufle extermine
Les monts plus sourcilleux et tarit la marine,
Que du grand Abraham benit soit le grand Dieu,
Que tout siecle l'adore, et qu'encor en tout lieu
Des autels on luy dresse, et qu'à l'envy des Anges
Nous facions icy bas retentir ses louanges :
Benit Celuy qui peut par la main des pasteurs
Mal-armez mal-adroicts deffaire les dompteurs
De la grande Syrie et mettre en la puissance
Des vallets d'un bany la royale chevance
Des peuples qui premiers de son lict azuré,
Joyeux, voyent lever Phebus au crin doré.
Or Abram pour monstrer que l'amour du pillage
N'avoit armé son dos, les despouilles partage,
La disme est pour le prestre : il rend aux autres Roys
Ce qu'en champ de bataille ils avoient par les loix
De Bellonne perdu, et juste il laisse quitte
La part qui doit eschoir au Payen exercite
De ses confederez, prince non moins acord,
Equitable, et prudent que courageux et fort,
Qui joinct à l'art guerrier la politique gloire [22]
Qui scait vaincre, encor mieux user de la victoire,
Magnanime en ses faits, et courtois en propos,
Faict bon marché de biens pour acquerir du los.

---

787. « Il est salué et benit par Melchisedec Sanctificateur de l'Eternel et Roy de Salem. »

801. « Abram donne la disme à Melchisedech et ne prend rien pour soy de tout le butin. »

Aussi depuis la mer jusqu'au fleuve d'Euphrate,
Et de Dan jusqu'au *N*il son clair renom s'esclatte
Aux champs, à la maison, en la guerre, en la paix,
De luy seul on devise, et le bruit de ses faicts
Estançonne la foy des chancellans fidelles,
Fait pallir les tyrans dedans leurs citadelles
Et croule les rempars qui font peur glorieux
De leurs flames à la terre, et de leurs tours aux Cieux,
La voix, l'airain, le nerf celebrent sa loüange,
On le tient pour Prophete ou plustost pour un Ange,
On dict que l'Eternel parle à luy front à front,
Qu'il est comme son hoste, et que le cham fecond
Que la mer d'un costé d'autre le Tigre embrasse,
En domaine eternel est promis à sa race.
De vray le trois-fois-sainct, le Roy des plus grands [Rois,
Par songe ou vision luy parle maintesfois,
Et luy dit, Venerable Abram n'aye point de crainte,
Je ne suis un dæmon qui d'une bouche fainte
Viens piper ta simplesse, et par un doux apas,
Fin, t'ourdir le licol qui te meine au trespas,
Et moy qui t'ay benin retiré d'Assyrie,
Des tenebres au jour, de la mort à la vie,
Qui t'ay conduit d'icy, qui de tes gras troupeaux
Ay du riche Chanan couvert tous les coupeaux,
Qui ay sauvé l'honneur de ta femme exposee [22v°]
Tant de fois par ta langue à ton dam trop rusee,
Qui t'ay du fier payen preservé si souvent
Qui t'ay faict triompher du superbe Levant,

814 *1603* ... jusqu'au nil...

813. « En quelle reputation il est pres et loin. »

827. « Dieu luy apparoit apres ceste victoire, le console, fortifie et asseure de sa ferme alliance. »

Et bref je suis ton Dieu, que veux-tu davantage ?
Observe mon contract : et pour sainct tesmoignage
Que pour vivre à moy seul à la terre tu meurs
Circonci promptement toy et tes serviteurs.
Vi sainct et d'un pied droict marche devant ma face,
Rien ne te peut manquer en possedant ma grace,
Ma grace te fera seigneur de tous les champs,
Que les filz de Chanan de leurs coutres tranchans
Fendent laborieux, terre en froment fertille,
Pays qui tout en miel heureusement distille,
Sue sans fin le laict, porte no*m* amandé,
Et d'un ciel alme-doux est tousjours œilladé,
Là je te combleray d'onneur et de richesse,
Je seray ton guerdon, bouclier et forteresse.
O Seigneur dit Abram, las, que me serviroit
Quand mesme tout le ciel en or degoutteroit
Dans le pan de ma robe, hé ! vrayment ma chevance
Doit suffire à celuy qui n'a point de semence,
Et qui de tant de biens dont l'orner il te plaist
N'a pour tout successeur qu'Elazer son valet.
Non ce n'est pas cela mon fils, je ne ravale
(Respond Dieu[)] jusqu'au serf la dignité royale
Qui doit luyre en mon peuple. Abram non non je veux
En faire pour jamais heritiers tes neveux,
Et que ton cher filz la non-mourante race [23]
Tienne comme en depost les thresors de ma grace.

851 *1603* Sue sans, fin le laict porte non…
862 *1603* (Respond Dieu, jusqu'au serf la dignité royale

842. « Luy ordonne et à sa posterité la circoncision. »
847. « Luy promet le pays de Chanaan. »
861. « Et qu'en son fils toutes nations seront benites. »

Le patriarche adoncq ravi d'aise luy dit,
Quoy ? mon cherIsmael, Ismael doncques vit ?
Dieu mon Dieu fay qu'il vive ! ô la douce nouvelle.
D'Ismael naistra donc une engeance fidelle ?
Sa race donc ira sur les thrones montant ?
Ha ! puis qu'il est ainsi, je meurs, je meurs contant.
Ismaël vit de vray et vit pour estre pere
D'un peuple genereux, car deslors que sa mere,
Fuyant de la Sara la jalouse fureur,
Gaigna du sec desert la sablonneuse horreur,
Je prins (replicque alors la majesté sacree)
En ma protection le ventre et la ventree
Descouvrant un surjon où jamais nul oiseau
N'avoit mouillé son bec ny nul beuf son museau,
Un puits encore vierge et si je ne me trompe,
Plustost l'azur vouté du firmament se rompe
Pour terrestre occuper du monde le milieu
Qu'on puisse remarquer la moindre erreur en Dieu,
Un autre exil l'attend où ma main secourable
Luy monstrera combien je luy suis favorable.
Il croistra vigoureux il n'aura rien de doux,
Tous luy feront la guerre, il fera guerre à tous :
A travers les plastrons, les cuirasses, les mailles
Son traict sçaura trouver les haineuses entrailles,
D'un cerf viste courant le cœur il choisira,
D'un volant passereau la teste il partira,
Il fera perdre en l'air aux tristes irondelles
Et l'esclatant babil et le branle des aisles. [23v°]
Quoy plus ? en ta faveur ô premice de saincts
Je feray que bien-tost il verra de ses rains
Sortir douze grands ducs dont la race fertile

867. « Abram desire qu'Ismael vive. »

873. « Ce que Dieu luy promet en cet esgard. »

887. « Condition de vie d'Ismael. »

Regnera depuis Sur jusqu'aux mines d'Hevile.
   Mais ce n'est avec luy que je veux contracter
Une estroitte aliance : Ismaël peut porter
Ce seau de mon accord mais non point l'efficace,
Filz tien selon la chair, mais non selon la grace.
   Pour monstrer que je t'ayme et que dessous les cieux
Rien tant que mon Abram ne m'est point precieux
J'ouvriray de Sara la matrice infeconde,
Te donnant un Isac les delices du monde,
La joye de la terre, un filz qui comme toy
Sera de sa maison l'asile de la foy.
   Sors de ton pavillon : Sors, vien, et de mon temple,
De mon throne doré les merveilles contemple,
Conte-moy les flambeaux, mesure leur grandeur
D'un œil ferme soustien leur brillante splendeur,
Remarque exactement les courses mesurees
Qu'ardens ils font au long des lices etherces,
Lors tu tiendras des tiens le nombre sur le doy ;
Joyeux tu comprendras la grandeur de leur foy,
La clarté de leurs faicts et de leur republique
Auras dedans l'esprit le portraict politique.
   Mon filz c'est avec luy que je passe instrument
D'eternelle amitié : s'il garde constamment
Les pactes convenus, j'espandray sur *s*es races
De ma grand cruche d'or un occean de graces,
Je ne luy donray pas ces seuls champs que tu vois,
Ains tout ce qui verdit depuis les champs Indois
Jusqu'aux flots tempesteux de la mer plus extreme, [24]
Je luy donray le ciel, je me donray moy-mesme.

921 *1603* … sur ces races

---

899. « Isaac est promis. »

909. « Duquel sortira une posterité innombrable. »

D'elle me sortira le prince grand et fort,
Le Roy dompte-peché domte-enfer domte-mort
Le sacré fondateur d'une saincte police
Du monde la rançon, la paix et la justice.
Cela dit, l'Eternel print la route des cieux
Et le viellard le suit tant qu'il peut, de ses yeux,
Le seigneur disparoit d'une façon semblable
Que la poudre à canon qui prend feu sur la table,
Et qui d'un vol fumeux vers le pole s'enfuit
Avec un peu de flamme, avec un peu de bruit.
Cependant la foison des biens et des delices,
Precipitent Sodome en l'abisme des vices,
Gomorrhe est deploree et jà l'efforcement
Des vierges que nature a paré richement
D'atrayantes beautez : le baiser adultaire,
L'inceste lit qui joinct la fille avec le frere
Le frere avec la sœur, la mere avec le fils
Ne leur sont en horreur ains plustost en mespris.
Fuiez d'autour de moy, bouchez belle jeunesse
L'oreille aux sales mots de ma voyx chanteresse,
Ou, si l'horreur du faict ne vous chasse d'icy
Ayant ouy le crime oyez la peine aussy.
A ces hommes brutaux ne pouvoit satisfaire,
O detestables mœurs, un cupidon vulgaire,
Nature ne pouvoit fournir à leur desir,
Monstres, ils demandoient quelque monstreux plaisir,
Leur cœur n'estoit bruslé que d'execrables flammes,
Villains ils usurpoient le mestier de leurs femmes,
Couroient masle apres masle et de fureur espris,
Exerçoient en public la sterille Cipris. [24v°]

---

927. « Nommément Christ Sauveur. »

937. « Cinquiéme et derniere partie, proposant l'extermination de Sodome et des villes circonvoisines. »

949. « Description de leurs crimes horribles. »

Dieu donc pour nettoyer la terre de ces pestes
Envoye dans Sodom deux messagers celestes,
Que Loth quasi contrainct d'aler chez soy loger,
Et les croyans mortels les presse de manger.
Car l'Ange, comme estant intelligence pure,
N'a rien de corporel de sa propre nature,
Mais sainct Ambassadeur de la divinité,
Pour parler aux humains il vest l'humanité
Et s'afuble d'un corps propre pour l'exercice
De sa commission, corps qui mange, court, glice
Dure durant sa charge : et l'office passé
Se rend aux elemens, dont *il est* ramassé.
De vray le simple esprit clair filz de la lumiere
Ne se marie au corps ainsi qu'à la matiere,
La forme s'incorpore, ains s'y joinct pour un peu
Ainsi que le moteur à l'outil par luy meu,
De façon toutesfois que la chose mobille
Tient beaucoup de celuy qui la rend tant agile.
Or quoy que l'Ange face il est en quelque lieu
Non comme emplissant tout (cela n'est deu qu'à Dieu,
A l'esprit qu'en esprit tout bon esprit adore,
Qui est en tout sur tout et hors de tout encore,)
Non comme environné (car c'est à faire au corps
Dont les bords sont bornez des plus extremes bords
De la voisine essence et de qui la surface,
A symmetrie avec la grandeur de sa place,)
Ains plustost comme estant de soy seul limité,
Et s'unissant au lieu non par la quantité,
Ains par l'atouchement de sa vive efficace,

968 *1603* …, dont y l'est…

---

957. « Dieu y envoye ses Anges receus par Loth. »

964. « Des corps que prennent les Anges. »

Et comprenant le corps qu'on pense qu'il embrasse,
Ainsi ce corps est veu, se meut et quelques fois [25]
Herault du tout-puissant articule sa voix,
Et mange avecques nous non point par indigence
Ou selon sa nature ains plustost par dispence.
Tels sont les hostes saincts de ce prince courtois,
Tels les receut Abram alors qu'en voyant trois,
Il n'en adora qu'un, et que leur voix divine,
Des lascives Citez luy predit la ruyne.
Vous qui fermez la bourse et la porte au passant
Tremblottant de froidure et de faim languissant,
Hé, ne pensez-vous pas que le cours de nostre age,
N'est rien qu'un pur exil un penible voyage,
Et que quiconque icy ne faict officieux,
Logis à l'estranger perd le logis des cieux,
Où se font de l'agneau les nopces solennelles,
Où les esprits volans et les ames fidelles
Chantent l'épitalame et tous vestus de blanc,
Hument dans son gobeau l'eternité de rang.
Sans l'hospitalité celuy-là qui voyage,
Pour compagnon de lict auroit un loup sauvage,
Un lion, un sanglier, ce qu'on donne au passant
N'est un don, c'est un prest qu'on fait au tout-puissant,
Qui paye avec usure, et le peu de despence
N'est pas mesme icy bas sans quelque recompense,
L'aumosne est le levain qui fait enfler nos biens,
Et Dieu ses fleuves d'or verse dessus les siens.
Hostes, que sçavez-vous si lors que charitables,
Vous pensez recevoir des hommes à voz tables,

997 *1603* Et ne…

---

995. « Recommandation de l'hospitalité et douceur envers les passans et estrangers. »

1013. « Loth traite les S. Anges. »

Heureux vous festoyez les saincts Anges de Dieu,
Les citadains du ciel comme fait cet Hebrieu ? [25v°]
Qui leur donne à souper : et l'heure estant venue,
De s'aler mettre au lict il oyt dedans la rue
Un son pesle-meslé, un tintamarre, un bruit,
Qui grand se faict plus grand par la muette nuit.
Car ceux-là qui premiers ces deux beaux astres [virent,
Apres leurs corps divins comme estalons hennirent,
Mais les voyans sauvez dans si chaste maison,
Ils perdent tout d'un coup la honte et la raison,
Courent par la cité, frappent de porte en porte,
Et salement brutaux, crient en cette sorte,
Freres souffrirons-nous qu'un Loth, un estranger,
Dans nos propres maisons ravisse sans danger
Noz doulces voluptez ? ô faute de courage,
Un fuitif, un banny aura cet advantage
De baiser, d'embrasser deux mignons, ains deux dieux,
Qui pour nous non pour luy sont descendus des cieux.
Doncques sera-il dit qu'une beauté divine,
Doux-tiede eschauffera sa negeuse poictrine ?
Qu'il s'ebatra tandis que nous passerons seuls,
La longueur de la nuit dedans des froids linseuls ?
Allons rompre son huis, monstrons à ce barbare
Que son ret ne merite une proye si rare.
Qui vit jamais tomber és tiedes jours de l'an
Les eaux des monts voisins dans les flots du *L*eman,
Lors que l'astre cornu qui d'un fin or se frise,

1040 *1603* … du leman,

1021. « Est indignement assailly par ceux de Sodome, descrits avec leur horrible complot. »

1039. « Comparaison. » Cette comparaison évoque le printemps.

Despouille les coupeaux de leur blanche chemise,
Par cent divers vallons les rus et les torrens,
Faisant à plus courir descendent murmurans,
Se trassent en fuyant des fondrieres profondes,
Et ne s'arrestent point qu'ayant uny leurs ondes,
Tout de mesme à ce cry viennent de toutes pars [26]
A la maison de Loth enfans, hommes, vieillars,
Le mal est populaire, et la faute commune,
Le vieillard chassieux offence par coustume,
L'homme par la fureur de sa lasciveté,
Par exemple l'enfant, tous par impunité.
Ils disent tous ainsi : Ouvre ouvre nous la porte,
Ouvre-nous haste-toy, que ce beau couple sorte
Qu'il tombe entre noz bras et que, de nous congnus,
Ces filz sachent que c'est d'une masle Venus.
Loth sortant leur respond, Freres je vous adjure,
Par le nom d'amitié, par le droict de nature,
Par l'hostellier respect, et par les sainctes loix
Qui d'un estroit lien serrent les combourgeois,
Que leur pudicité ne soit par vous blecee,
Et qu'un si grand forfait n'entre en vostre pensee.
Miserable estranger tu veux donc faire icy
Du juge et du prescheur ? non, ce n'est point ainsi
Qu'il faut vivre entre nous : ouvre nous donc la porte !
Ouvre Loth haste-toy, que ce beau couple sorte
Qu'il tombe en noz girons, et que de nous congnus
Ces filz sachent que c'est de la masle Venus.
L'horreur de ce peché, leur fureur obstinee,

1068 *1603* … venus.

1047. « Peinture d'une populace infame et execrable. »

1057. « Defense et excuse du juste Loth. »

1063. « Replique des vilains ribleurs. »

1069. « Infirmité de la foy de Loth. »

Et la foy sainctement à ces hostes donnee,
Esbranle tellement de cet Hebrieu l'esprit,
Qu'il ne sçait transporté ce qu'il fait, ce qu'il dit.
Car encor que de Dieu la saincte reigle porte,
Qu'il ne faut faire mal afin que bien en sorte,
Pour eviter un mal, un autre il en permet,
Prostitue son sang et les brebis commet [26v°
A la garde des loups. J'ay deux filles pucelles,
Dit-il en larmoyant, allez abusez d'elles
Cuillez les premiers fruicts deus à leurs fiancez
Prenez-les, ha je meurs mais surtout n'offencez
Mes hostes frais venus, ne permettez infames
Un peché digne objet des foudroyantes flammes,
Dont le nom seullement fait aux justes terreur,
Crime auquel je ne puis penser qu'avec horreur.
Nous sommes desgoustez des caresses permises
Et des baisers communs, ô Loth noz convoitises
Franchissent touttes loix et nostre volupté
Ne gist au plaisir mesme ains en l'enormité
Qui faict horreur aux sots : et parlant en la sorte
Les uns forcent l'*H*ebrieu, et les autres sa porte.
O maudite cité ! les vieux qui n'ont pouvoir
D'executer ce crime en ont bien le vouloir,
Et ceux qui sont encor sous la main des nourices
Ne ceddent aux viellards la primauté des vices.
La mer de tes forfaits regorge sur tes bors,
Et jà desjà le chancre occupe tout ton corps.
Tout crime irrite Dieu, mais l'impudence extreme
Est un plus grand peché que n'est le peché mesme,
Des chastes mariez le baiser mignardé,

1090 *1603* … l'hebrieu, …

1085. « Furieuse replique des Sodomites. »

1091. « Detestation de leur crime execrable. »

Bien qu'il ne semble tant permis que commandé
De Dieu et de nature, et que le droict encore
Des privileges grands ses doux effects honore,
Veut estre solitaire, et comme deffendu
Aux cieux, soit par la nuict, soit d'un rideau tendu.
Et ceux-cy toutesfois au milieu d'une rue,
Tous ensemble par force exposez à la veue
D'une si grande ville osent plus qu'impudens,
Perpetrer un forfaict que les goufres ardens
D'Enfer n'ont point cogneu, et de qui les nouvelles [27]
Feront dresser le poil aux ames criminelles.
Les Anges ne pouvant feindre plus longuement
Leur divin naturel frapent d'aveuglement
Cest execrable peuple, et mettent en franchise
La famille de Loth avant que le jour luise.
Quel prodige est-ce cy ? le journalier flambeau
Jamais par tout ailleurs ne se monstra si beau,
(Car il s'estoit levé plus gay que de coustume,
Pour voir un tel supplice,) et toutesfois il fume,
Esclaire, orage, pleut dans le terroir qui faict
Guerre à Dieu par l'horreur d'un si sale forfait,
Le ciel contre l'orgueil de cette infame terre,
Vuide son arcenal des balles du Tonnerre.
L'Acheron se despeuple, et toutes ses fureurs,
Ses monstres, ses tourmens, ses cahos, ses terreurs,
Sur les coupables bords du clair Jordain tempestent,
Et le brandon en main dans Sodome se jettent,
Ainsi que des Corbeaux l'escadron afamé
Se rue criallant sur un champ frais semé.
Le noirastre escadron, par les mottes formille,
L'un se paist de forment, l'autre le seigle pille,
Ils font à plus grailler, et le bœuf n'entend point
Le propos familier de celuy qui le poingt.

1116-1117 *1603* *Parenthèses omises.*

Il pleut sur ce terroir non les pluyes fecondes,
Qui faisoient qu'en esté tant de javelles blondes,
Tombant s'entrechoquoient, et qui rendoient les corps,
Rafraichis d'un doux air, et plus gais et plus forts,
Ains chet dans cet enfer de tous vices le gouffre,
Une pluye de sel de flammes et de soufre,
Tu leur ravis ô sel cette fertilité
Qui servoit d'aliment à leur lubricité.
Feu, tu punis le feu qui brutal les tourmente, [27v°
Et toy souffre puant leur amitié puante,
La peine est singuliere ainsi que le peché
Icy le feu qui flambe, et là le feu caché
Ard tout ce qu'il rencontre, il n'espargne les arches,
Les briques les piliers non pas mesmes les marches.
Le peuple despendant le temps en pleurs et cris,
Voit et n'esteint son mal. Vulcain s'est desjà pris
Aux riches cabinets, les ardoises craquettent,
La resine, la pois, dans les solives pettent,
Les tourbillons du feu montent jusques aux nues.
Mille charbons sifflans volettent par les rues,
Les planchers mi-bruslez tombent avecques bruit,
Vulcain va ralumant un jour en plaine nuit.
Chasque goutte du ciel est un grondant tonnerre,
Le vent n'est rien que feu, les vapeurs de la terre
Sont autant de brasiers vomis au despourveu,
Bref, tous les elements se resolvent en feu.
Tel voyant flamboier la chambre plus prochaine,
S'en court à la fenestre, et d'une forte halaine,
Tasche crier au feu, il ne peut toutesfois,
Car le feu de dehors vient etouffer sa voix,
Tel helas ! sent plustost la flamme qui le presse,
Qu'il ne l'apperçoit pas : tel tandis qu'il caresse
Ses vilaines amours, est du fouldre assommé,
L'execrable lict fume, et l'amant et l'aimé,
Unis en leur trespas aussi bien qu'en leur crime,

Sont ensemble envoyez dans l'infernal abisme,
Tel fuit de toict en toict, mais quoy ? le pied luy faut,
Et tombant dans la braise il fait son dernier sault,
Tel sentant que le feu ses habits jà consume,
Que son pourpoint jà put, que sa chemise fume,
Se gette dans un lac, le lac escume, bou, [28]
Et le tourne-virant, my-mort le pele tout,
L'huille non autrement dans la creuse chaudiere,
Gorgotte environné de flamme et de fumiere,
Bouillonne, estouffe, cuit celuy qui d'un coing faux,
A marqué trop subtil les plus riches metaux.
Tel qui voitr sa cité s'en voller tout en cendre,
Se veut sauver aux champs : mais las ! voicy descendre
Des languettes de feu qui flambans tout son corps,
Luy font sentir l'horreur de mille et mille morts.
En tout le beau terroir de Sodome, d'Adame,
Gomorre, et Seboim ne reste une seulle ame,
Les taureaux, les brebis, les chevres, les poulains,
Ont part au chastiment de leurs maistres vilains.
Aussi la main de Dieu, d'une ancre inefaçable,
A couché par escript l'histoire espouvantable
D'un tel embrasement : le cuit marbre des monts,
Le marest Asphaltite, et les champs infeconds
En gardent le registre, et crient en tout age
Combien le tout-puissant deteste cette rage.
Merveilleux chastiment[!] un estang spacieux,
Croupit sur les citez canonees des cieux,
Un flot non plus flottant, dont la pesteuse halaine
Empunaisit le ciel, et deserte la plaine,

1193 *1603* … chastiment ?…

1183. « Pourquoy tout le pays est ruiné. »

1193. « Quel[le] est la face d'iceluy depuis ce terrible jugement que Dieu y a exercé. »

Un lacq qui sur son dos ne porte des vaisseaux,
Des oiseaux sur son bord, des poissons dans ses eaux.
La terre qui jadis faisoit honte au rivage
Du *N*il traine-lymon a son triste visage
Barbouillé de charbons, cicatrisé son corps,
Son chef couvert de cendre, et tous ses membres morts.
La faculté vitale en son sein est esteinte,
Elle ne porte rien que quelque pomme peinte, [28v°
Fruit mal asaisonné, fruit afronteur, fruit vain,
Fruit qui soulle les yeux, et qui remplit la main,
Non le ventre afamé, car mesme avant qu'il touche
A l'yvoire tranchant de la beante bouche,
Il s'exhale en fumee, et le nez seulement
En reçoit renfrongné le punais aliment.
Icy je vous adjure ô passageres bandes,
Qui visitez l'effroy de ces maudites *l*andes,
Qui goustez le venin de ces puantes eaux,
Qui touchez le fruict vain de ces morts arbrisseaux,
Et vous qui les voyez crayonnez dans mes carmes,
Que vous trembliez de peur, que voz perleuses larmes
Facent une autre mer, que vos bonnets haulsez
S'appuient sur le bout de vos poils herissez,
Et qu'il vous semble ouir gronder dessus les testes
De nos monstres nouveaux les soulfreuses tempestes.
Car le bras domte-tout du juge souverain
N'acable seulement celuy qui tient la main
A cet enorme vice, ains celuy qui souspire
Sitost qu'il oit tonner les fouldres de son ire
Sur les infames toicts, et ne peut constamment

1200 *1603* Du nil…
1212 *1603* … maudites bandes,

1211. « Advertissement aux creatures sans raison et aux raisonnables. »

Contempler d'un œil sec leur merité tourment.
Loth s'enfuit en Segor, et sa femme demeure,
Tout court sur le chemin, elle crie, elle pleure,
O pieté impie ô deplorable peur,
Des fumantes Citez leffroiable mal-heur,
Elle plaint ses beaux fils, se fasche qu'elle laisse
En mesme escrin son cœur, sa vie, et sa richesse,
Et vers les champs salez tourne ses tristes yeux
Contre l'expresse loy des saints courriers des cieux.
Mais las ! ses pieds soudain changez en blanche [pierre,
Dans moins d'un tourne-main se collent contre terre, [29]
Tant plus elle trepigne elle se prend plus fort
Comme l'oiseau tombé dans le petit ressort
D'un art que le Pasteur tend au bord d'un bocage,
Se voulant depestrer s'empestre davantage,
Et comme le venin d'un Chancre, devorant
Matin va nuict et jour de chair en chair courant,
Et que sa peste encor ne cesse oncques cruelle,
Jusqu'à ce qu'il ait fait sa lepre universelle :
Cet hyver rampe en hault, et n'a jamais repos
Qu'il n'ait fait la moüelle aussi dure que *l'os,*
Le cerveau que le crane, et que ses pasles veines
Ne soient au lieu de sang d'un blanc albastre pleines.
Le pouls ne luy bat plus, les aquilons bruyans
N'espandent plus en l'air ses cheveux ondoyans,
Son ventre n'est plus ventre, ainçois une carriere
De rochers de Cardonne, une riche miniere
De je ne scay quel sel, qui descendu des cieux

1246 *1603* … que los,

1227. « Fuite de Loth et transmutation de sa femme en statue de sel. »

1249. « Vive description de ceste metamorphose admirable. »

Doit rendre plus prudens ces esprits curieux
Qui veulent contempler la chose que secrette
Dieu clost dessouz neuf clefs, et de cent seaux cachette.
Elle pleure, et ses pleurs en perles arondis
S'arrestent sur le bord de ses cils jà roidis :
Elle voudroit parler, mais sa voix criminelle
Dans le marbr*é* conduit de son gosier se gelle :
Sa bouche encore ouverte, et ses deux bras croisez
Disent sans dire mot de son triste decez
La cause et le façon : car les fureurs celestes [29v°
N'ont en la transformant changé ses derniers gestes.
L'orgueil d'un Kinotaphe admirablement beau
N'eternise son nom, son corps, et son tombeau,
La lame sepulchrale et la charongne enclose
Ne sont (qui le croira) ce jourd'huy qu'une chose.
O Pere de ce Tout, ô Dieu juste et clement,
Quelle brutalle ardeur, quel endurcissement
Poursuit l'homme aussitost qu'en luy tournant la face
Tu transportes ailleurs les effects de ta grace :
Et que pour ses pechez à la fin irrité
Tu le laisses en proye à sa cupidité[?]
O niepces d'Harran, filles de Loth vous vistes
Le supplice ensoulfré des vilains Sodomites
Calciner leurs rochers, cendroyer leurs forests,
Semer d'un sel cuisant leurs libereaux guerets,
Et fumer leurs palais comme une charbonniere,
Dont l'espaisse vapeur deffie la lumiere

1260 *1603* Dans le marbre conduit…
1271 *1603* … la face ?
1274 *1603* … sa cupidité.

1269. « Plainte à Dieu sur l'inceste de Loth. »

1275. « Detestation du crime horrible des deux filles d'iceluy. »

Du brandon porte-jour, et qui fait qu'à un pas
Les ouvriers barbouillez ne se cognoissent pas,
Se faire un grand marais d'une herbeuse vallee,
Et du corps maternel une roche sallee :
Et toutesfois encor tant de clairs monumens
De la sainte rigueur des divins jugemens,
Ne vous estonne point, ains imitant Sodome
De vos bras incestueux attirez un sainct homme,
Enyvrez vostre pere, et toutes deux de rang
Impudentes, osez approcher de son flanc,
Vilaines concevez de la mesme semence
O ciel le souffres-tu ? dont vous printes essence,
Portez dans vostre sein vostre crime neuf mois :
Et troublant des parens tant les noms que les loix [30]
Devenez en un soir femmes de vostre pere,
Sœurs de vostre cher fils, meres de vostre frere,
Souz couleur que vivant dans une antre escarté
Peut-estre vous cuidiez que le ciel depité
Eust aboly d'Adam la semence feconde,
Et qu'un seul Loth devoit renouveler le monde.

Ne valoit-il pas mieux que sa race faillit
Qu'avoir des fils conceus dans un infame lict ?
N'estre mere jamais que l'estre par son pere ?
N'estre enceinte jamais que l'estre de son frere ?
Hair plus que la mort qu'aymer d'un tel amour
Cil qui vous fait jouyr de la clarté du jour ?

Non, il est tant à vous que vostre il ne peut estre,
Et Dieu de ses rochers peut soudain faire naistre
Des gendres à son Loth, ou frappant seulement

1306 *1603* ... du jour,

1294. « Refutation de leur vain pretexte, par raisons invincibles. »

De l'airain de son pied le solide Element,
Faire comme fourmis bouillonner sur la terre,
Un peuple sage en paix, et courageux en guerre.

Seconde partie

LES PERES

SOMMAIRE

Ce fragment contient l'exposition de ce que Moyse recite au 22. cha. de Genese, que Dieu tenta Abraham, et luy commanda de mener son fils Isaac sur une montagne, pour y estre offert en holocauste, c['est-à-dire] esgorgé, puis despecé, et bruslé par son pere en sacrifice à l'Eternel. Nostre Poëte discourt sur ce haut mystere, et le descrit en ces principales circonstances. 1. Il propose premierement la bonne instruction et nourriture d'Isaac, l'affection d'Abraham envers un tel fils. 2. Secondement, la tentation et espreuve du vray Dieu, qui sonde les siens de toute autre et différente façon que font Satan et les hommes. 3. Et d'autant qu'on recueille du texte, que ce commandement donné au pere, d'aller sacrifier son fils, fut le jour precedent de son depart pour obeyr à Dieu. Le Poëte represente en troisiesme lieu les grands combats qu'Abraham eut en son ame toute la nuict, en meditant ce qui luy avoit esté enjoint. Là dessus donc sont proposées par le menu toutes les objections de l'affection naturelle, pour destourner Abraham d'obeir à ce commandement : puis les responses de l'esprit de Dieu en son fidele serviteur, lequel demeure victorieux, s'estant resolu d'executer ce qui luy estoit enjoint. 4. Pour le quatriesme point, il descrit le voyage de la montagne, les nouveaux combats d'Abraham et d'Isaac, puis la foy de tous deux, et l'heureuse issuë de leur franche obeissance, Dieu leur ayant fait connoistre sur le point de l'execution, le reste de sa secrette volonté en ce fait. Pour la conclusion, le Poëte ayant magnifié la foy d'Abraham, et icelle opposée à la superstition cruelle des Payens et Idolatres, qui ont sacrifié leurs enfans au diable, et non à l'Eternel, monstre la verité de ceste figure et la convenance entre Isaac et Jesus-Christ, Aigneau de Dieu, presenté en sacrifice pour la remission de nos pechez.

LES PERES*, [163 Lij]

OU
LA SECONDE PARTIE
DU TROISIEME JOUR
de la Seconde Semaine

C'est un grand don du ciel d'estre né d'un bon pere
Eslevé souz la verge humainement severe
D'un sage Pedagogue : et sur tout alaité
Dans le branslant berceau du laict de pieté.
Isac a bien cest heur, mais sa propre culture
Surmonte sa naissance, et veinc sa nourriture.
Sa doctrine, sa foy, son esprit, son bon sens
Dementent son menton, et surannent ses ans.
N'estant encor qu'enfant l'Eternel il revere,
Sage il despend du tout des levres de son pere :
Il remarque ses pas, ses gestes, sa façon,
Chasque œillade luy est une docte leçon,
Chasque mot une verge, et par sa diligence
Mesme les saincts desirs de son pere il devance.
Et bien qu'en tous ses faits d'Abram l'illustre sang
Soit sage et moderé, qu'il tienne bien son rang,

---

* Texte de 1588, La Rochelle, Haultin. Exemplaire de la BU d'Edimbourg (*S. 33.45). A la suite de la dernière partie du IIe Jour de *La Seconde Semaine,* « Les Colomnes ». Précède l'« Histoire de Jonas ».

1. « Ayant à parler d'Isaac, il propose une sentence generale. Laquelle il accommode à cest enfant benit de Dieu. »

8. Comprendre : ses qualités sont celles d'un garçon plus âgé.

9. « Parties principales de ceste benediction consistans en l'amour et reverence du Pere celeste et terrestre. »

15. « Amour d'Abraham envers Isaac. »

Qu'envers son fils plus cher il face du severe,
Il ne se peut garder qu'il ne se monstre pere,
Que son amour ne luise : et que ses yeux tousjour
Ne soyent comme attachez sur Isac son amour :
Il a pour seul miroir de son Isac la face,
Presque autre nom qu'Isac par sa bouche ne passe.

Or Dieu, qui voit combien cest amour est parfaict [164]
Prend subject là dessus de sçavoir, par effect,
Quelle est la foy d'Abram, et le tante, non comme
Satan tante le siens, et l'homme tante l'homme.
Satan tousjours nous pousse au chemin du trespas :
Et Dieu nous guide au port où la mort n'entre pas.
L'un jusqu'aux fondemens raze nostre esperance,
L'autre la va seelant du cachet de Constance.
L'un nous induit au mal, l'autre nous pousse au bien,
L'un nous veut degrader des ordres de Chrestien :
L'autre fait dans le cœur de l'Eglise fidelle,
Clairement à jamais flamboyer nostre zele.

Et le Prince qui veut faire seur jugement
De la fidelité d'un valet fraischement
Couché sur son estat, surveillant contrerole
Toutes ses actions, son geste, sa parolle,
Et pour le bien conoistre et sus et souz la peau,
L'espreuve à la coupelle, à la touche, au marteau.
Mais Dieu ne passe point les siens par l'estamine
De la tentation pour sonder leur poitrine,
Car il sçait quels ils sont, et leurs projects divers
Avant qu'estre jettez ne luy sont point couvers :

---

23. « 2. Dont s'ensuit la tentation de Dieu. Differente de celle de Satan et de l'homme. »

27. « Comme il appert par la conference de celle de Dieu et de Satan. »

35. « Item par la conference de celle de l'homme et de Dieu. »

41. « Quelle est la tentation de Dieu. »

Ainçois pour proposer à la saincte semence
Pour modele leur foy, pour patron leur constance.
  Mais Dieu tante les siens, non point hors de saison,
Non point tout aussi tost qu'ils sont de sa maison :
Car apprentifs nouveaux, ils perdroient lors courage,
Feroient, mal cal-feutrez, en demarant naufrage.
Leur foy n'estant qu'en fleur, legere voleroit,
Au gré du premier vent qui mutin souffleroit :
Contre si roides coups ils n'auroient point de targe,
Et trop *foi*bles encor, ils ploiroyent sous la charge.
Ains lors que dans leur cœur les semences divines,
Ont pris de longue main des profondes racines,
Et qu'ils ont l'estomach d'un halecret vestu,
Fait à preuve d'ennuis, espais, à froid-battu.
  Tous tels que nostre Abram, qui par maint exercice [165]
De foy, de Charité, de valeur, de Justice,
S'estant rendu frimeux. Et qui par les erreurs
D'un si fascheux exil, les frequentes terreurs,
Les ceps pesans de Lot, la prise de sa fame,
Et le ban d'Ismael, la moitié de son ame,
S'estant fait invincible, est tanté par la voix
Qui sceptre les Pasteurs et desceptre les Rois.
  Donne-moy donc la voix, ô Voix toute divine,
D'un feu surnaturel renflame ma poitrine,

54 *1588* Et trop floibles…

---

45. « A quelle fin il pretend. »

47. « En quel temps il tente ses enfans. »

50. « Diverses metaphores elegantes à ce propos. »

59. « Application de ce qui a esté dit en general, à la personne d'Abraham serviteur de Dieu, et exercé en divers sortes auparavant. »

67. « 3. Le Poete invoque Dieu pour avoir la grace de bien descrire ceste tentation. »

Pousse moy hors de moy : et fay que l'Univers
Admire ton Abram crayonné dans ces vers.
Abram, mon cher Abram (dit l'Eternelle Essence),
Je suis ton Dieu, ton Roy, ton loyer, ta deffence,
Va t'en droit à Salem, et respan impiteux
Le sang de ton Isac sur son coupeau venteux ;
Hache-le de ton glaive, et ses chairs bien aymees
Donne au rouge courroux des buches allumees.
Cil qui demi-veillant, et dormant à demi
Voit, ou bien pense voir un phantosme ennemy,
S'enfonce entre deux draps, tremble, et ne peut à peine
D'un grand quart d'heure apres reprendre son haleine.
Au son de ces durs mots Abram non autrement
Est saisi de douleur, d'effroy, d'estonnement :
L'Image de la mort dans ses yeux desjà nouë,
Un rigoureux hiver tous ses membres secouë,
Et sur le champ herbu, tout de son long tombé,
Devient en un moment palle, rouge, plombé :
Une froide sueur de tout son corps degoutte,
La parolle luy manque, il n'oit, il ne voit goutte.
Mais à soy revenu il jette deux sanglots :
Puis deux souspirs profonds : et puis encor ces mots :
Cruel commandement ! que de froid sang j'assomme
Un foible, un innocent, un desarmé jeune homme ?
Que je tue un Ami, que je souille inhumain
Dans le sein de mon fils ma parricide main ?
Mais, helas ! de quel fils ? d'Isac mon fils unique, [166]

---

71. « Commandement fait par l'Eternel à Abraham de sacrifier son fils Isaac au lieu qui luy seroit monstré. »

77. « Comparaison monstrant l'estonnement d'Abraham aux premiers mots de ce commandement. »

81. « Sa contenance, et ses paroles. »

91. « L'affection naturelle fait son effort. »

95. « Ses raisons pour ne point obeir sont 1. L'innocence d'Isaac. La douceur et bonté d'un tel fils. »

Dont la douceur respond à sa face angelique,
D'Isac pour sainct patron de vertu recognu,
D'Isac jeune de poil, mais de l'esprit chenu,
D'Isac l'Amour des siens, et des voisins l'envie,
D'Isac cœur de mon cœur, et vie de ma vie.
D'un detestable autel je trempe de ce sang,
Qui trecté, jallira du flanc né de mon flanc ?
Ha feust-il du mien propre ! ô perte suportable,
O dommage leger, ains plustost souhaitable.
Je ne fais plus de fruict, ains semble au chesne creux,
Esbranché, contrefait, despouillé de cheveux :
Et qui, n'estant moins sec dehors que dans la terre,
Ne sert que d'eschalats au gravissant lierre.
Mais en perdant Isac, je ne pers seulement
Ma vie, que l'arrest escrit au firmament
A collée à la sienne : ains plus de fils encore
Qu'on ne voit de sablon dessus la rive more.
Mon bras, pourras-tu bien, pourras-tu cruel bras,
Enfoncer dans le cœur d'Isac ton Coutelas [?]
Certes je ne pourroy sans mourir de tristesse
Delivrer, garroté, l'appuy de ma vieillesse,
Mon bon heur, mon plaisir, l'object doux de mes yeux
Entre les bras meurtriers d'un bourreau furieux.
  Mais las ! que je deface, ô felonnie extreme !

114 *1588* … Coutelas :

---

99. « 2. D'un fils tant aimé de pere, et de chacun. »

101. « 3. Nature y contredit. »

103. « 4. Mieux vaudroit sacrifier le pere que l'enfant. »

109. « [5] En Isaac est enclos tout le monde. »

115. « 6. Il est impossible d'être si cruel. »

119. « 7. Et du tout impossible à un pere de tuer son fils, puis de despecer et brusler. »

Que je defface helas ! ce que j'ay fait moy-mesme ?
Que j'ouvre sa poitrine, et que d'un poing sanglant,
J'en arrache, cruel, son cœur encor tremblant !
Que, detestable autheur d'un exemple si rare,
Je couvre un saint autel d'un hachis tant barbare ?
Que je grille sa chair ? que ses boyaux esmeus
Craquettent devant moy sur les charbons fumeux ?
Cela ne m'est pas moins à le penser horrible,
Cruel à le vouloir, qu'à le faire impossible.
Qui voudra, qui pourra sanglante ainsi sa main,
Je ne puis, je ne veux estre tant inhumain
Pour obeir à Dieu. Dieu, colomne eternelle [167]
De foy, de verité, sera donc infidelle,
Sera donques menteur ? doncque il demolira
Ce qu'il aura basti ? il fera, defera,
Donra voile à tous vents, et ses promesses faintes
Seront autant de laqs pour les ames plus sainctes ?
Il jurera tantost par son eternité,
Que mon fils peuplera de sa posterité
La terre où je voyage : et que d'Isac la race,
Bien-heureuse, sera le levain de sa grace.
Or' il commandera que j'estrangle au berceau
L'espoir de mon salut. Qu'au sang d'un juvanceau
Je noye l'Univers, que d'un revers je couppe
La teste à mon Isac, et la teste à la trouppe
Qui doit paistre son nez d'un agreable encens,
D'œuvres sainctes ses yeux, son oreille d'accens ?
Dieu fera guerre à Dieu ? sa voix sera traitresse ?

---

127. « 8. La pensée d'un tel acte est horrible en toutes sortes. »

130. « 9. Il ne faut estre cruel en obeissant à Dieu. »

131. « 10. Dieu ne peut contredire à soy-mesme. »

137. « 11. La parole de Dieu ne peut estre enfreinte ny la foy des siens renversée. »

Et son commandement combatra sa promesse ?
Ma foy renversera la baze de ma foy,
M'estant tout un de croire, ou descroire sa loy ?
Abram las ! que dis-tu, tu veux trop entreprendre,
Celuy qui le Phenix ravive de sa cendre,
Et du tombeau luisant du fileur vermisseau,
Pour parer les plus grands, fait naistre un peint oiseau,
Oublira-til Isac, la saincte pepiniere
De sa future Eglise : et l'unique lumiere
Qui fera jour au monde ? he ne pourra-til pas
Luy redonner la vie au milieu du trespas ?
Mais voy, que cependant que tu mets en deffence,
Le canonné rampart de sa haute puissance,
Tu sapes sa justice, on sçait bien que Dieu peut
Faire tout, si ce n'est ce que faire il ne veut.
Il n'ayme point le mal. Aussi tost que les ondes
Prindrent leur rendez-vous : que les pleines fecondes
Revirent le Soleil : que Noé jà grizon,
Ravi d'aise, quitta sa flotante prison,
Dieu defendit le meurtre : et sa face terrible, [168]
Ne deteste rien tant qu'un homicide horrible.
Homme ne sonde point les abysmes profonds
Des jugemens de Dieu, ils n'ont rive ni fonds,
Contien toy dans les bords d'une sobre sagesse,
Admire seulement ce qu'encor la foiblesse
De ta loy ne comprend, Dieu le souverain Roy
Comme legislateur est dessus toute loy :
Soy mesme il s'en dispense : et de son aile forte

---

151. « Response de l'esprit contre les raisons de l'affection naturelle. Replique de ceste affection. »

159. « Dieu ne veut point l'iniquité. »

163. « Il a expressément deffendu le meurtre. »

169. « Response de l'esprit. Dieu est par-dessus ce qu'il ordonne aux humains. »

Sainct il ne vole ailleurs qu'où son vouloir le porte.
Tout ce qu'il fait est bon. Non point que l'Immortel
Doive faire le bien à cause qu'il est tel :
Ainçois le bien est bien à cause qu'il procede
De la haute bonté, de celui qui possede
Les tresors de Justice : et du bien souverain
Le riche magazin tient tousjours sous sa main.
Ha, profane penser : Et quoy donques j'estime
Qu'il desire, inhumain, une humaine victime ?
Qu'il souhaitte establir son service devot
Par une impieté ? C'est ô vous Astarot,
Moloc, Chamos, Milcon, c'est ô cruelles pestes,
C'est vous qui vous paissez d'holocaustes funestes,
Qui rodez à l'entour de l'encencé bucher,
Pour humer nostre odeur, et lapper nostre chair :
Et qui ne trouvez point de plus douces fontaines
Que les ruisseaux coulans de nos ouvertes veines.
Non point le Dieu d'Abram, Dieu bon, Dieu sainct, Dieu [doux,
Qui n'a point maçonné ce monde que pour nous
Qui hait les bras seigneux : qui cherit son ouvrage,
Qui veut en sacrifice un repentant courage,
C'est vous qui desguisez en Anges de clairté
Voulez faire mon Dieu autheur de cruauté,
Esteindre dans mon cœur la foy de sa promesse :

---

177. « Tout ce qu'il fait est irreprehensible et le reigne de tout bien. »

183. « Replique de l'affection naturelle. Dieu ne demande le sang humain. »

186. « C'est le propre des malains esprits. »

193. « La nature de Dieu est autre. »

197. « Ce sont inspirations mauvaises que de commander l'impieté. »

Et souiller son autel ! O ma saincte liesse,
Fils heureusement né : voire (si rigoureux
Je n'empesche ton heur) pere d'un peuple heureux,
Ne crain, ô cher enfant, que fier, je me despouille [169]
De l'amour paternel ; qu'en ton sang je me touille,
Et par l'horrible exploit de telle cruauté
Je me face conoistre à la posterité.
Je veux que de mes faicts les celebres nouvelles
Volent à l'advenir sur des aisles plus belles.
    Le Pin contre-soufflé et du Nort, et du Not,
Tantost croule deçà, de là panche tantost :
Là craque en s'esclatant une vive racine :
Ici s'en rompt une autre : Il s'esleve, il s'incline,
Jouët de deux tyrans, il veut, et ne peut choir
Et chancelant, ne sçait quel maistre il doit avoir.
    Luy de-mesme assailli par l'Amour, et le zele,
Est or' Pere indulgent, ore pere fidele.
Or' l'Esprit, or' la Chair gaignant le plus haut lieu,
Froid à tuer son fils, froid à desplaire à Dieu.
En fin il dit ainsi. C'est Dieu, c'est ce Dieu mesme,
Que j'ay veu si souvent, c'est ce bon Dieu, qui m'aime,
Me garde, me soustient, c'est sans doute la voix,
La voix mesme qui m'a consolé tant de fois.
Satan bien que fardé ne peut tel apparoistre,
Dieu m'est trop familier pour son front mesconoistre.
Je sen de son Esprit les mouvements secretz.
Il entretient mon cœur de ses discours sacrez :
Dieu requiert de ma main ce triste sacrifice,

---

200. « Il faut avoir esgard à Isaac. »

203. « L'amour paternel est puissant. »

209. « Comparaison propre pour representer le combat de l'affection naturelle contre l'esprit d'Abraham. »

219. « Enfin l'esprit obtient la victoire et Abraham se resould d'obeir à Dieu. »

Il faut, quoy qu'il en soit, qu'à sa voix j'obeïsse.
  La nuict veut desloger, des-ja le ventelet
Avant-courrier du jour murmure fraischelet
Dans les bois chevelus, cependant que l'aurore
Amoureuse s'enfleure, et s'emperle, et se dore,
Pour sortir mieux parée, et faire parmi l'air
Du bord de son manteau le roux miel distiller.
Abram part avec elle : Et sur la verte rive
Au murmurant Cedron le tiers jour il arrive,
Contemple le sainct mont : et foiblement pantois,
Monte avecques son fils chargé du sacré bois.
  Mon pere, dit Isac, voici bien et la flame, [170]
Et le seché fagot, et la tranchante lame.
Mais où est vostre hostie ? He ! monte ô mon cher cœur,
Et remets, dit Abram, ce qui reste au Seigneur.
Mais à peine eut encor l'innocente victime
Tourné le sacré front vers la pierreuse cime,
Qu'Abram change de face, et comme un vin nouveau,
Qui bourboust, prisonnier, dans le cerclé tonneau,
Qu'on a bouché trop tost, d'une fumeuse bave
Pousse en fin le bondon jusqu'au Ciel de la cave :
Vomit un fleuve rouge, et le glaceux pavé
Est d'un lac escumeux tout autour abbreuvé.
Tout ainsin au doux son de ces mots Fils et Pere,
Le pleur que la constance avoit tenu n'aguere
Captif dans le cerveau, coule desbondonné :
Et l'Hebrieu d'un discours bassement marmonné,
(Car il ne veut qu'Isac entende sa complainte)

---

229. « 4. Ayant passé la nuict en tels combats, il part avec son fils en intention de l'offrir à Dieu. »

238. « Il monte en la montagne. »

241. « Dit que Dieu le pourvoyera de victime. »

243. « La lutte de l'affection naturelle contre la foy, et de la chair contre l'esprit se renouvelle en Abraham. »

En fin ouvre la porte à sa douleur contrainte.
Miserable Theatre ! ha mon bras felon bras
Tu brandis donc la torche, et le fier coutelas
Qui doit brusler mon cœur, qui doit tremper sa lame
Dans le sang de mon sang, dans l'ame de mon ame.
Et toi, pauvret Isac, tu portes sur le dos
Le fagot qui craquant, poudroyera tes os,
Et te rens plus pour moy que pour ton propre crime
D'un mesme sacrifice et Ministre et victime.
O malheureux enfant ! ô Pere malheureux !
Mais meschant tout ensemble, he ! quel sort rigoureux
Nous pousse en cest abysme, où faut que miserable,
Pour estre vrayment sainct, je me rende execrable,
Que pour suivre la foy je transgresse la foy
Que pour estre bon fils de mon Dieu, las ! je soy'
Mauvais pere d'Isac ? et qu'Isac pour me plaire,
Pour di-je estre mon fils, ne soit ni fils ni pere.
Il marche neantmoins, et surmontant le mont
Consolé par la foy, il serene son front,
Ainsi ne plus ne moins que l'estoille argentine, [171]
Qui n'aguiere a lavé sa face en la marine.
Il bastit son autel, il dresse le buscher,
Puis lie doucement les bras de son fils cher.
Mon pere, dit Isac, mon pere, mon bon pere.
Et quoy ? vous me tournez vostre face severe ?
Mon pere, he ! dittes-moy, quels apprests sont-ceci ?
O cruauté nouvelle ! Est-ce donques ainsi

---

257. « Il desplore la misere de luy et de son fils. »

265. « Il ne peut accorder son affection envers Isaac avec son zele envers Dieu. »

273. « L'esprit qui est la partie degenerée et la resolution d'obeir à Dieu, gaigne le dessus. »

279. « Ins[is]tance d'Isaac : qui renouvelle au cœur d'Abraham la lute de son affection contre la foy. »

Que par moy vous devez estre ayeul de ces Princes,
Qui, braves, dompteront ces fertiles provinces,
Et que je dois remplir saintement glorieux,
Ce bas monde de Rois, et d'estoilles les Cieux ?
Char cloué de Rubis, Coche de la lumiere,
Fuy-t'en, recache-toy dans l'onde mariniere,
Pour ne voir ce spectacle. Abram donc envers tous,
Hors-mis envers son fils, sera sainct, juste, et doux ?
Abram, le grand Abram, fera ce que la rage
Du Tigre, du Sanglier, de l'Ours aime-carnage,
Ne voudroit point commettre ? Helas ! voyez comment
Il me bouche l'oreille ? il songe incessamment
A son sanglant mystere : O Dieu ! quelle innocence
Le meurtrier de son fils a peur de faire offence,
Celuy qui vers son sang exerce cruauté,
Craint helas ! de tomber en quelque impieté.
Mon pere escoutez-moy. Non non je ne desire
Destourner, orateur, le tourment de vostre ire.
Moissonnez hardiment le grain par vous semé,
Venez, ostez la vie à vostre bien-aymé.
Enyvrez de mon sang ce gazon execrable,
Puis que ma mort vous plaist, ma mort m'est aggreable.
Dites moy seulement quel crime j'ay commis
Digne de telle mort. Mon pere, ay-je point mis
Dans vostre plat sacré le mortel Aconite ?
Ay-je precipité d'une drogue maudite
Le trespas de ma mere ? Ay-je point conspiré
Avec vos ennemis ? O Palais etheré,

---

287. « C'estoit Abraham plustost qu'Isaac, qui proposoit tout ceci à sa pensée en laquelle ses affections combatoyent. Ce qu'a peu dire le fils à son pere : ou plustost Abraham se proposer en soy mesmes de son Isaac. »

305. « Ce n'a point esté un meschant fils. »

310. « Dieu le sçait bien. »

Saincte maison de Dieu sur deux points balancée, [172]
Si jamais un tel crime entra dans ma pensée,
Ferme moy ton clair huis : et juste ne permez
Que je soy compagnon des courriers emplumez.
Si ce n'est point cela, Abram, (car plus je n'ose
User du mot de pere) hé sçachons quelle chose
Ay-je peu perpetrer, qui doive ô Creve-cœur,
Me rendre vostre hostie, et vous mon massacreur.
Faites moy souvenir d'une faute si grande,
Afin, qu'apres mon Dieu, pardon je vous demande
D'un si lâche forfait, et qu'accordé par vous,
Vous viviez satisfait, et je trespasse absous.
Mon fils tu n'es conduit à ce sacré supplice,
Ni par mon fier courroux, ni par ton malefice :
Dieu nostre Dieu t'apelle, et ne veut qu'icy bas
Tu traines en langueur : qu'un payen coutelas
Hache de tes beaux ans la vigoureuse trame,
Ou qu'un pesteux charbon t'envoye soubs la lame,
Ains rendes ton esprit au milieu des saincts feux,
Des devotes odeurs, des salutaires vœux.
Que crains-tu mon Amour ? ô ma joye plus grande
Ma douceur que crain-tu ? l'Immortel le commande,
C'est à nous d'obeïr : Et ne s'enquerir pas
Comment sage il fera germer de ton trespas
Tant de sceptres promis, et de ta morte cuisse
Sortir en sa saison le Soleil de Justice,
Qui brisera les monts de sa dextre de fer,
Et donra loix au Ciel, à la Terre, à l'Enfer.

---

315. « Il n'a pas merité envers son pere d'estre mis à mort. »

323. « Abraham satisfait à Isaac, ou plustost à son affection naturelle par une sainte resolution d'obeir à Dieu, lequel le veut ainsi. »

333. « Il ne faut point luy demander pourquoy il le veut. »

Car celui qui t'a fait contre nature naistre,
Contre nature peut te redonner un estre
Meilleur que le premier. Il a mille moyens
Pour tirer, prevoyant, de la presse les siens.
Le Monde a pour timon sa sagesse admirable,
Il est egallement puissant et veritable.
Mon doux, mon bon Isac (mais trop certes pour moy,
Ta douceur, ta bonté, renforcent mon esmoy,
Font ma perte plus grand : et comme deux tenailles [173]
Toutes rouges de feu, pincettent mes entrailles)
Je te donne, ô cher fils, non plus mien, ains de Dieu,
Et le dernier baiser et le dernier adieu.
Ha ! puis que Dieu le veut, que vous aussi mon Pere
Le voulez, je le veux. O mort non tant severe
Qu'honorable pour moy, vien-t'en, haste le pas,
Je voy les Cieux ouvers, Dieu me tend jà les bras.
Allons, courons à lui, et d'un brave courage
Soustenons la fureur d'un passager orage.
Quoy ? mon pere, le cœur vous manque aux meil-
[leurs coups,
He ! ne me pleurez plus, je ne suis plus à vous.
J'estois à l'Eternel mesme avant ma naissance
Vous m'avez possedé seulement par souffrance,
Voulez vous reculer sur le couronnement
D'un fait si glorieux ? que mon col laschement

339. « Il est tout puissant pour effectuer la promesse. Il est sage et pourtant il sçaura trouver les moyens de monstrer la verité de ses promesses. »

351. « Isaac acquiesce avec Abraham à la volonté de Dieu, foy admirable de ces deux serviteurs. »

357. « Amplification de la foy d'Isaac. »

359. « Description de la vraye foy et des beaux effets d'icelle au cœur des esleus, s'assujettissans à Dieu et l'aimans plus qu'eux mesmes. »

Avecques vostre joug, le joug de Dieu secoüe ?
Et que de sa parole impudent je me joüe ?
Où fuiray-je sa main ? le Ciel est sa maison,
Son marchepié la terre : Et l'obscure prison
Du peuple criminel qui sous Sathan souspire
Est la bute des traicts que descoche son ire :
De lui depend mon heur, de lui despend mon bien,
Je n'ay point pour franchise autre autel que le sien.
  Helas ! ne pleurez plus, ce sainct gazon demande
Plus de sang que de pleurs, il faut et que l'offrande
Et que l'Offrant encor poussez de pieté
Rendent libre ce faict, faict par necessité.
Monstrons que nous avons demeuré dans l'eschole
Moy de vous, vous de Dieu, Et qu'encor sa parolle
Qui forma, qui soustient, qui conduit l'univers,
Mene à son but le Sainct, et traine le pervers.
  Celuy qui n'ayme Dieu plus que toute sa race,
Entre les fils de Dieu ne merite avoir place :
Et qui veut labourer de Dieu le champ fecond,
Ne doit tourner jamais en arriere le front.
  Ainsi le pere Hebrieu serene son visage [174]
Et prononce ces mots, *C*ourage, Abram, courage,
La chair, le monde, Adam, sont du tout morts en toy,
En toy vit seulement Dieu, l'Esprit et la Foy.
  O Dieu ! par ton Esprit, fay qu'une foy parfaite
Accompagne ma main : que je vise Prophete
A l'Isac veritable, et que haut eslevez
Le Prestre et l'immolant soyent en son sang lavez.

383 *1588* ..., courage, ...

375. « Devoir des enfans de Dieu. »

383. « Victoire d'Abraham, encouragé par son fils Isaac. »

387. « Sa priere. »

Il n'a pas achevé que son glaive il empoigne,
Le tire et jà des-jà le veut mettre en besongne,
Que la tonnante voix, la voix du Souverain
Arreste son esprit, son oreille et sa main.
Mon Abram, c'est assez, Abram, Abram, demeure.
Rengaine ton acier, je ne veux qu'Isac meure.
J'ai de ta pieté fait un essay parfait,
Il me suffit : je pren le vouloir pour l'effect.
Lors Abram louë Dieu : sur le champ desenlace
La victime parente, et remet en sa place
Un agneau, qui conduit par miracle en ce lieu,
Sur l'autel verdissant verse son sang à Dieu.
Abram, ce qu'en leurs vers les ouvriers plus parfaicts
Ont feint de leurs Heros est moindre que tes faicts,
Et la loy qu'un tien fils peindra de mains celestes
N'est rien qu'un pur recit de tes merveilleux gestes.
Celebre qui voudra ton courage indomté,
Ton bras victorieux, ton sçavoir, ta bonté,
Et ta justice encor des payens reveree,
Trop foible est mon esquif pour un si grand Neree.
Ta seule foy sera le suject de mes vers,
Non toute en ses effects : ains de cent fruicts divers,
Que saincte, elle a produit, je veux ce seul eslire :
Encor' aymé-je mieux l'admirer que descrire.
Fueilletez, ô Payens, vos livres plus sacrez

---

391. « Son obeissance sincere. »

395. « Dieu luy declare le reste de sa volonté. »

399. « Abraham louë Dieu et luy sacrifie l'agneau trouvé miraculeusement. »

403. « La foy d'Abraham est admirable entre tous les autres dons que le S. Esprit luy a distribues. »

415. « La cruelle superstition des infideles, qui ont sacrifié leurs enfans au diable, ne doit estre nullement mis en comparaison avec le fait d'Abraham. »

Faites un long recueil des enfans massacrez
Sur l'autel de vos Dieux, deterrez vos legendes,
Courez de temple en temple : et parmy les offrandes
Que pour s'eternizer vos devanciers ont fait, [175]
Vous ne trouverez pas exemple si parfait
De vraye pieté : où tant d'heur se rencontre,
Où le Pere et le fils moins pere et fils se monstre,
Où le zele de l'homme, et de Dieu la pitié
Taschent comme à se vaincre en devoirs d'amitié.
L'un sacrifie aux Dieux par contrainte sa race,
L'autre afin qu'en la mort de son enfant il face
Eternel son renom. L'autre pour destourner
Quelque insigne malheur, l'autre pour façonner
Ses mœurs sur le patron d'une coustume antique,
Qui nos yeux esblouït, qui chasse tyrannique
La raison de son siege, et qui trompeuse, fait
Le rollet de vertu jouer par le forfaict.
    Mais de soy mesme Roy, notre *Abram* sur la cime
D'un detestable mont veut perpetrer un crime
Detestable aux Hebrieux, en la propre saison
Que le Ciel luy fait part de ses biens à foison :
Fait guerre à la nature : et point d'un zele extreme,
En defaisant son fils, il fait guerre à soy mesme.
    Muse qui ne cein point dessus le double mont

433 *1588* … nostre Adam…

---

425. « Difference des sacrifices des Payens et du sacrifice d'Abraham. » Les sacrifices païens en question sont ceux de Pelops par Tantale (v. 426), d'Iphigénie par Agamemnon (v. 427-428), de Phaeton par Apollon (v. 428-429 : cette dernière explication d'après Holmes).

430. « Effet de nostre corruption. »

439. « Le sacrifice d'Isaac a esté la figure du vray aigneau sans macule, à sçavoir Jesus-Christ. »

D'un fragile laurier de tes chantres le front,
Ains sur l'azur brillant des voustes tournoyantes
Vas couronnant ton chef *de fueilles verdoyantes :*
Dy moy (car tu le sçais) quel mystere est caché
Sous ceste saincte escorce ? O Mort, Sathan, peché,
Trembles-tu pas d'horreur, de despit, et de crainte,
Voyant dans ce tableau ta route au vif depeinte ?
Que le ciel bande l'arc qui doit outrer ton cœur ?
Qu'Isac est le patron de ton brave vainqueur ?
Tous deux sont bien aymez : tous deux enfans uni-
[ques,
Tous deux saincts fondateurs de deux grands Republi-
[ques :
Tous deux peres des saints : tous deux portent leur bois :
Tous deux pour repliquer, humbles, n'ont point de vois :
Tous deux sont garrotez : tous deux sont sans malice
Par leurs Peres, tous deux sont vouez au supplice
Sur le Mont de Sion, qui haut, qui glorieux [176]
Nous sert *d'un escalier pour parvenir aux cieux,*
Nous rend la clef d'Eden à nostre Ayeul ravie,
Et porte bienheureux le sainct arbre de vie.
Il est vray que Christ meurt, et qu'Isac ne meurt pas,
D'autant que Dieu n'eust point accepté son trespas
Pour le rachapt du nostre. Une si grande offence
Avoit besoin d'un sang engendré sans semence.

FIN

442 *1588* *Les mots en italiques sont omis. Vers incomplet.*

456 *1588* *Les mots en italiques sont omis. Vers incomplet*

---

449. « Comparaison et convenance entre Christ et Isaac, entre la verité et la figure. »

459. « Difference entre le sacrifice de l'un et de l'autre. »

Troisième partie

LA LOY

SOMMAIRE

Apres que le Poëte a declaré d'entrée, que les miseres de nostre temps ne l'empescheront point de poursuivre ce qu'il a si heureusement commencé és livres precedens : il entre en son discours, compris en deux parties : La premiere contenant le recit de l'estat du peuple de Dieu en Egypte : la seconde, ses deportemens au desert jusques à la mort de Moyse.

Pour la deduction de la premiere partie, il descrit élegamment le Palais de l'Envie, laquelle informée par un bruit volant de la prosperité des Israëlites en Egypte, se transporte vistement vers le Roy, qu'elle envenime contr'eux, dont s'ensuivent leurs dures corvées et oppressions : item, le cruel Edict contre leurs enfans masles, l'un desquels, assavoir Moyse, exposé en l'eau, est trouvé, et tiré hors par la fille du Roy, qui le fait eslever : Luy devenu grand, et ne pouvant supporter l'outrage fait à ses freres, tuë un Egyptien, puis s'enfuit en Madian, où, devenu berger, Dieu apparoit à luy dans la flamme du buisson ardant : l'ordonne liberateur d'Israël, et l'envoye pour cest effet en Egypte, luy donnant Aaron son frere pour adjoint. Ils se presentent au Roy, et le prient qu'il laisse sortir le peuple en liberté. Ce Prince respond orgueilleusement, et confermé par les illusions de ses enchanteurs, qui contrefont les premiers miracles d'Aaron par la verge de Moyse, se monstre suscité afin que Dieu demontrast en luy toute sa puissance, et fut glorifié en le confondant.

S'ensuivent donc les dix playes d'Egypte, descrites depuis le 380. vers, jusques au 535. Dieu conservant son Israël delivré de si grandes calamitez. Les Egyptiens accablez de tant de maux, importunent le Roy, à ce qu'il laisse aller Israël : et pressent Moyse de sortir avec sa suite. Mais Pharao se repentant tost apres de ce qu'il avoit fait, poursuit les Israëlites, qui se plaignent de Moyse, lequel les asseure, et apres avoir prié Dieu, frappe de sa verge la mer, qui donne passage au peuple, et engloutit Pharao avec son armée, dont Israël chante louanges à Dieu.

La deuxiesme partie de ce livre represente les biensfaits de Dieu aux Israëlites au desert. Premierement, en ce qu'il leur donne l'excellente nourriture de la manne, figure du pain vif descendu du ciel, dont la conference et contenance est exactement représentée. Secondement, au fait des cailles, et de l'eau tirée du rocher, nonobstant leurs murmures. Tiercement, en ce qu'il leur donna ses loix, les circonstances remarquées au regard des dix Commandemens de la Loy Morale vivement proposées : et l'excellence d'iceux opposée à toutes constitutions humaines. Apres avoir monstré les fautes que tous hommes commettent contre ces dix Commandemens, et les remedes, il vient au recit de l'idolatrie des Israëlites autour du Veau d'or, à la punition qui s'ensuivit, à la ladrerie de Marie, à l'extermination de Nadab et Abiu, au supplice horrible de Coré et de tous ses adherans. Puis ayant touché un mot des guerres et victoires du peuple, reservées au livre du Capitaine Josué, il recite ce qui preceda la mort de Moyse, assavoir, les benedictions et maledictions prononcées tout le peuple oyant, et le Cantique de Moyse qui est comme le testament de ce grand serviteur de Dieu. En cest endroit le Poëte met fin à ceste 3. partie du troisiesme jour de la 2. Sepmaine.

LA TROISIESME PARTIE
DU TROISIEME JOUR DE
la ij. Sepmaine de G. de Saluste,
sieur du Bartas [22]

LA LOY*,

Clairons haut-esclattans, alarmeuses trompettes,
Canons demolisseurs, homicides scopettes,
Pensez-vous estouffer par vostre horrible son
Les recerchez accords de ma saincte chanson ?
Soufflez, bruyez, broyez, et remplissez nos terres
De vacarmes, d'effrois, de rages, de tonnerres,
Instrumens de la mort, vous travaillez en vain :
Le cornet à bouquin que je tiens en ma main
Tient tousjours le dessus, et ma voix Stentoree,

---

* Texte de 1601, Genève, J. Chouet. Exemplaire de la Sorbonne (cote : Eugène Manuel 1026, in-12. L'édition américaine de Holmes donne le texte de la première édition de 1593 (voir cette éd., t. III, p. V, et ci-dessus p. XXV), que nous avons comparée à la nôtre : les seules variantes sont pratiquement des modifications de ponctuation et d'orthographe. Le volume de 1601 porte le titre *La Seconde Sepmaine* et donne les deux premiers Jours de 1584 puis, avec une numérotation des feuillets qui repart à un, la *Suite des Œuvres de G. de Saluste, sieur du Bartas,* c'est-à-dire « Les Peres », « La Loy », « Les Trophees », « La Magnificence » et « L'Histoire de Jonas », ainsi qu'un « Fragment ou commencement de Preface », « La Lepanthe » et le « Cantique de la Victoire d'Yvry ». Le volume de la Bibliothèque de la Sorbonne contient encore, sous la même reliure, la *Seconde Partie de la Suite* (dite encore *Seconde Suite*) dans l'édition J. Chouet de 1604.

1. « Exorde, où le Poete declare que les malheurs de nostre temps ne l'empescheront de poursuivre ses hauts et sacrez desseins. »

Claire s'orra depuis la Castille doree
Jusqu'à celle d'Espagne, et de l'Espagne avant
Jusqu'au lict d'où le Nord gelé se va levant.
Cela ne part de moy, j'ai trop courte l'haleine :
Cest Esprit donne-esprit, qui sur l'ondante plaine
Du premier Univers, Alme, s'alloit mouvant,
L'embouche tout divin et luy fournit le vent.
Continue, ô bon Dieu, et parmi tant d'alarmes
Donne paix à mon ame, et donne ame à mes carmes.
Ne permets que j'arreste en un si beau chemin ;
Fay que la fin de tout soit de mes vers la fin,
Et que tandis que Mars ravagera la France,
D'un stile haut-volant je chante ta puissance.
  Jà le temps biffe-tout a (jaloux) effacé [23]
Les biensfaits de Joseph : son maistre est trespassé,
Ses fils sont au cercueil, quand la mastine Envie
Dresse de toutes parts embusches à la vie
D'Isac, qui va germant plus dru que les cheveux
D'un pré lavé du flot de cent ruisseaux baveux,
Et qui fait en un jour plus de cerfueil renaistre
Que le troupeau laineux en un jour n'en peut paistre.
Ce monstre ne se tient en son antre profond :
Son palais est assis dessus le plus haut mont
Qui par l'orgueil pierreux de ses blanches espaules
Separe à tout jamais les Espagnes des Gaules.
Il est en mille endroits percé tout à l'entour,
Sans qu'onques toutesfois le doux rayon du jour
Penetre là dedans, ou si quelqu'un y passe,

---

13. « Pource que le S. Esprit l'adresse. »

17. « Favorisé de ceste grace, il demande une nouvelle grace pour continuer. »

23. « Narration contenant son intention, qui est de monstrer 1. l'estat du peuple de Dieu, en Egypte. 2. hors d'Egypte au desert jusqu'à la mort de Moyse. »

Il est soudain esteint des brouillas de sa face.
L'ouvrier à chasque trou du logis haut monté
Une grand' sarbatane, Inventif, a planté,
Où les Renoms parleurs, les Bruits aux peintes æles,
Des quatre coins du monde aportent des nouvelles,
Piolans là dedans, ainsi que les grillons
Qui taschans imiter les chantres oisillons,
Envoyent, importuns, sur la fraische seree
Dix mille voix du fond des fentes d'une pree.
De fortune, en ce temps, un Bruit viste-volant,
Degoutant de sueur, areneux, panthelant,
Et n'agueres parti du Memphite rivage,
Par l'un de ses roseaux lui tenoit tel langage :
O Nymphe curieuse, (et void-on sous les cieux
Esprit vif et gaillard, qui ne soit curieux ?)
Roine des cœurs mortels, vigilante Deesse,
Qui talonnes tousjours l'honneur et la richesse,
Sçais-tu pas qu'Israël, qui promet, fortuné [24]
Produire à l'avenir ce Roy, qui deux fois né
Saccagera l'Enfer, qui mort reprendra vie,
Et d'envie fera mourir mesme l'Envie,
Augmente à veue d'œil en toute sorte d'heur ?
Que la terre et le Ciel conjurent sa grandeur ?
Que sept fois dix bannis d'une profane race
S'en vont de l'univers couvrir toute la face ?
Qu'enyvré de tous biens il despite ton bras ?
Envie tu le vois, et tu n'y pourvois pas.
L'Envie remaschant avec ses dents sanglantes
Des piolez serpens les queues dardillantes,
Part adonc, et d'Isis prend les traits plus qu'humains,

47. « Ayant descrit le palais de l'Envie, il propose le rapport qui luy est fait de la prosperite des Israelites. »

65. « L'Envie conseille le Roy d'Egypte d'opprimer les Israelites. »

Agence un vase d'or en l'une de ses mains,
En l'autre un instrument qui doucement resonne,
Environne son chef de plumes et d'auronne,
Decorant son beau front d'un croissant argentin,
Fait pendre de son sein maint nourrissier tetin,
Et s'adresse impudente au Prince Bubastique
Qui lors dessus son lict ravassoit fantastique
Sur la grandeur d'Isac. Elle qui de travers
Guignoit sur les saphirs dont ses doigts sont couverts,
Et d'un nez renfrongné humoit l'odeur, que l'ambre,
La civette et le muse exhaloyent par la chambre,
Luy parle en la façon : Tu dors, mon fils, tu dors,
Tu dors et cependant ces serpens, que mi-morts
Ton sein a rechauffez, tes entrailles deschirent,
Ces fuitifs, ces ingrats, ces retaillez conspirent
Contre la riche Egypte, et d'un joug odieux
Menacent les Pharons noble race des dieux.
En prononçant ces mots dans sa bouche elle haleine
Je ne sçai quel venin, dont la force soudaine
Coule insensiblement, s'empare de son cœur [25]
Et rend l'aveugle sens sur la raison vainqueur.
Ainsi l'Aspic cendré, trop juste archer, descoche
Sur le visage nu de cil qui trop s'aproche,
Le crachat, qu'il confit en venin dans ses dents,
Lethargique venin qui se fourrant dedans,
Fait que non loin de là le corps affecté meure,
Sans tumeur, sans ardeur, sans douleur, sans blesseure.
Et que diray-je encor ? Ce fleau des courtisans,
Dure geine des Rois, source des soins cuisans,
Qui rit voyant pleurer, qui pleure voyant rire,
Outre son noir venin, dans sa poictrine inspire
Et la haine et la peur. Isac depuis n'a pas

---

79. « Elle l'envenime contr'eux. »

95. « Effets de ceste envie. »

Un bon jour, un doux somne, un paisible repas.
On le charge sans fin, les vols suyvent les daces,
Les menaces les vols, et les coups les menaces.
Chetif ore il conduit par les canaux nouveaux
Du grand fleuve Abyssin les loint-courantes eaux,
Ore les murs panchans des grands villes repare,
Or' change en monts plus hauts les rocs marbrins de [Pare,
En ces Tours que la terre admire justement,
Tours, dont le faiste aigu fait peur au firmament,
Tours, qui des fiers Titans excusent l'arrogance,
Tours qui sont de nul fruict, et de grande despence :
De sang et de sueur destrempe le mortier,
Tout d'un coup et maçon, et maneuvre, et potier.
Il travaille beaucoup, mange peu, moins sommeille,
Il n'est si tost couché, qu'un sergent le resveille :
Marranes, au travail, venez, courez-y tous,
Et la cire et le miel je veux avoir de vous.
En somme ce tyran croid que la saincte race [26]
Crevant sous le fardeau demourroit sur la place,
Ou qu'Isac pour le moins acravanté de maux,
De veilles afoibli, tout cassé de travaux,
Avec le cours du temps se rendroit inutile
Aux baisers amoureux d'une Venus fertile,
Dessechant trop son corps, dissipant ses esprits,
Et laissant indigest le germe de Cypris.
Mais voyant sans effect une telle entreprise,
Et que le Tout puissant son Jacob favorise,
Il commande, inhumain, que tous ses fils sacrez
Soyent au sein maternel en naissant massacrez,
Et que du Caire encor la flottante riviere

---

103. « Les travaux des Israelites. »

117. « Vaine opinion de Pharao. »

127. « Son cruel Edit contre les masles Hebrieux. »

Des Hebrieux rechappez soit la flottante biere.
O Barbarie aprise au plus profond d'enfer !
Celui qui ne conoit encor ni flot ni fer,
Meurt du fer, meurt du flot ! O loy par trop cruelle,
De la mere le sang au sang du fils se mesle,
Et la mere et l'enfant se perdent tout à coup,
La mere de tristesse, et son cher fils du coup.
L'Hebrieu d'un double pleur le ciel natal salue :
Un mesme jour l'avive, un mesme jour le tue.
Cependant Jochebed desire de cacher
En quelque seure part Moyse son fils cher.
Mais d'autant qu'il vaut mieux perdre, comme il lui [semble,
Le seul fils, que le fils et les parens ensemble,
En fin elle l'expose, et dans un coffre enclos
Le laisse à la merci du Seigneur et des flots.
La nasse sans timon, mais non point sans pilote,
Lechant l'herbeuse rive, à fleur de terre flotte,
Sauve du flot marin le futur Porte-loy,
Et tombe entre les mains de la fille du Roy,
Qui l'ouvre et là dedans rencontre, ô fait estrange ! [27]
Non un enfantelet, ainçois un petit Ange,
Qui semble d'un sousris implorer son secours.
L'honneur, la royauté, les graces, les amours
Volettent à l'entour, et sur son chef qui fume,
Un feu presagieux à languettes s'allume.
Il est royalement au palais eslevé,
Et son gentil esprit, de bons arts cultivé,
Semble un corps qui, dispost, nerveux, de longue haleine,
Au maistre baladin donne bien peu de peine,
Ou l'arbre genereux, qui sur le bord des eaux

---

139. « Moyse exposé en un coffret à la mercy de l'eau, tombé és mains de la fille du Roy qui le fait eslever. »

155. « Adolescence excellente de Moyse. »

Pousse sans estre aidé jusqu'au ciel ses rameaux.
Il met avec le temps son sçavoir en pratique,
Sa douceur accompagne un courage heroique,
Il n'a rien de vulgaire, en ses diserts propos
Il exprime son ame, en ses actes ses mots :
Là sa vertu le fait successeur de l'Empire,
Le prince le croid tel, le peuple le desire.
Ainsi lors que Jacob, renversé par le cours
D'un torrent de malheurs, pert avec le secours
L'espoir du secours mesme, et que le noir visage
Du temps ne lui promet qu'un naufrageux orage,
Son Castor aparoit, son Sauveur est sauvé ;
Et celui-là qui doit d'un bras haut eslevé
Foudroyer sur Bubaste, et de honte eternelle
Flestrir la cour de Memphe, est agrandi par elle.
Car encor qu'il y soit adoré comme un Dieu,
Il ne desdaigne pas ses parens de bas lieu.
Leur joug charge son col, il pleure pour leurs larmes,
Il prend en leur faveur la cholere et les armes,
Et comme intervenant, par le Ciel appellé, [28]
Au regime d'Isac barbarement foulé,
Il trempe genereux sa meurtriere allumelle
Dedans le vaste corps d'un Satrape infidele,
Qui mal meine un sien frere, et, Patagon cruel,
Ne trouvoit rien si doux que le sang d'Israël.
Ce jeune homme craignant que son barbare prince
En eust senti le vent, quitte ceste province,
Et vivant pres d'Oreb, vaque en toutes saisons
A jeusnes, hauts discours, et sainctes oraisons :
Humble de plus en plus à la vertu s'enflamme,
Munit de longue main l'arsenal de son ame

167. « L'esperance qu'on a de luy. »

175. « Le soin qu'il a de ses parents et freres. »

185. « Il s'enfuit ayant tué l'Egyptien. »

D'armes, pour resister aux voluptez qui sont
Au ventre et sous le ventre. Un ecstase profond
Souvent l'emporte au ciel, et celui qui ne treuve
Dieu sur les riches bords du Pelusique fleuve,
Au milieu des citez ceintes de grandes tours,
Es colleges sçavans, es magnifiques cours,
Le rencontre és deserts, lui parle face à face,
Et reçoit sur son front les marques de sa grace.
Car cependant qu'il fait en si sauvages lieux
L'aprentissage sainct de pasteur des Hebrieux,
En conduisant au pied de Sina baise-nues
L'escadron blanchissant de ses bestes lainues,
Il void, miracle grand, qu'un buisson espineux
S'envelope soudain d'un feu tourbillonneux,
Qui flamboye et n'ard point, qui craquette sans force,
Qui baise et ne mord point, non pas mesmes l'escorce :
Vrai pourtrait de l'Eglise et disert sacrement
Qui semble dire ainsi : Quoy ? d'Isac le tourment
Te fait, ô fils d'Amram, si tost perdre courage ? [29]
Non, non, ce verd hallier est le mystic image
D'Isac qui dans le feu de ses plus grand malheurs
Demourant sain et sauf porte fueilles et fleurs,
Et qui de toutes parts entouré d'une haye
De ses bras dentelez ses adversaires ploye.
Ce feu semble l'esprit du trois-fois Tout-puissant,
Qui devore l'inique, et purge l'innocent,
Et qui marie encor à si divin symbole,
Pour mieux poindre l'Hebrieu, son expresse parole.
Je suis Celui qui suis, en moy, pour moy, par moy.
Tout autre Estre n'est point ; S'il est, il n'est en soy,

---

197. « Dieu parle à luy au desert. »

203. « Particulierement, et en vision excellente au buisson ardant. »

219. « Propos de Dieu à Moyse. »

Ni par soy, ni pour soy, ains de moy l'Estre il puise,
De moy Prince du monde, et Pere de l'Eglise,
Le principe, la fin, et le milieu du tout,
Mais sans commencement, sans entre-deux, sans bout,
Ains tout en moy compris, voire en qui toutes choses
Sont et seront ainsi qu'en leur matrice encloses,
Base de l'univers, puissante liaison
Des corps plus ennemis, souveraine raison,
Qui suis en toutes parts par essence et puissance,
Mais seulement au ciel en ma magnificence :
Fontaine de tous biens, tousjours-luisant flambeau,
Parfaitement heureux, l'Un, le Bon, et le Beau,
Acte simple, agissant es debiles puissances,
Des formes artisan, Createur des substances.
Et pour parler plus clair, je suis le mesme Dieu
Qu'Abram, Isac, Jacob, et tout le peuple hebrieu
Ont adoré, devots, jà mes aureilles sainctes
Sont lasses d'escouter de tes freres les plaintes.
J'ay veu mon pauvre peuple, et l'ay veu pour l'aider. [30]
Moyse, je ne veux, ny ne puis plus tarder :
Il a trop ahanné sous telle tyrannie,
Je te fay son sauveur et chef de Colonie,
Colonie sacree, à qui les cieux amis
La riche Palestine ont tant de fois promis.
Il reste, qu'à Pharon de par moy tu commandes,
Qu'il laisse aller Jacob dans les sauvages landes
De la seche Arabie, où, sur un neuf autel,
Loin des profanes yeux, il verse à l'Immortel
Le sang de ses taureaux. Haste donc ton voyage,
Et ne t'excuse point sur ton rude langage,

235. « La compassion qu'il a de son peuple affligé en Egypte. »

242. « Commission donnee à Moyse, pour la delivrance du peuple. »

N'allegue ta foiblesse, et ne t'estonne pas
De la grandeur du faix dont je charge tes bras.
Quoy ? des levres l'ouvrier et l'artisan des langues
Ne pourra point dicter des facondes harangues
A son Ambassadeur ? Et l'auteur de tout bien,
Qui de rien forma tout, et de tout fera rien,
Ce Tout puissant qui vainct, comme souverain maistre,
Par le foible le fort, l'estre par le non estre,
Afin qu'es clers effects de ses hauts jugemens
On adore l'ouvrier, et non ses instrumens,
Lairra comme au milieu de sa penible lice
Sans escorte celui qui vaque à son service ?
Le serviteur fidele, à bien faire voué,
Ne peut point de son maistre estre desavoué.

A peine fut du tout vers la voute estoillee
La flamme buissonneuse à poinctes revolee,
Que Moyse, assisté de son germain Aron,
S'en va trouver son peuple, et puis apres Pharon,
Pharon le roy d'Egypte, et, bouillonnant de zele, [31]
Lui parle de la part de l'essence eternelle.

Grand monarque du Nil, le Seigneur dit ainsi :
Il n'est, il n'est plus temps, de retenir icy
Mon bien aimé Jacob, Pharon, je veux qu'il sorte,
Et qu'au desert d'Oreb, devot, il se transporte,
Afin que loin de vous, sans scandale et sans peur,
Il m'offre son encens, ses bouveaux et son cœur.

Esclave fugitif, qui bouffi d'arrogance
Reviens, non pour souffrir la verge, ains la potence :
Quel seigneur, dit Pharon, quel Roy me nommes-tu ?
O flot, cornu sept fois, ô champ, cent fois pointu,
O ville du Soleil, ô Thebes, et toy Phare,

---

265. « Il se met en chemin pour executer sa commission accompagné de son frere. »

277. « Response orgueilleuse de Pharao à Moyse. »

Ployez-vous le genouil que devant ma tiare ?
Craignez-vous autre sceptre ? à quel autre Seigneur
Doit vostre grand Pharon respect, service, honneur ?
Ha, j'enten bien que c'est : ces excremens de terre
Pour estre trop aisez, m'ourdissent une guerre.
L'oisiveté les gaste, et, traistres à leur Roy,
Sous le pretexte sainct d'une nouvelle Loy,
Brassent une revolte. O Rois, que fols nous sommes,
De penser contenir en leur devoir les hommes
Par amour et douceur ! plus ils sont soulagez,
Plus ils devienent fiers, revesches, enragez.
Pour vrai trop de bonté nos sceptres debilite,
Et des meschans sujets les complots facilite :
Par le nombre des coups l'asne nombre ses pas,
Et le taureau trop fort, trop sejourné, trop gras,
Pennade par les champs, de son maistre se joue,
Et le joug laboureur, indomptable, secoue.
Pour bien jouir d'un peuple, il faut que sur son dos [32]
De verges escorché paroissent tous ses os ;
Le faut tenir de court, lui faut rongner les ailes,
L'assommer de tributs, l'espuiser par gabelles,
L'esrener de travaux, le tondre, l'escorcher,
Luy succer sang et graisse, et puis, manger sa chair.
Toute chair grasse est bonne au prince, excepté celle
De ses propres vilains. Ha, racaille infidelle,
Qui levez le talon contre vostre bon Roy,
Vous n'aurez plus du bois, ni du chaume de moy.
Vous l'irez amasser, et si chasque journee
Parfaire il vous faudra la besongne ordonnee.
J'ay charge, dit l'Hebrieu, du Roy des plus grands [Rois,
Tu sentiras sa main, si tu ne crains sa voix.

---

289. « Description de la pensée et deliberation des tyrans. »

311. « Réplique de Moyse. »

Aron jette aussi tost dessus l'arene molle
Sa verge, et la jettant, hardi, prend la parole :
Ainsi ton sceptre d'or soit par terre jetté ;
Ainsi les jugemens du Seigneur irrité,
Qu'on diroit estre secs pour toi s'avivent ore,
Ainsi Jacob du Nil les richesses devore,
Si tu ne reconois l'Eternel pour ton Roy,
Si tu ne veux ouir, moins observer sa Loy,
Et si, fermant, cruel, à Jacob le passage,
Tu ne permets qu'il face à son Monarque hommage.
Aron à ce propos n'a pas mis fin encor
Que son baston se vest d'un bleu tavelé d'or,
Sa neufve raffle luit, et d'une sorte estrange
Jà sa droite longueur en un dragon se change.
Jà vray serpent il glisse, et faisant peur au Roy, [33]
Bien qu'il aille en avant, il se laisse apres soy.
Lors les Sages d'Egypte, et les Prestres d'Osire,
Pour estayer des dieux le ruineux empire,
Crient en ceste sorte : Et donc vostre beau Dieu
Ne sçait rien faire plus ? Va vendre, ô serf Hebrieu,
Ta marchandise ailleurs : Ces tours de passe-passe
Suffisent pour tromper un grossier populasse,
Non le conseil du Roy, qui par les dieux apris,
A le cercle des arts en son cerveau compris.
Ils laissent en parlant tomber leurs droites gaules.
O charme nompareil ! les blancs rameaux des saules
Se madrent tortueux ; on ne void que serpens

---

313. « Aaron jette en terre la verge de Moyse qui est transmuée en serpent. »

328. *Il se laisse apres soy* : il abandonne sa peau derrière lui.

329. « Les magiciens d'Egypte contrefont ce miracle, et charment les yeux du Roy. »

336. *Le cercle des arts* : la totalité, le « rond » des connaissances (= l'encyclopédie).

Sifflans, qui çà, qui là : qui là, qui çà rampans.
Le Prince n'est jamais saoul d'admirer leur œuvres,
Le champ grouille d'aspics, de dipses, de couleuvres :
Comme les vermisseaux bouboullionnent l'esté
Dans la mal-saine chair d'un fromage gasté.

Vostre fait, dit l'Hebrieu, n'est rien qu'une imposture,
Vous changez la façon, mais non point la nature :
Et vos enchantemens peuvent donner aux corps,
Non la forme donne-estre, ains les traits de dehors.
Vous trompez l'œil du Prince, ou d'une atteinte vive
Vous blessez tellement son imaginative,
Qu'en lui le sens commun au sens externe fait
Par rejallissement present d'un faux pourtrait.
Ma verge est vrai serpent, non d'un serpent l'image : [34]
L'effect devant vos yeux en rendra tesmoignage.
Et voici que soudain, son Dragon marqueté,
Dessus le ventre assis, hausse son chef cresté,
Et le reste du corps, or' confus s'entortille,
Ore la poincte en haut en vis se recoquille :
Il glisse, il leche l'air, il siffle furieux,
Deux rubis flamboyans fouldroyent dans ses yeux,
Et toutes ses poisons mortellement conjointes
Dans ses dens à trois rengs, dans sa langue à trois poin-
[tes,
Demandent le combat. Il se rue affamé,
Aussi viste qu'un trait, sur le saule animé,
Et bouffi de venin ces serpenteaux devore,
Ainsi que l'Esturgeon, ou le Brochet encore
Brigandent dans le fleuve, et sous le flot chenu,
Gloutons, vont avalans tout le poisson menu.

Mais l'obstiné tyran en plein jour ne void goutte,

345. « La verge de Moyse transmuée en serpent engloutit celle des magiciens. »

369. « Pharao demeure obstiné avec tout son peuple, à raison dequoy Dieu les frappe. »

Et sourd à son salut trop attentif escoute
Les outils de Satan. Le peuple son Roy suit,
Preferant au Soleil les ombres de la nuict.
C'est pourquoy l'Eternel, pour venger ces outrages,
Par les mains de l'Hebrieu sur leurs testes orage
En deux fois cinq façons, et redoublant ses coups,
Dur se fait craindre à ceux qui ne l'ont aimé doux.
Tantost frappant le Nil de sa verge gloutonne,
Il fait qu'un tiede sang par ses canaux bouillonne,
Et que de Meroé jusqu'à la proche mer
Soudain se roule un flot non moins rouge qu'amer.
La Cour recourt aux lacs, aux ruisseaux, aux fontaines :
Mais les lacs, les ruisseaux, les fontaines sont pleines
D'une pareille humeur. Elle court aux ruisseaux, [35]
Mais elle y trouve, helas, de l'encre pour des eaux ;
Elle court en la part, où la sourdastre masse
L'ouvre-conduits fouchet avec le jonc s'amasse,
Elle y cave, elle y cerche un flot delicieux ;
Mais du terroir blessé le sang saute à ses yeux.
O juste jugement ! Ces tyrans qui font gloire
De respandre le sang, sont contrains de le boire ;
Et ceux-là qui, cruels, faisoyent le Nil bourreau
Des enfançons d'Isac, meurent à faute d'eau.
D'autresfois il remplit les champs, les courts, les sales,
De crapaux couassants, et de grenouilles sales,
Qui donnent l'escalade aux murs ambitieux
Dont le pointu sommet se desrobe à nos yeux :
Comme en un chaud midy les lezardes astrees
Grimpent contre les murs des maisons mal plastrees.
Le Roy les trouve au plat, en sa chair, en son pain.
Sa table en est couverte et tout son verre plain.
Leurs puans escadrons sautent sur les couvertes,

377. « 1. Convertissant leurs eaux en sang. »

393. « 2. Couvrant les pays de grenouilles. »

Son lict n'est emplumé que de grenouilles vertes.
Les Prestres phariens le font pareillement :
Mais le devot Hebrieu n'a point d'autre instrument
Que la foy, qui peut tout. Eux ont pour leurs organes
L'escadron aime-nuict, qui torture les Manes.
En ses faits merveilleux il procure l'honneur
Du grand Dieu roule-ciel, et les autres le leur :
Il tasche d'enseigner, les autres à seduire.
Il le fait pour bastir, les autres pour destruire.
Il espargne son peuple et punit l'estranger. [36]
Ceux-là blessans les leurs, ne peuvent affliger
Le moindre des Hebrieux. Eux ne sçavent que battre.
Lui sçait donner le coup, mais il porte l'emplastre,
Et requis par Pharon diaphane les eaux,
Et fait esvanouir les criaillans troupeaux.
  Mais comme si là haut ne regnoit point justice,
Le repentir du Roy cesse avec le supplice.
Il s'endurcit au mal : Tel qu'un mauvais garçon,
Qui (chattemite) feint d'aprendre sa leçon,
Tandis que le regent la verge en main secoue,
Mais s'il tourne le dos, poste, il lui fait la moue.
Dieu donques par des poux, ou venus de dehors,
Ou comme d'un surjon sourdans de tout leur corps,
Les afflige aujourd'hui : le suyvant, par des mousches,
Hanetons et tavans, les chasse de leurs couches,
Et les fait forcenez courir tout au travers
Baricaves, torrens, prez et bocages verds.
Trembles donques, tyrans, ô vers de terre, ô cendre,
O poussiere ! et comment vous pourriez-vous defendre

---

405. « Les Magiciens contrefont le mesme mais leur imposture est inutile. »

417. « Le Roy soulagé retourne à son endurcissement. »

423. « 3. Pourtant l'Egipte est batue de poux. »

425. « 4. Puis de mousches, etc. »

Du dard trois-fois aigu, qui rayonne grondant,
Pour escraser vos chefs, dedans un poing gardant,
Et des flammes encor qui grillent eternelles
Au centre de ce tout les ames criminelles,
Puis que les moucherons, les vermisseaux, les poux,
Bravent vostre arrogance, et triomphent de vous ?
   Cinglez vers Jucatan, courez jusqu'en Anie,
Visitez Botongas, cachez-vous en Botnie.
Vous pouvez bien fuir, non eviter ses coups. [37]
Miserables, par tout vous trainez vos licouls.
De Dieu la main est longue et tousjours occupee,
A sa verge eschappez, vous sentez son espee.
Il preste, et pour un temps semble souffrir le mal,
Mais il demande en fin usure et principal.
De cent façons de traits il a pleine sa trousse :
L'un est bien affilé, l'autre a la poincte mousse ;
L'un tue, l'autre tire une goutte de sang,
Mais tous, quoy qu'il en soit, justes, frappent le blanc,
Et l'un succede à l'autre. Ores l'ire celeste
Descoche en Misrayn le garrot de la peste :
Le bœuf chet sous le joug, l'aigneau meurt en béllant.
En paissant le taureau, le pigeon en volant.
Ores couvre de cloux, de pustules, de gales,
Les hommes, les brebis, les taureaux, les cavales :
Le mal de toutes parts s'estend envenimé,
Et tout leur corps devient d'ulceres enflammé.
Or' la pluye, or' la gresle, et la flamme assemblees,

432 *1593* (Holmes) … ardant,

---

437. « Il est impossible à l'homme de parer aux coups de la vengeance de Dieu. »

449. « 5. Consequemment de la peste. »

453. « 6. D'ulceres et playes mauvaises. »

457. « 7. De gresle et de feu du ciel. »

Ravagent tous ses champs : les vaches accablees
Souz des boulets luisans perdent leurs avortons,
Le chesne est sans rameaux, les rameaux sans boutons :
Chascun fuit sous les toicts du ciel l'ire terrible.
De l'Egypte la face est tristement horrible.
Les vierges de Soan deschirent leur beauté,
Non tant pour le degast que pour la nouveauté.
Car jamais ce terroir n'est afflublé de nues,
Ne void ses bois courbez sous les houppes chenues
De la nege chet-doux, ne conoit les glaçons,
Et l'an n'a, bien qu'entier, pour luy que trois saisons.
Il n'attend l'arc bizarre, ou les grasses rosees, [38]
Par les rais du Soleil sous autre ciel puisees :
Il est moite sans plus, et fecond sans nuaux,
Lui-mesme en son giron conduit ses propres eaux :
Car cependant qu'ailleurs la murmurante gloire
Des rivieres tarit : cependant que pour boire
Les troupeaux Palestins pantois cerchent en vain
Jaboc dedans Jaboc, le Jordain au Jordain :
Son fleuve se desborde, et l'Egypte alteree
Se couvre peu à peu d'une riche maree :
Le Dactil haut pendu sent du Nil le doux choc,
Et la barque sillonne où sillonnoit le soc.
Clairs astres, mont negeux, frais soufflans Etesies,
Cela ne vient de vous, ce sont des fantaisies.
Le trois fois Eternel, qui fait tout par compas,
Prevoyant substitue au flot haut le flot bas,
Et pour fertilizer d'Egypte la matrice
Donne au Nil couvre-bords du pluvieux ciel l'office.
Ore le trois fois Sainct d'un nuage volant

---

461. « Estonnement de l'Egipte battue de fleau extraordinaire. »

465. « Proprieté merveilleuse de l'Egipte. »

487. « 8. Elle est affligée de sauterelles. »

De Cyniphes cornus va le soleil voilant,
Et fait fourmillonner par les plaines rebelles
Le matricide camp des maigres sauterelles,
Qui glene apres la gresle, et goulu mange en fleur
Du matin jusqu'au soir de tout l'an le labeur.
   Ore le Tout-puissant rend l'air comme palpable,
Et fait de trois beaux jours une nuict miserable.
L'espaisseur des brouillas par son humeur esteint
Les tisons au foyer, au temple le feu sainct.
Si l'importune faim les Payens du lict chasse,
L'un choquant contre un banc, l'os de sa jambe casse,
L'autre tombe estourdi des hauts degrez en bas,
Et trouve en lieu de pain un languissant trespas.
Mais bien que ces effects surmontent la Nature, [39]
Que les sages du Nil les purgent d'imposture,
Qu'ils n'arrivent par sort, veu que le sainct Hebrieu
Predit prefixement et leur temps et leur lieu,
Et que vivant parmi la semence bastarde,
Isac est seul contr'eux muni de sauvegarde :
Toutesfois le tyran s'endurcit enragé,
Et ne daigne accorder à Jacob son congé.
Car l'Eternel qui doit conduire à main armee
Les soldats invaincus en la riche Idumee,
Qui, sage veut aux yeux de tout cest univers
Jouer la tragedie, où les Princes pervers
Verront fait leur proces, et qui (juste) demande
Argument, pour monstrer combien sa force est grande,
Obstine le Monarque, et lui crevant les yeux,
L'abandonne aux desirs de son cœur vicieux.
Car la divinité ne cause, souveraine,
Le peché comme coulpe, ains plustost comme peine.

---

493. « 9. De tenebres palpables. »

501. « Le peuple de Dieu est conservé entier, et Pharao agrave et endurcit son cœur. »

Pour derniere recharge, un messager ailé
Mouille au sang des aisnez son acier affilé,
Et ne se void depuis Birdine la deserte
Jusqu'au port de Sues logis exempt de perte,
Horsmis ceux que Jacob avoit n'agueres teint
De l'incarnat humeur de l'Aigneau sacré-sainct.
Aussi depuis ce temps l'Abramide lignee
Chasque an tue un aigneau en semblable journee,
Tesmoin de ce passage, et pourtrait de l'Aigneau,
Qui versant son torrent meslé de sang et d'eau
Preserveroit Jacob de l'Ange, qui bourrelle
Au plus profond d'enfer la bande criminelle.
Dans l'Egypte en mesme heure on crie haut et bas, [40]
Tous ont mesme sujet, et ne le sçavent pas :
La nuict acroist l'horreur, et ses maux domestiques
Sont faits par la clairté du lendemain publiques.
  Le courrier porte-jour à peine avoit encor
Sur Memphe desployé sa belle tresse d'or,
Que qui çà, que qui là, les pucelles, les meres,
Les femmes, les maris, les enfans et les peres,
Arrivent au palais, et puis tout à la fois
Haussent desesperez ceste plaintive voix :
O constance trop ferme, ou plustost enragee !
D'un deluge de maux la terre est ravagee.
Le ciel tonne sans fin, l'air trouble nos saisons,
La mort, l'affreuse mort, s'escrime en nos maisons,
Et nous vivons sans peur, demeurons insensibles,
Et mesprisons de Dieu les jugemens terribles.
Grand Roy, n'oppose plus la digue de tes loix
Aux torrens de son ire, il est le Roy des Rois :

---

519. « 10. Pourtant tous les premiers nez d'Egipte sont tuez par l'Ange. »

535. « Les Egyptiens froissez de dix playes crient apres le Roy qu'il laisse aller les Israelites. »

Et le plus grand de vous n'est rien devant sa face
Qu'un festu, que le vent roue, agite, pourchasse.
Change, helas, de dessein : fay joug à sa vertu.
» Assez est adverti qui dix fois est battu.
Fuyez, fuyez d'icy, race malencontreuse,
Vostre œil charme nostre œil, vostre haleine pesteuse
Infecte nostre ciel. Et que ne partez-vous ?
Hebrieux, à quoy tient-il ? Sus, viste, allez chez nous
Choisir tout le plus beau ; prenez-y nos ceintures,
Nos coupes, nos pendans, nos carquans, nos dorures :
Portez-les à vos dieux, non es champs sablonneux [41]
Où Sina pousse au ciel son front tourbillonneux.
Mais loin, loin, et si loin qu'oncques à ceste rive
De vos faits le renom execrable n'arrive.
Allez, et biens sur biens hardiment entassez :
Hebrieux, en vous perdant nous gagnerons assez.
Par le congé du Roy le Prince Abrahamide
Rassemble tout son peuple, et vers la mer le guide.
Mais il n'est pas parti, que Pharon se repent,
Arme toute l'Egypte, et pres d'Isac campant,
D'un langage encor plus detestable que rude
Le menace de mort, ou bien de servitude.
Ainsi que le canard, qui sur le bord de l'eau
S'est veu deux ou trois fois battu de mesme oiseau,
Oyant haut dridiller la sonnette argentine,
Tremble et n'attend, sinon que sur sa foible eschine
Il fonde comme un fouldre, et que deux ou trois fois
Il le face, estripé, bondir sur le gravois.
Jacob, qui craint rechoir sous la main vengeresse
De Pharon, dont le pié ses talons desjà presse
Fremit desesperé, et tremoussant de peur

553. « Ils pressent les Israelites de sortir. »

565. « Pharon poursuit les Israelites incontinent apres leur depart. »

Desgorge tout son fiel contre son conducteur.
O lasche ambition ! Cestui ci pour se rendre
Chef de parti, nous fait aux noirs enfers descendre.
Il se joue de nous, il troque, malheureux,
Contre un desert horrible un terroir plantureux :
Pauvres, las, il nous vend apastez de l'amorce
D'une pieté feinte. O bon Dieu, quelle force,
Quel stratageme encor nous sauvera des mains
De ceux, qui ne sont pas moins puissans qu'inhumains ?
Irons-nous attaquer desarmez une armee ? [42]
Oiseaux, franchirons-nous le front jette-fumee
De ces monts droit-coupez ? Void-on aux environs
Des vaisseaux equippez de masts et d'avirons,
Pour passer ceste mer, moitié mer, moitié sable,
Si tant est, ô pitié ! qu'elle soit navigable ?
Las ! l'un de nous s'en va miparti d'une faux,
L'autre s'en va pestri sous le fer des chevaux,
Et l'autre tout percé d'une trenchante lame,
Par cent huis rougissants s'en va perdre son ame.
Ha, puis qu'il faut mourir, voulontaires courons
Où l'on nous veut trainer. Mourons, Hebrieux, mou-
[rons :
Hommes saoulons leur fer, femmes leur convoitise,
Et tous ensemble encor la rage de Moyse.
Freres respond le chef, et ne sçavez-vous pas
Que Dieu tient en sa main la vie et le trespas ?
Qu'il change en vaux les monts, les mers en seches lan-
[des ?
Qu'il a sous son drapeau mille plumeuses bandes,
Qui pour nous assister voltigent bas et haut,
Et qu'il n'aide, qu'alors que toute aide defaut ?
Voyez vous ce grand camp, ceste effroyable armee

---

581. « La peur des Israelites, et leur murmure contre Moyse. »

603. « Remonstrance de Moyse accourageant les Israelites. »

Qui deffie le ciel, et qui fond, animee
Sur vous (comme en æsté, sur les bleds jaunissans,
Le nuage chargé de cailloux bondissans)
S'en va toute en fumee, et de tant de gens d'armes
Qui font honte au Soleil de l'esclair de leurs armes,
Et qui dans leurs gosiers vous pensent jà tenir,
Ne restera demain que le seul souvenir.
Puis invoquant, devot, la majesté divine,
De son sceptre mort-vif il frappe la marine :
La marine obeit, et jà les flots tancez [43]
S'eslevent jusqu'au ciel l'un sur l'autre entassez.

Au milieu d'eux se fait une trande tranchee
Par je ne sçai quel vent en un moment sechee,
Ou plustost un vallon, pavé de sable d'or
D'esclats d'un luisant nacre, et de perles encor,
Et flanqué de deux parts d'une longue muraille
De rocher de crystal. La fidele bataille
Entre en ce gué sans eaux, et dans les flots mutins
Ne tient point tant soit peu le cuir de ses patins.

Hé ! quel songe est ce ci ? dit la race Isacide,
La mer craint un baston, Thetis n'est point humide,
L'abisme est un chemin, l'Ocean pend en l'air,
Les flots bastis à plomb ne peuvent s'esbransler.
Un seul mot fait soudain un double mur de verre
Qui joint les champs d'Aden à l'Arabesque terre :
Le soleil tout-voyant void ore un nouveau fonds,
Et l'enfant marche au sec où s'esbattoyent les Thons.

Les profanes soudarts les suivent à la trace,
L'onde attend patiente, et renforce sa glace,
Jusqu'à ce que tout l'ost à la file ait marché

---

617. « Sa priere à Dieu. »

619. « Il fend la mer rouge qui donne passage aux Israelites. »

637. « Les Egyptiens prennent ce chemin : mais la mer les couvre et engloutit. »

Tout au long du sentier entre deux murs caché.
Mais tout ainsi qu'un mur affoibli par la sape,
Les pilotis bruslez, s'eclatte, tombe, attrappe
Les passans trop voisins, et de son poids froissé
Va de quarreaux roulans combler tout le fossé :
Ainsi le doigt de Dieu qui ces eaux estançonne
De là se retirant, la mer s'enfle, bouillonne,
Et rejoignant ses flots à droit fil arrengez,
Se renverse dessus les tyrans enragez.
L'un se sauve en nageant mais cependant qu'il noue, [44]
L'escharpe entourtillee au bouton d'une roue
L'estrangle en l'arrestant : mort il tombe là bas,
Et meurt non pour trop boire, ains pour ne boire pas.
L'autre tandis qu'en vain d'un cuir sifflant il haste
Ses limoniers fendans l'ondoyante escarlate,
La mer qui va roulant moins d'ondes que de morts
Ensevelit sa coche, et sa coche son corps.
L'autre, emporté des flots, dans le gosier il tombe
D'un Priste, et gist vivant dans une vive tombe.
L'autre voyant qu'un gouffre abysme son germain,
Du chariot avant, lui va tendre la main.
Ceste main de deux mains son cher besson lui serre,
Et de son moite poids l'attire contre terre.
Ils sont couverts soudain du vagueux clement,
Et comme ensemble-nez meurent ensemblement.
Du grand Nil porte-grain le Monarque rebelle,
Tiré par une coche aussi riche que belle,
Par deux corsiers, esgaux à la nege en couleur,
En force aux Elephans, aux Lyons en valeur,
Despite l'air, le ciel, les Eures, l'onde iree,

657 *Editions ultérieures* … dedans le gosier tombe.

---

665. « Pharao fait du brave au milieu du danger : mais nonobstant ses outrages et blasphemes il demeure prins avec les autres. »

Et marchant contremont fait teste à la maree.
L'onde choque sa targe, et rompue s'espand.
Un plus grand flot la suit : un autre bien plus grand
Le second escumeux : la mer se fait plus forte :
Et neantmoins encor il brave en ceste sorte :
Belistre, charlatan, retaillé, penses-tu
Que tes charmes fameux ayent quelque vertu
Contre un si sage prince ? ha, vendeur de fumee, [45]
Tu veux et penses vaincre une si grande armee
Du seul vent de ta bouche ! ô mer, traistresse mer,
Oses-tu bien mugir, tempester, escumer,
Contre ton vray Neptun ? tay toy, baisse ta rage :
Sinon, je te mettray pour jamais en servage
Dedans les ceps d'un pont, ou par un neuf tuyau
Loin du desert d'Etham je banniray ton eau.
La mer pour ce propos plus que jamais esmeue,
Tous ses flots jusqu'au fond pesle-mesle remue,
Desbande une bourrasque, et noire va fermant
Et de sable et de sel ce gosier blasphemant.
Que fera le tyran ? Jà ses ondes vermeilles
Lui desrobent le col, le menton, les oreilles,
Les yeux, le front, le poil : tant seulement son bras,
Qui brandit eslevé le meurtrier coutelas
Contre le peuple esleu, paroit dessus Neree.
En fin tout il se perd sous l'ondeuse maree,
Frappant du pié le sable il se reguinde à mont,
Mais il ne peut ouvrir un Neptun si profond.
Ainsi le Perdereau, couvert par la tirasse,
Sautele, se debat, se tourmente, se lasse :
Mais les rhombes estroits, et le bas prompt et chaut,
Ne lui permettent pas de regagner le haut.

Je vous laisse à penser, quelle douce liesse
Chatouilloit les Hebrieux, quand la mer vengeresse
Prenoit leur cause en main : quand les pavois, les chars,
Les espieux ennemis flottoyent de toutes parts.

Quand pour eux, et sans eux, le fort, le Dieu de gloire,
Armé des elemens, remportoit la victoire.
Ils sautoyent, ils dansoyent, et mariant la voix [46]
Avec les tabourins, les cornets, les haubois,
Ils faisoyent du grand Dieu les louanges fameuses
Haut et clair retentir és rives escumeuses.
Race de l'Eternel, profond entendement
Du Pere souverain, di-moy, quel traitement
Il fit à son Isac, tandis que son armee
Pelerine cerchoit la fertile Idumee.
Di-le moy, tu le sçais : car ceint tout à l'entour,
La nuict d'un feu brillant, d'une nue le jour,
Tu fus, ô mon espoir, durant tout ce voyage,
Sa guide, son bouclier, sa manne, et son bruvage.
Marchant par le desert il ne luy manque rien,
Pour lui du ciel decoule une source de bien
Qui ne tarit jamais, et chasque matinee
Lui fournit à manger pour toute la journee,
Quand le soleil se leve, et qu'il double le pas,
Moitié nostre, et moitié des peuples de là bas,
Pour revoir la beauté, le nombre, la police
Des bataillons cheris du soleil de justice.
Chascun sort de sa tente, et sans courir plus loin,
Trouve son pain à l'huis, pain doux, que l'alme soin
Du Dieu tousjours veillant fait de sa riche nue
Tomber en la façon d'une gresle menue.
Des grand's plaines d'Elan le sablon jaunissant
Est couvert de monceaux d'un millet blanchissant,
D'un coriandre doux, d'une dragee ronde,
Qui suffit pour nourir non un camp, mais un monde.
Tous en prenent leur part : tous sont alimentez

707. « Actions de graces à Dieu. »

711. « Estat du peuple au desert jusques à la mort de Moyse. »

719. « Dieu leur donne la manne. »

Du suc delicieux des mets non achetez.
Il en pleut en un coup, non pour toute une annee, [47]
Mais tant qu'il en suffit pour passer la journee,
Afin qu'un si grand camp retenu par ce frein
Et beant tous les jours apres l'ouverte main
Du Dieu, qui, mesnager, si bien ses fruits dispense,
Eust chasque aube besoin d'invoquer sa puissance.
Un chascun pour sa part en doit prendre un Omer :
Le surplus se pourrit : on a beau l'enfermer,
Le mouldre, le paistrir. Le Sainct, le trois fois Juste,
Veut que le foible en ait autant que le robuste.
La veille du Sabat, la main du Dieu vivant
En verse et pour ce jour, et pour le jour suivant,
Afin qu'en son repos le sainct peuple amoncelle
Non les vivres du corps, mais la manne eternelle.
Toy qui d'un pain divin te pais journellement,
Pour qui dure tout l'an l'æsté porte-froment,
Qui dans un desert pauvre en richesses foisonnes,
Qui mange sans suer, qui sans semer moissonnes,
Qui l'air as pour ta ferme, et pour ton champ le ciel,
Qui vis d'un mielleux sucre, ou bien d'un sucré miel,
Qui pour changer de goust de viandes ne changes,
De Dieu pensionnaire et commensal des Anges :
Voy dans ce clair miroir, contemple, ô peuple Hebrieu,
Dans un si beau tableau l'Eternel fils de Dieu,
Le Messie promis, le magnifique Prince
Qui des confins du ciel doit borner sa province.
Et quand pour t'enseigner il reviendra çà-bas,
Isac, helas, pour Dieu ne le mesconoy pas.
Ce grain est bien menu, mais plein d'alme substance :

---

737. « Il la leur donne de jour en jour. »

751. « Ceste manne est la figure de Jesus-Christ, vray pain de vie. »

765. « Conference de la manne avec le pain vif descendu du ciel : la convenance et rapport des deux. »

Christ est fort en effect, et foible en apparence.
La manne est toute douce, et Christ n'est rien que miel. [48]
Elle tombe d'en haut, Christ devale du Ciel.
Avec elle distile une fraische rosee :
Et Christ en descendant a la terre arrousee
Des dons de son esprit. Elle prend à tous coups
Tout tel goust qu'on lui donne et Christ est tout à tous :
Pardon au repentant, à l'esbranlé constance,
Viande à l'affamé, au disetteux chevance,
Au malade santé, à l'affligé confort,
A l'humble odeur de vie, au fier odeur de mort.
Elle est un bien commun, Christ à nul ne se cache.
Elle est purement blanche, et Christ n'a point de tache.
Le phantasque Jacob desdaigne sa bonté :
De Christ et de sa loy le monde est degousté.
Celui n'en mange moins qui n'en a qu'une mine,
Que qui cent, qui deux cens : en la grace divine
De Christ n'a plus de part le docteur de la loy,
Que le simple escholier plein de zele et de foy.
Elle est ronde, et Christ rond, sans fraude et sans fein-
[tise.
Elle est gardee en l'arche, et Christ en son Eglise.
Es mains de quelques-unes elle est changee en vers :
Christ le Verbe eternel est scandale aux pervers.
Elle ne tombe ailleurs que sur la saincte race :
Et dans le parc des saincts Christ confine la grace.
Tout son grain est pilé : Christ l'Aigneau sacré-sainct
Au pressoir de la croix est tellement espreint,
Que de son sang divin la riviere profonde
Decoule de Sion par tous les coins du monde.
Et toutesfois Jacob desgousté de ce pain, [49]
Pain celeste, ambrosin, pain non moins sainct que sain,

795. « Le peuple demandant de la chair Dieu luy envoye des cailles. »

Demande de la chair : l'Austre à la chaude halaine
Soudain couvre d'oiseaux la sablonneuse plaine.
Les cailles dans le camp ne font que fourmiller,
Tout autant qu'il en veut, chacun en peut piller :
Car le vent de midi lors pesle-mesle entasse
Les escadrons plumeux du haut d'une grand brasse.
Mais bien que son repas soit si delicieux,
Que la graisse desrobe à sa face les yeux,
Qu'il regorge, glouton, une chair delicate,
Et que la blanche peau de son ventre s'esclatte,
Isac crie à la faim, fantasque, regrettant
Les aulx et les oignons du Nil loin-serpentant.
Ainsi la femme grosse, ou la vierge qui, blesme,
N'a point ses rouges mois, sent une faim extreme
Au milieu des festins, languit apres les aulx
Et trouve plus de goust aux charbons qu'aux levraux,
Au sable qu'aux perdris ; tant et tant fantastique
Se monstre en ses repas la pie qui la picque.
    Mais alors que le chef du taureau mugissant,
Si superbe jadis, s'incline languissant
Pour ne trouver de l'eau : que le gendarme blesme,
Combien que desarmé, pese trop à soy mesme,
Et qu'un feu devorant dans ses veines enclos
Lui consume le sang, penetre dans ses os,
Saccage ceste humeur qui nourrit nostre vie,
Et sa beauté transforme en seche anatomie,
Il pleure, il se tourmente, et si sa triste voix [50]
Desjà ne s'estrangloit dans les aspres destroits
De son gosier trop sec, il se feroit entendre
Jusqu'au port qui depuis print le nom d'Alexandre.
O Duc non plus Hebrieu, mais Payen, qu'est-ceci ?

---

807. « Il regrette les aulx et oignons d'Egypte. »

815. « Il murmure ayant faute d'eau. »

827. « Ses mauvais propos contre son conducteur. »

Et que t'avons-nous fait, pour nous trahir ainsi ?
Las, est-ce le loyer de nostre obeissance ?
Donques, pour te servir, la peur et l'indigence
Vivront tousjours chez nous ? O propos decevant !
O perjure promesse ! ô discours plein de vent !
Eschappez à la faim, la soif nous assassine.
Sortis des flots estroits de la rouge marine,
Nous entrons au desert, et vaguons si long temps
Dessus la vaste mer de ces sablons flottans.
Cerchans la liberté, nous ne trouvons la vie,
Non pas mesme la mort. Ne nous portez envie,
O vous, nos chers enfans, que Memphe heureusement
Vit et naistre et mourir en un mesme moment.
Vostre mort fut soudaine, ou plustost un passage
A la vie eternelle. Avec nostre voyage
Nostre mal croist tousjours : nous n'esperons nul port,
Et la vie nous est une immortelle mort.
Vivez et contemplez du Tout puissant l'essence ;
Avecques tristes pleurs nostre aage se commence,
S'use avecque travaux, s'acheve avec douleurs :
Mais la mort fait cesser douleurs, travaux et pleurs.
  Peuple de roide col, obstiné, plein de rage,
Misraim tant de fois t'a rendu tesmoignage
De la bonté de Dieu, et tous les elemens [51]
Te sont de son pouvoir si faconds truchemens :
Et tu te pleins encor, tu blasphemes sans cesse,
Et ne peux t'assurer sur sa saincte promesse ?
Ainsi parle Moyse, et de son sceptre cher
Frappe le rude flanc d'un sourcilleux rocher.
Du pied jusqu'au sommet la bute est esbranslee
Et tout un grand quartier saute dans la vallee,
Comme abatu de fouldre, et d'un cours violent

---

849. « Moyse reprend le peuple et frappe le rocher dont sourdent deux ruisseaux d'eau en abondance. »

Le flot saute, afranchi, sur le marbre roulant,
Murmure par la plaine, et s'esgaye, superbe,
Qu'en passant seulement il fait r'ajeunir l'herbe,
Qu'ore il soit œilladé d'un journalier flambeau,
Et que, brave, il se face un chemin tout nouveau.
Vis-tu jamais l'æsté, dessus un sec rivage
Un bataillon d'oisons, dont l'enroué langage
Fait sa requeste au ciel, et criard tous les jours
D'un humide nuage implore le secours,
Quand la pluye descend, il se debat des ailes,
Il boit la fraische humeur dans ses chaudes aisselles,
Son gosier desaltere, et troublant le ruisseau
Se plonge et se replonge au plus profond de l'eau.
Tel est l'aise du camp : l'un sur la moite rive
Panché hume à longs traits l'onde fraischement vive,
L'autre en remplit sa main, et l'autre son chapeau,
L'autre dans une seille en porte à son troupeau,
L'autre en enfle son outre, et l'autre encor barbouille
Dans le chrystal courant, ainsi qu'une grenouille.

L'Ost marche vers Sina, où l'immortelle voix
Du grand Dieu luy prononce avec terreur ses loix :
Monstrant que cest edict sainctement venerable [52]
Ne vient point de la part d'un Prince miserable,
D'un malostru Cacique, ains de ce Roy qui peut
Le ciel, l'air, et la terre esmouvoir quand il veut :
Qu'Isac ne trouvera la divine puissance
Moins terrible à venger qu'à dicter l'ordonnance,
Et que du testament dans deux tables escrit
Le joug est trop pensant, au prix du joug de Christ :
Qu'il monstre le peché, qu'il frappe, qu'il menace,

---

865. « Comparaison qui monstre le contentement du peuple ainsi abruvé. »

879. « Il approche du mont de Sina, où Dieu luy donne ses loix. »

Au lieu que le dernier nous presente sa grace.
Les esclairs redoublez blessent d'Isac les yeux,
Un grand bruit sur la terre, un grand bruit sur les cieux,
Naist et croist tout à coup. Il foudroye, elle crousle,
Le haut Sina chancelle. Ores se tourne-boule :
Sur son faiste devot un feu tourbillonneux
S'emplotonne soy mesme ; en ses rocs caverneux
Boree alimenté par les neiges Riphees,
Et l'Autan tout bouffi de vapeurs Cyniphees,
Se choquent mugissans : une fumeuse nuict,
Qu'un tonnerre grondant d'un bout à l'autre suit,
Affuble tout le mont. Pharan n'a plus de phare,
Une trompette au ciel huche, corne, fanfare,
Et les vents empennez, les feux cracraquettans,
Les tourbillons pouldreux, les fouldres esclattans,
Et les tonnerres sourds chantent avecques elle
(O merveilleux accord !) la sagesse eternelle
De ce legislateur, dont la tonnante voix
Donne mesme la loy aux celestes bourgeois.
Mais ainsi qu'en un camp le bruit des pistolades,
Foible ne s'entend point parmi les canonnades,
Et de mesme qu'on oit d'un cor l'air vehement [53]
Dessus les doux fredons des flustes d'Alemand,
Une voix, voix horrible, encor qu'articulee,
Bruit dessus tous ces bruits, tonne dans la vallee,
Tempeste sur le mont plein d'une saincte horreur,
Et vive bat l'oreille, encore plus le cœur
D'Israel qui fremit, et tout pasle de crainte
Dit ces mots que son Dieu dit de sa bouche saincte :
  Escoute-moy, mon peuple, oy, cher Jacob, ma loy,
Et l'oi pour l'observer. Je suis ton Dieu, ton Roy,

---

891. « Avec quel appareil fut publiée la loy morale. »

909. « La voix de Dieu resonne par dessus tous autres bruits. »

919. « Les dix commandemens de Dieu. »

L'Eternel, dont la main de miracles armee
Pour toy dans le flot rouge a l'Egypte abysmee.
Adore moy de cœur, de parole, de faict,
Que seul je sois ton Dieu, comme estant seul parfaict.
Ne pein point ma grandeur, ne sers pas les images,
Et ne transporte point ma gloire à tes ouvrages.
Ne prononce mon Nom qu'avec respect et peur.
Ne sois jamais perjure, et moins blasphemateur.
Six jours gagne ton paix : mais pour vaquer au tem-
[ple,
Tout le septiesme jour repose à mon exemple.
Veux-tu vivre long temps ? que ceux par qui tu vis
Soyent reverez de toy, soyent aimez, soyent cheris.
N'espan le sang humain. Dans l'estrangere couche
Ne te souille lascif. Au bien d'autruy ne touche.
Ne sois point faux tesmoin. Et ne convoite pas
D'avoir de ton prochain la femme entre tes bras,
En ton avare parc son troupeau porte-laine,
Dans ton coffre son or, sa terre en ton domaine.
Pedagogue eternel, ô fidele compas [54]
De nostre fresle vie, ô lampe de nos pas,
O doux repos de l'ame, ô rude frein des vices,
O terreur des meschans, ô des bons les delices,
Venerables edits dessus Sina donnez,
Combien, sous peu de mots, de sens vous comprenez !
Combien s'estendent loin vos reigles equitables !
Combien vous estes clairs, saincts, profonds, admira-
[bles !
Tous les peuples du monde ont gravé mille fois,
Effacé, regravé, le tableau de leurs loix ;
Isac seul est constant, et bien que sa fortune
Se soit quasi tournee à chasque tour de Lune

---

939. « Excellence de ceste loy de Dieu. »

947. « Inconstance et vanité des loix humaines. »

Qu'ore il ait eu des Rois, ore ait vescu sans Roy,
Pour tant de remuemens il n'a changé de Loy.
Que nous reste aujourd'hui des loix Laconiennes,
De celles de Carthage, ou des Atheniennes ?
Rome mesme qui fit du monde une cité,
N'a sceu ni peu laisser à la posterité
Parmi ses monumens richement venerables,
Que quelque eschantillon de trois fois quatre tables.
Mais depuis qu'en Oreb la haut tonnante voix
Prononça cest edict, Phœbus trois mille fois
Penible a resuivi l'escharpe, qui doree
Est d'astrez animaux richement decoree,
Sans que le temps en ait raclé le moindre jot :
Bien que ce peuple là qui le tient en depost
Ne face corps de peuple, ainsi tousjours vagabonde
Tantost çà, tantost là par tous les coings du monde,
Et que son fresle estat de tout temps ait esté
D'une mer de malheurs rudement agité.
Une bute, un torrent, un ruisselet limite [55]
Toute sorte de loix : et le droit Megarite
Ne tient rien de l'Attique, ou le Coronean
Du Thebain, le Thebain du statut Cadmean.
Mais le droit positif de la race fidele
Est un vrai droit des gens, une loy naturelle,
Qui saincte retentit par tout, où le soleil,
Pour contreroller tout, flammeux jette son œil.
La Mosquee le suit, nostre Eglise l'honore,
Toute la Synagogue avec crainte l'adore.
Seul, seul (ô Tout puissant) j'ose fouler tes loix

---

961. *L'escharpe* : celle du Zodiaque.

963. *Jot* : yod, dixième lettre de l'alphabet hébraïque. Ici : un point. (Note de Holmes.)

973. « Fermeté et autorité de la loy de Dieu. »

979. « Fautes commises par tout homme contre icelles. »

Sous mes profanes pieds : je me ris de ta voix :
Et mon esprit enflé d'une arrogance extreme,
Au lieu de t'adorer, n'adore que soy-mesme.
Je ne crains les dieux sourds, et ne revere encor
Les images de bois : mais j'adore ceux d'or.
Si je parle de toi, j'en parle en hypocrite,
Ou bien en blasphemant. Par ma vie maudite
Je souille le Sabat, romps ta loy par ta loy,
Et, miserable sers mon ventre, non pas toy.
Je revere les grands, de reverence feinte
A leurs loix j'obeis. Mais quoi ? c'est plus par crainte
Que de sincere amour. Je blesse mon prochain
En son renom de langue, en son corps de ma main.
Je hay le lict nopcier, et me plais impudique
Aux plaisirs non permis. Miserable, j'applique
Toute mon industrie à ramasser du bien,
Et joindre le terroir de mes voisins au mien.
Mes discours sont plus vains que la vanité mesme.
Je desire faucher au champ que je ne seme :
Et mon œil convoiteux se va tousjours ficher
Sur ce que mon prochain possede de plus cher.
Me voila peint au nu, voila l'anatomie [56]
De mon cœur vicieux. O fontaine de vie,
O Christ, du Tout-puissant la Tout'puissante voix,
Vests moy de ton manteau, ainsi que d'autresfois
Tu t'es vestu du mien : dans ton pur sang me lave,
Et ces loix de ton doigt dans ma poitrine engrave.
Tandis qu'avec le duc l'Eternel devisoit,
Qu'aux yeux de son esprit, fidele il proposoit
Du Tabernacle sainct l'admirable modelle,
Que sage il dictoit une forme nouvelle

1001. « Remedes à nos transgressions. »

1007. « Durant l' absence de Moyse, Aaron fait le veau d'or adoré du peuple qui se desborde en idolatrie et insolence. »

De service divin, pour garder que l'Hebrieu,
Idolatre, n'adore à sa poste son Dieu,
Et doucement tiré des chaines de l'exemple
Les sacremens Payens ne transporte au sainct temple,
Ains par ces elemens esleve son esprit
A l'espoir bien fondé qu'il doit avoir en Christ :
Helas, voici qu'Aron commis en son absence
A la garde du parc, chien muet, ne s'avance,
Pour faire teste au mal : ains au peuple cedant,
Va pour lui faire hommage un taureau d'or fondant.
Ces bagues et pendans qu'en signe d'espousailles
Isac avoit receus du grand Dieu des batailles,
Sont jettez dans un moule, et l'exercite Hebrieu,
Pour espouser un veau, se separe de Dieu.
Ces pieds qui secs avoient passé la mer pourpree
Dansent devant un bœuf, et la voix qui sacree
Louoit le trois fois Bon pres des sables d'Ethan,
Profane, va chantant la gloire de Sathan.
Le Prophete embrasé d'une juste cholere,
Navre devant tout l'ost de mots picquans son frere :
Calcine ceste Idole, et quand et quand suivi [57]
Des enfans plus zelez de l'antique Levi,
Traverse tout le camp, et jonche son passage
D'horreur, d'estonnement, de sang et de carnage :
Comme dix moissonneurs d'un œil gay choisissans
Au milieu d'un grand champ les bleds plus jaunissans,
Les scient par endaims, et rangent à mains pleines,
Les javelles en gerbe, et la gerbe en dixaines,
Et tournoyans le champ d'un bout à l'autre bout,
Besongnent à l'envi, courent, abatent tout.
Ou comme dix canons qui donnent tout ensemble
Dans un dru bataillon, toute la terre tremble,

1029. « Moyse censure Aaron, poudroye l'idole, et chastie les idolatres. »

Ici un bras rompu va rompre un autre bras,
Là d'un corps miparti la moitié tombe bas,
L'autre se tient debout, ici vole une targe,
Et dans le camp se fait une fenestre large.

Tant de signes certains de la faveur de Dieu
Ne peuvent confermer du Capitaine Hebrieu
L'authorité sacree. Aron mesme l'outrage,
Et de Marie encor il n'evite la rage.
Mais un soudain venin, qui la peau de sa sœur
Envenime, lepreux, combat pour son honneur.
Ses neveux mesprisans sa loy, present des Anges,
Sur l'autel brusle aigneaux portent des feux estranges.
Mais un celeste feu va sur eux descendant,
Tout ainsi qu'en esté quelque comete ardant
Au milieu d'un chemin sifflantement brillonne,
Et tombant à ses pieds le voyager estonne.
Leurs barbes, leurs cheveux soudain tout allumez,
Leurs hocquetons puans sont par feu consumez,
Leur sang est fait vapeur, leurs membres grise pouldre, [58]
Et l'encensoir fondu par la chaleur du fouldre
Scintille rougissant : le charbon tout esteint,
Et le profane feu se laisse vaincre au sainct.

Puis Coré son parent, ayant pour double escorte
Abiron et Dathan, murmurent en la sorte :
Voyez un peu quel laqs ce tyranneau rusé
Tend à nos libres pieds ! Comme Isac abusé
Des oracles forgez par Aron et Moyse,
Veut pour des sceptres vains perdre à plat sa franchise ;

1047. « Aaron et Marie murmurent contre Moyse, dont s'ensuit le chastiement. »

1053. « Nadab et Abiu sont ruez pour avoir offert du feu estrange. »

1065. « Punition de Coré, Dathan et Abiron, schismatiques seditieux et de leurs adherans. »

Comme ils vont entassant le sceptre et le Thumin
En une maison seule : allongent le chemin
Pour allonger leurs charges, et par ruses malignes
Bastissent leurs grandeurs du bois de nos ruines.
Moyse, escoute un peu, Si ton contentement,
Cruel, ne gist qu'à voir tes freres en tourment,
Fay, fay virevouster nos miserables troupes
Encor dix ans entiers à l'entour de ces croupes,
Proscri nous pour jamais, fai nous (nous le voulons)
Languir, vieillir, mourir sur ces brillans sablons,
Où les cruels serpens nous font sans fin la guerre,
Terre sans fruits, sans eau, voire, terre sans terre,
Si depuis ta jeunesse aux honneurs eslevé,
Superbe, tu ne peux vivre en homme privé,
Sois chef, et Duc, et Roy : car Dieu te favorise,
Jacob t'aime et te craint, ta vertu t'authorise.
Mais que merite Aron ? di moy, quel don exquis,
Quel exploit, quel bienfait lui peut avoir acquis
Le reng de grand Pontife ? ô bon Dieu, quelle honte !
Las, s'est-il signalé que par la riche fonte
D'un Dieu deux fois cornu ? qu'en mesprisant ta loy ? [59]
Et complotant ingrat tant de fois contre toy ?
Lendemain ce mutin devant la saincte tente,
L'encensoir en la main, bien paré se presente,
Il se mire, il piafe, il hausse le sourci,
Sa faction s'y trouve : Aron y vient aussi.
Defen ta cause, ô Dieu, monstre-toy veritable,
Ne permets que ton Nom soit des meschans la fable,
Oin ton oinct en public, et fay qu'ore un exces
Vuide, prodigieux, sur les champs ce procés.
Ainsi parle Moyse, et voici que la terre
Mugissante s'esbranle, un horrible tonnerre
Court dans ses intestins, et ses roches crevant,

1097. « Priere de Moyse. »

Dans ses abysmes creux va le jour recevant :
Le ciel se monstre à Styx, et Styx au ciel se monstre,
Et les dæmons craignans l'esblouissant rencontre
De l'antique Soleil, veulent fuir plus bas :
Mais, au centre logez, pas un d'eux ne peut pas.
Coré ceint tout autour de ses bandes profanes,
Encense à Belzebub, et sacrifie aux Manes.
Son corps est escrasé de rocs precipitez,
Et des arbres encor par les rameaux plantez :
Il entre avecque bruit au regne de silence,
Et vif est entombé sans art et sans despense.
Qu'adjousterai-je ici ? Ceux qui sont eschappez,
Aux gouffres tenebreux, sont du fouldre attrappez,
Et du grand Prestre Aron la charge est confermee.
Par sa verge au besoin tant de fois r'animee,
Qui seche refleurit, d'amandes se chargeant,
Et d'un bosquet nouveau ses voisins ombrageant.
Chanterai-je comment sous la sage conduite [60]
De Moyse il rompit la force Amalecite,
Le Satrape d'Arad, Og prince de Basan,
Le tyran d'Hesebon, cinq Rois de Madian,
Avec le faux docteur, qui du don prophetique
Sacrilege faisoit une impure trafique ?
Qui, menteur, disoit vray : qui voulant, effronté,
Violenter l'esprit, fut par l'esprit dompté,
Et pipant les Hebrieux par la beauté des femmes,
Fit paillarder leurs corps, et plus encor leurs ames.
Certes ses faits sont tels, que si j'en veux chanter
Seulement la moitié, j'entreprens de conter
Tout le sable d'Euphrate, ou tous les flots du Gange,
Et si j'en parle peu, je trompe sa louange.

1117. « La charge d'Aaron est confermee. »

1121. « Victoires diverses des Israelites. »

Laissant donques à part tant d'actes genereux,
Sautons à la douceur de son trespas heureux,
Veu que c'est lui qui fait sur l'eschafaut du monde
Jugement de la vie et premiere et seconde.
Sentant que sa vigueur lui manque peu à peu,
Que l'un feu s'esteignant, s'allume un autre feu
Qui refond son esprit, qui son ame raffine,
Et la pousse, divin, au ciel son origine,
Il ne se peine point de faire un testament
Pour, sage, partager son avoir justement,
Eterniser son bien és mains de son lignage,
Substituer cent fois, assigner le vefvage
De sa femme en bon fonds, adjouster laigs à laigs,
Et se faire bastir pour sepulchre un palais.
Il loue bien le soin du repos de sa race :
Mais il est trop tardif quand la mort nous menace.
Le souci du tombeau est sainct, mais il le faut [61]
Laisser aux survivans. Lui, s'eslevant plus haut,
Du bien public dispose, et pourvoit à l'Eglise,
Puis d'un devot accent son discours authorise.
Tu es, ô sang d'Isac, ou plustost mon fils cher,
Moins sensible qu'un tronc, qu'un metal, qu'un rocher,
Si tu ne te souviens de cent et cent miracles
Dont le Dieu tousjours-un a seellé mes oracles,
Et de tant de faveurs qu'en ce sauvage lieu
Depuis deux fois vingt ans tu reçois de ton Dieu.
O germe Abramien, marche donc en sa crainte,
Porte, non dans un marbre, ains dans ton cœur em-
[preinte,
Son eternelle loy, et consacre ta main

1135. « Laissant à un autre livre le discours des guerres, il vient à la mort de Moyse. »

1155. « Il prononce les benedictions et maledictions descrites. Levit. 26. et Deut. 28. ausquelles le peuple dit Amen. »

Au service impollu du trois fois Souverain.
Jacob si tu le fais, tes cottonees bandes
Benites par le Ciel bondiront par les landes,
Non autrement qu'on void par les foins sauteler
Les cigales, vivans de la sueur de l'air :
Tousjours de gras jumeaux s'acoucheront fecondes,
Et feront de leur laict des rivieres profondes.
Le tyran envieilli n'accable à tous propos
De tant d'aides, emprunts, tailles, crues, imposts,
Ceux qui dessous son joug ahannent tributaires,
Que tes fertils guerets t'en payront volontaires.
Tes fils et ceux encor qui naistront de leur sang
Tout autour de ta table assis flanc contre flanc,
Floriront tout ainsi qu'une longue rangee
D'Oliviers pasle-verds, qui de beaux fruicts chargee
Entoure une campagne, et grosse d'alme humeur,
Fait d'un Automne huileux promesse à son Seigneur.
Tes arriere-neveux serviront ta vieillesse, [62]
Tu mourras sans douleur, tu vivras sans tristesse,
Heureux en la campagne, heureux en la maison.
Dieu benit t'envoyra la pluye en sa saison,
Les vents sains à souhait, et des clefs de sa grace
Les magazins du ciel ouvrira pour ta race.
Tes felons ennemis à la charge viendront
En ost par un chemin, et par dix s'enfuiront.
Le laurier triomphant, ou l'olivier paisible,
Ombragera ton huis. Dessous ton bras terrible
La terre tremblera, et la voix de ton Roy
Donra, porte-salut, à l'univers la loy.
  Autrement, les calculs, les goutes, les migraines,
Aspres te livreront mille façons de geines !
De tes nombreux troupeaux partie vieillira

1193. « Les maledictions sur tous ceux qui desobeiront à Dieu. »

Sans porter aucun fruit, partie avortera.
Maudit en la campagne, et maudit en la ville
Ta peine sera vaine, et ton soin inutile.
Ton champ sera de fer, ton ciel sera d'airain,
Tes fontaines sans eau. Le grand, le Souverain,
Pour une douce pluye, iré, fera descendre
Flammes, fouldres, cailloux, soulfre, salpestre et cendre.
Tu semeras beaucoup, et cueilliras bien peu,
Et de ce peu sera ton ennemi repeu.
Il se paistra, glouton, de tes vaches plus grasses
Devant tes propres yeux, dont tu lui rendras graces.
Tu feras des palais, un autre y logera.
Tu espouseras femme, un autre desliera
Son ceste devant toy. Dieu frappera de rage,
D'aveuglement, d'effroy ton obstiné courage.
Un branslement de fueille, un vent, la moindre voix [63]
Fera le coutelas tomber d'entre tes doigts.
Tu ne verras jamais l'adversaire exercite
Que pour prendre les coups, ou pour prendre la fuite.
Un peuple grand et fort, un peuple qui soudard
A l'aigle et pour exemple et pour fier estendard,
Bouchant d'un nouveau mur tes antiques murailles,
En fin te contraindra de farcir tes entrailles
De tes propres boyaux, et te fera mascher
De tes fils plus aimez la tressaillante chair :
Et tout le reste, espars aux quatre coins du monde
Languira mesprisé, courra la terre ronde,
Pour monstrer son malheur ne possedera rien,
Et, qui pis est encor, il ne sera pas sien.

Tout le camp dit Amen, et la voix Prophetique
Pour un dernier legat leur dicta ce cantique :

Puis que les fils d'Isac ne veulent m'escouter,
O vous Ciel, ô vous terre au moins vueillez prester
L'oreille à ce Cantique, et rendre tesmoignage
Devant Dieu de mon zele, et de leur dur courage.

Oyez et terre et ciel les airs de ma chanson,
Escoutez mon discours, qui coule en la façon
Que la pluye tombant va sur le foin s'espandre,
Et la rosee encor sur l'herbelette tendre.

Permette le grand Dieu, que mon vers en leur cœur
Produise mesme effect, que sur un pré l'humeur :
Et que le miel glissant de ma bouche doree
Serve de pluye aux vieux, aux jeunes d'une oree.
Je chante l'Eternel, louez-le avecques moy.
O vous, et terre et ciel : celebrez de son doy
Tant d'effects tant parfaicts qu'on void en la nature : [64]
Louez sa verité, sa justice et droiture.

Or, combien qu'il se soit monstré tel en tous temps,
Ses enfans toutesfois, mais las, non plus enfans,
Ains race supposee, et pleine de malice,
Vilains se sont souillez en tout genre de vice.

O peuple forcené, payes-tu donc ainsi
Cil qui sous le pavois d'un paternel souci
Te couvre incessamment ? Cil qui pour sien t'advoue ?
Cil qui t'a fait si beau d'une masse de boue ?

Devuide derechef des aages jà glissez
Le ploton embrouillé, songe aux siecles passez,
Consulte ta vieillesse, et preste les oreilles
A tes chenus parens, ils te diront merveilles.

Ils te diront, que Dieu, deslors qu'il respandit
Les hommes sur la terre, et que juste il tendit
Son cordeau tire-loin, pour partager le monde,
Il destina pour toy une terre feconde.

Pour son aimé Jacob, que ses benignes mains
Ont comme sequestré du reste des humains,

1246 *1593 (signalé par Holmes)* … touillez…

1235. « Cantique de Moyse. »

Afin qu'à l'avenir son bienheureux lignage
Fust son soin, son amour, son lot, son heritage.
Ils te diront encor que par la vaste horreur
D'un sablonneux desert, logis de la terreur,
De la soif, de la faim, du venin homicide,
Le prenant par la main il lui servit de guide.
  Qui plus est, il lui fit sçavoir par sa bonté
De bouche et par escrit sa saincte volonté,
Et le cachant benin à l'ombre de son aile,
Ne le tint pas moins cher que de l'œil la prunelle. [65]
  Comme l'aigle royal, volettant à l'entour
De son nid criaillant va par maint souple tour
Animer ses petis à prendre la volee,
Et les porte lassez sur son espaule ailee :
Le grand Dieu, sans avoir pour escorte autres dieux,
L'a fait, guide asseuré, monter es plus hauts lieux,
Succer l'huile et le miel qui des rochers distille,
Et se saouler des fruicts d'une terre fertile.
  Il eut pour son manger le doux beurre, le laict,
Le mouton, le chevreau, le beslant aignelet,
De froment la mouelle, et pour boisson sucree
Le sang delicieux de la vigne pampree.
  Mais quoi ? devenu gras, il a soudain haussé
Son talon contre Dieu, ingrat il a laissé
Celui là qui l'a fait, et n'a point tenu conte
Du Dieu qui le sauvoit et de mort et de honte.
  Il a du Tout-puissant enflammé le courroux,
Fléchissant tant de fois ses profanes genoux
Devant les dieux forains, et par maint sacrifice
Aux plus impurs dæmons presentant son service.
  Pour des dieux du tout vains, dieux faux, dieux [frais-venus,
Dieux que ses devanciers ni lui n'ont point conus.
Il a mis en oubli son vrai Roy, son bon maistre,
Le Dieu duquel il tient et son heur et son estre.

L'Eternel l'apperçeut et d'ire estincellant,
Ainsi contre ses fils brusquement va parlant :
Non, je leur veux cacher la clairté de ma face,
Je veux retirer d'eux les thresors de ma grace.
Çà, çà, voyons pour lors, qu'ils pourront devenir.
Mais que leur pourroit-il que malheur advenir ?
Veu qu'ils sont si meschans, et que l'outrecuidance [66]
Tourne à tous vents leur foy constante en inconstance.
Ils m'ont rendu jaloux d'un Dieu qui n'est point Dieu.
Je les rendrai jaloux, espousant en leur lieu
Un peuple qui n'est peuple ; et voyant l'avantage
Qu'auront sur eux les gens, ils fremiront de rage.
Le feu, feu devorant, que mon cœur irrité
Exhale contre iceux, bruslera despité
Les enfers des enfers, les fruitieres campagnes,
Et les forts pilotis des plus hautes montagnes.
Contre eux j'espuiserai mon magazin de maux,
Et de traits mon carquois : la faim, les vents trop chauds,
Et les bestes encor qui se trainent par terre,
Sans pitié leur feront une eternelle guerre.
Le glaive tranche-vie aux champs les desfera,
Dans leurs chambres la peur : la vierge tombera
Avecques le jeune homme, et l'enfançon qui tette,
Avec cil qui de nege a couverte la teste.
Sans doute jà desjà j'espardroy, je perdroy,
Je racleroy Jacob, jà desjà j'esteindroy
Sur la terre son nom avecque son lignage,
Si je craignois point des malins le langage.
C'est par nous, diront-ils, c'est par nostre seul bras,
Que ce peuple est desfait, ruiné, jetté bas.
Leur Dieu pour les punir, n'a fait ceste prouesse,
Lui mesme avec Isac pour vaincu se confesse.
Ha ! que ces gens sont lourds, aveugles, insensez.

1295 *1593 (signalé par Holmes)* L'Eternel si le vud…

Mille hommes seroyent-ils par un seul pourchassez,
Et dix mille par deux, si le grand Dieu des armes
N'avoit lié leurs mains, et vendu leurs gensd'armes ?
Car Dieu, nostre bon Dieu, n'est point tel que leur [67]
[dieux :
Ils le sçavent, mais las ! leur vin pernicieux
Est du plant de Sodome, et les champs Gomorrhites
Ont porté le venin de leurs grappes maudites.
Non, ce n'est point du vin : c'est la noire poison,
Le venin donne-mort, qu'en l'ardante saison
L'ailé Dragon vomit, c'est le fiel, c'est la peste
Que couve de l'aspic la gencive funeste.
Hé ! ne le sçai-je pas ? tien-je pas leurs pechez
Au coffre de l'espargne avec compte cachez ?
La vengeance est à moy : mes mains justement fortes
La feront en son temps, et ce temps est aux portes.
Leur malheur vient en poste, et lors je jugeray
En faveur de Jacob : je me repentiray
De perdre tout à fait la race bien aimee,
Voyant que jà sa force est du tout consumee.
Que sont or' devenus (dira-on) tous ces dieux,
Ausquels ils eslevoyent et leurs cœurs et leurs yeux,
Comme à leurs vrais patrons : dressoient des vains ser-
[vices,
Et gloutons avoyent part en leurs ords sacrifices ?
Que ces beaux protecteurs s'eslevent maintenant,
Que courans à leur aide, ils sauvent vistement
Leurs feux et leurs autels, et qu'ils servent encore
D'asyle au peuple fol, qui leur grandeur adore.
Mortels, conoissez donc que je suis l'Immortel,
Qu'au monde et sur le monde, il n'est point un Dieu tel.
Je blesse, je gueris, je tue, je fai vivre,
Et nul d'entre mes mains le pecheur ne delivre.
Je veux hausser la main devers le ciel vouté,
Et la haussant, jurer par mon Eternité, [68]

Qui seule estant donne-estre, et jurant ainsi dire,
Si j'aiguise mon glaive à la queux de mon ire.
Si, di-je, ô peuple fol, comme souverain Roy,
Sur mon lict de justice une fois je m'assoy,
Je prendray, rigoureux, de mes haineux vengeance,
Et juste ne lairrai sans guerdon leur offence.
Mes traits penetre-cœurs de sang j'enyvreray,
Mon glaive fouldroyant de chair je saouleray.
Juste j'effaceray les nations rebelles,
En faveur et du sang et du corps des fideles.
Gens, louez, honorez, craignez ce peuple-ici,
Puis qu'il est du Seigneur l'amour et le souci,
Puis qu'il le veut venger, et renversant par terre
Ses haineux, regarder d'un œil benin sa terre.

Quatrième partie

LES CAPITAINES

SOMMAIRE

Ce livre comprend l'histoire de Josué, des Juges, de Samuel, jusques à l'election de Saul, et au changement d'estat entre le peuple de Dieu, qui au lieu de l'Aristocratie veut et a le gouvernement monarchic. Le tout, depuis la mort de Moyse jusques à Saul accepté Roy, contient l'espace de 450 ans, ou environ : se lit és livres de Josué des Juges, et és dix premiers chapitres du 1. liv. de Samuel : et se peut distinguer en trois parties. *La premiere* se nomme *Josué,* enclose en dix sections. 1. Ayant esté receu grand Capitaine et conducteur du peuple apres la mort de Moyse, il accourage les Israelites à s'acheminer vers Chanaan. 2. Exhorte les Gadites et leurs compartissans, à faire la pointe et marcher les premiers suivant leur promesse. Tous monstrent une sainte resolution. 3. Le peuple marche en armes vers Chanaan et le Jordain, la retraite duquel est descrite. 4. Les Israelites passent à sec, sont circoncis, et la cause de ceste ordonnance est declarée. 5. Ils celebrent la Pasque, assiegent Jerico, miraculeusement prise et ruinée à la façon de l'Interdit. Achan provoque le courroux de Dieu par sa convoitise meschante. 6. Les Israelites sont batus aupres de Haï, et y perdent trente six hommes. Josué s'en plaint à Dieu, par le commandement duquel Achan est exterminé. 7. Embuscade dressée par Josué à ceux de Haï qui sont attrapez, saccagez, leur ville mise à feu et à sang. 8. Les Gabaonites, devenus sages aux despens de leurs voisins, se conservent finement, et son receus en alliance par les Israelites. 9. Ce fait irrite les Rois de Chanaan, lesquels se mettent aux champs : mais Josué leur donne bataille, en laquelle ils sont combatus du ciel, et le Soleil s'arreste à la parole du grand Capitaine, afin d'avoir plus de moyen et loisir de poursuivre sa victoire. Surquoy le Poëte feint dextrement une plainte de Nature à Dieu, et la responce d'iceluy. 10. Pour closture, en peu de vers il touche le reste de l'histoire de Josué, laquelle il eut allongée, si ses jours n'eussent esté accourcis.

La *seconde* partie s'appelle ordinairement *Les Juges,* et comprend l'estat du peuple sous ses gouverneurs ou liberateurs, depuis Josué, jusques à Samuel. 1. Nous y avons ceux qui deffirent Adonibezec, mentionné au 1. ch. du li. des Juges. 2. Orhoniel, Ehud, Samgar, lequel d'une gaule à picquer les bœufs tua six cens Philistins. Comme la mesme histoire l'enseigne : ce qui estant enregistré en un verset est ingenieusement representé par le Poëte en 70 vers ou environ. S'ensuit le gouvernement de Debora, laquelle accourage Barac pour batailler contre les Chananeens, et luy donne un bouclier, dessus lequel nostre autheur grave par anticipation les exploits de Gedeon, de Jephté, de Samson, puis l'anarchie d'Israel descrite sur la fin des Juges, et le gouvernement d'Heli, juge et souverain sacrificateur tout ensemble. Quoy fait, est descrite la bataille de Barac, conseillé par Debora, contre les ennemis, desfaits et mis en route, leur chef Sifarra tué par Jahel.

La *troisième* partie nommée *Samuel,* contient en peu de mots son gouvernement : l'assemblée des estats, où est disputé amplement s'il vaut mieux estre gouverné par un seul que par plusieurs. Mais le peuple poussé d'ambition prefere la Monarchie à l'Aristocratie : tellement que Saul est oint et receu Roy.

LES CAPITAINES*, [30v°]

OU QUATRIESME PARTIE DU TROISIESME JOUR

Mon Jordain je te voy, ô bienheureux ruisseaux,
Qui courans abreuvez tant de saincts de vos eaux :
O murs hauts monuments de tant de fameux gestes :
O champs, ô monts, ô vaulx que les courriers celestes
Ont gravé de leurs pas, et toy sacré-sainct lieu,
Qui feus l'heureux maillot de l'unique homme-Dieu.
Et toy terre qui beus les vermeilles fontaines,
Qui pour nostre salut saillirent de ses veines :
Et vous coustaux coulans en vin, en huille, en miel,
Je vous voy, je vous pren, ainsi qu'arres du ciel,
Dessouz le fils de Nun, et m'y maintien encore
Souz Gedeon, Sangar, Barac, Sampson, Debore.
C'est pour vous grands Heraults que j'ourdy ce dis-
[cours,
Esprit trois-fois tressainct accour à mon secours,
Esprit qui fus leurs bras, leur rondelle, et leur Ange,
Ne permets que mon vers trahisse leur louange. [31]
Josué par faveur ny par l'achapt des voix,
N'obtient un plus hault rang que cil des plus grands
[Rois.
(Quiconque achete en gros faut qu'en detail il vende,
Et qui donne faveur, faveur aussi demande.)

---

* Texte de 1603, Paris, J. Houzé. Exemplaire de la Bibl. de l'Arsenal, à Paris (cote 8° BL 8905). Seconde pièce de la deuxième *Suitte* : placée après *La Vocation* dans ce volume.

1. « Premiere partie de ce livre, representant les belliqueux exploits du grand Capitaine Josué qui introduit les Israelites en la terre de Chanaan. »

Il ne l'acquiert par sort, (le sort n'a point des yeux)
Il n'y vient en Tyran (quiconque entre odieux
Par force en une charge il en sort avec Honte.)
Aux affaires nouveau tout d'un coup il ne monte :
(Quiconque aux hauts degrez ne monte pas-à-pas
N'en descend, ains brisé se precipite en bas.)
Mais comme cil qui veut par un docte merite
Tenir un jour les seaux penible est fait de suitte
D'escollier Advocat, d'Advocat Conseiller,
Puis apres President, et encor Chancelier,
Il parvient par degrez, et s'estant monstré sage
En descouvrant d'Isaac le futur heritage :
Fidelle en ministrant sur le mont donne-loix,
Et brave en combattant les infidelles Rois.
Dieu le fait general, la Prestrise sacree
Le prononce pour tel, et le peuple l'agree.
Il n'est pas installé qu'assis au beau milieu
Des quarrez bataillons du peuple aymé de Dieu
Il harangue en la sorte : O bien-heureux gensdarmes
Qui souz le sainct drappeau du ciel portez les armes,
Ne craignez point qu'icy je face quarante ans
Tournoyer de rechef vos escadrons flottans
Entre esperance et peur. Les offrandes impures,
Les fiers revoltemens, les blasphemans murmures [31v°]
De vos peres mutins ont du divin secours
Non tant du tout rompu qu'interrompu le cours.
Dieu se presente au terme, et rapaisant son ire
Ne veut que sans effect l'assigné jour expire.
Servez donc l'Eternel, et le prenant au mot
Dans les champs de Chanaan faictes marcher vostre ost :

---

27. « Par quels degrez il parvient à ceste haute charge, et comment il s'acquite de son devoir. »

37. « 1. Il fait une belle et necessaire harangue, pleine de foy aux Israelites pour les accourager à poursuivre. »

Monstrez que la valeur de l'Isacide armee,
Terrible passe encor de loing sa renommee.
O magnanime Isaac d'Arad les forts rempars
Ont esprouvé tes pics, et ses hommes tes dards,
Madian a senty de ton bras le tonnerre,
Tu as rasé Bazan, mis Hezebon par terre,
Des dragons escaillez vaincu le triste fiel,
La mer brise-vaisseaux, Sina le porte-ciel,
Tes plus grands ennemis fait aux enfers descendre :
Dieu t'offre la couronne, il ne faut que la prendre.
Puis, s'adressant à Gad, Ruben, et Manassé,
A qui son devancier pour partage a laissé
Du fleuve Palestin l'Oriental rivage,
Guerrierement facond, il leur tient tel langage :
Enfans voudriez-vous point abandonner vos rangs
Lasches ? Hé voudriez-vous ensevelir vos flancs
Dedans vos licts plumeux, tandis qu'en la tranchee
Vos freres trembleront ? Que l'eau d'Ange espanchee
A l'issue de table aille arrosant vos mains
Tandis qu'un Orion noyera vos germains ?
Qu'ils courent à la charge, et vous allez aux danses ? [32]
Que les coups soient pour eux, pour vous les recom-
[penses ?
Jà n'advienne, ains plustost laissant deçà les eaux,
Vos femmes, vos enfans, vos vieillards, vos troupeaux :
Endossez la cuirasse, advancez la victoire,
Et n'ayez moins de part au peril qu'à la gloire.
O Prince genereux (crie tout l'ost Hebrieu)
Marchez soubs bonne augure : allez au nom de Dieu,
Qu'on face de Chanaan une sauvage bande,

61. « 2. Il exhorte les Gadites et leurs compartissans de se souvenir de leur promesse. »

77. « Leur response, et de tous les autres à leur grand Capitaine. »

Qu'une autre *R*ouge *M*er dans ses plaines s'espande :
Qu'Oreb, Carmel, Seïr, l'un dessus l'autre entez,
Presentent l'escalade aux cieux espouvạntez :
Nous te suyvrons par tout, et la fin de nostre aage
Seule pourra donner fin à nostre voyage.
  Jacob marche en bataille, et son Arche suyvant,
Chante au bord du Jordain le los du Dieu vivant :
De ce Dieu dont la dextre en vertu nompareille
Pour luy donner passage ouvrit la mer vermeille,
Un grand Antre basty d'un verre martelé,
Logeoit lors le Jordain, son lambris undelé
Fut par les doctes mains de Naïades ses filles
Marqueté de rubis, de perles, de coquilles.
Là cent petits ruisseaux qui n'ont point veu le jour,
S'assemblent argentez pour luy faire la cour.
Là l'arc-en-ciel, l'Autan, la nue perse-noire,
Par un change eternel, et donne et prend à boire.
Là le Roy de ces eaux sur la mousse alongé,
Et pensif appuyant sur un tuf mi-mangé, [32v°
Sa teste de rouseaux largement chevelue
Avec joye attendoit d'Israel la venue :
Tous les poils abbattus sont autant de ruisseaux,
La sueur de son corps une ravine d'eaux,
De ses souspirs le moindre est une grande ondee,
Et chaque sien sanglot une mer desbordee :
Un long baudrier de jonc serre ses larges flancs,
On void tousjours pleurer ses yeux persement blancs :
Sa thiare est de saule, et sa face azuree

80 *1603* … rouge mer…

---

85. « [3] Le peuple marche en bataille vers le chemin de Chanaan. »

93. « Description poetique du Jordain. » Cf. Virgile, *Enéide,* VIII, 31 sq. (la description du Tibre).

Porte encor les couleurs de son pere Neree.
Soudain qu'il oyt le cry il s'assied, et haussant
Les glaçons de son chef hors du flot doux glissant,
Retire des deux mains son long crin verse-larmes
Derriere son oreille, et decouvrant les armes
Du fidelle Israel arresté par son eau,
Ingrat torrent (dit-il) temeraire ruisseau
Oses-tu contre Dieu lever tes mortes cornes ?
Mutin entreprens-tu d'abandonner tes bornes
Pour luy coupper chemin ? Doncques l'orgueilleux flot
Du baveux occean fera largue à son ost ?
L'honneur donc Memphien le long, le large fleuve
Qui riche en almes flots un tiers du monde abreuve,
Humble se rendra tel qu'un sien ministre veut ?
Et toy pauvre qui n'est qu'un escoute-s'il-pleut,
Feras teste à luy-mesme ? à luy mesme qui marche
Voilé des Cherubins qui flambent sur son arche.
En prononçant ces mots il jette sur son cou
La cruche qu'il tenoit sur son velu genou,
Et la verse courbé le long de son eschine,
L'onde reflotte à mont, vers sa double origine [33]
Laisse un grand entre-deux : et les craintives eaux,
Pour faire place à Dieu s'eslevent en monceaux,
Là le camp passe à sec, obeÿt à l'Oracle,
Laisse un grand monument d'un si fameux miracle
Sur le mont de Gilgal : et dans sa chair empraint
De son adoption le charactere sainct.
Car le Dieu roule-ciel, le tout-puissant Monarque,
Pour discerner les siens par quelque insigne marque,
A voulu qu'à jamais d'Abram les sacrez fils
Feussent d'un glaive sainct au temple circoncis,

109. « Le Jordain se retire à l'approche de l'Eternel. »

131. « 4. Les Israelites passent à pied sec le Jordain et sont circoncis en Gilgal. »

Et que du grand Isac la bien-heureuse race
Au prepuce entaillast le gage de sa grace.
Mais pourquoy (diras-tu) en lieu si recelé,
Nos prudens devanciers ont escript et scelé,
L'acte de l'alliance, et d'une main seigneuse
Engravé leur noblesse en la part vergongneuse ?
Qui rougit pour ce fait, est un chien effronté,
Qui a honte de voir honteusement planté,
Le signal de la grace, a honte du Messie,
Qui salutaire est né de la chair circoncie.
Je pourroy bien puiser dans les Hebrieux escrits
Cent subtiles raisons : mais les sobres esprits
Demeurent satisfaicts, sçachans que la coupure
De l'outil de Venus nous est une figure
Du sainct retranchement des sales voluptez,
Digne de ceux qui sont au corps d'Isaac entez,
Que Dieu hait ce qui part de l'humaine semence,
Et qu'il nous faut par Christ renaistre en innocence. [33v°
Les Hebrieux font la Pasque, et par l'Ange conduis,
S'en vont par escadrons, camper devant les huis
De Jerico la forte : et d'une longue enceinte
Bouclent ses murs espais, qui jà tremblent de crainte.
Freres, remonstre lors l'invaincu chevalier,
N'apprestez point le pic, l'eschelle, le belier,
Pour sapper, pour franchir, pour choquer les murailles.
Le grand, le souverain, le fort Dieu des batailles,
Veult combattre luy seul : Cela dit tout le jour,
Il les faict en cornant, roder tout alentour
De la ville assiegee, ayant pour la banniere
Le cabinet de Dieu, l'Arche porte-lumiere.
Leur bouche est sans menace, et sans horreur leur
[front,

141. « Digression des causes et de l'usage de la circoncision. »

157. « 5. Le peuple ayant fait la Pasque assiege Jerico. »

Leur glaive est au fourreau, les plus braves ne font
Semblant de guerroyer, nul son arc ne desserre.
Leur desmarche sent plus la danse que la guerre.
  Hé ! Dieu quel jeu d'enfans ? est-ce donques ainsi
Que braves vous voulez forcer ces murs icy ?
Espouventaux de paille, hé sommes-nous semblables
Aux timides oyseaux ? vendez ô miserables,
Vos sottises ailleurs : badins enfarinez,
Sortez de l'eschaffault, faictes de vos cornez
Cesser (dit l'assiegé) la fanfare enroüee,
Fols tirez le rideau, jà la farce est jouee.
  Lors plus haut que devant, les Levites sacrez
Vont entonnant leurs cors, et tout le peuple apres
Crie en ceste façon, *V*ien, vien, ô grand Dieu battre,
Vien abbatre ô grand Dieu la muraille idolatre.
  On oit cracquement, le mortier se dissoult, [34]
Le fondement s'affaise, et le mur se decout,
Chasque pierre desment, le fort haut et bas tremble
Sable, moillon, quartiers, roulent sur terre ensemble
Il se faict un grand bruit, et le Payen soudart
D'un tourbillon poudreux est ceint pour tout rempart.
Non autrement voit-on un mont porte-nuage,
Desmembré d'un plus grand par la sape de l'age,
Effroyable crouler en bas. *I*l roul à sauts
Et murmurant ravit icy les Cedres hauts,
De là les rouvres vieux, il choque, escorne et traine
Les rochers de dessoubs en la craintive plaine,

183 *1603* …, vien, vien, …
193 *1603* … en bas il roul à…

173. « Ce que pouvoient penser les assiegez voyant la contenance des Israelites. »

185. « Renversement miraculeux des murailles de Jerico. »

191. « Comparaison. »

Là pesant il s'enfonce, ou va le pas fermer
A quelque enflé torrent, qui veut gaigner la mer.
  Vantez-vous ô canons, d'imiter le tonnerre,
O Mines jactez-vous de renverser par terre,
Les bastions, les tours, et les murs plus espais [?]
Il faut pour vos exploicts et du temps et des fraiz,
Vous ne faites qu'un trou, qu'un mal-aisé passage,
Et souvent vous portez à vos autheurs domage.
Mais un huchet, un cry, par les Hebrieux jetté,
Tout d'un coup demantelle une grande Cité,
Et l'ost de toutes parts entrant sans resistance
Exerce enfelonné tout genre de vengeance.
  Comme un grand escadron de bucherons puissans,
Qui coupent à prix faict les chesnes verdissans
D'une jeune forest, suent, hastent l'ouvrage,
Et font un champ bledier, d'un champ porte-glandage,
Ainsi le camp Hebrieu, forcené, despité,
Par tous les tristes coings de l'ouverture Cité, [34v°
Brusle, rompt, desmolit, dedans le sang se baigne
Et fait d'une grand ville une raze campagne.
Les Temples des Dæmons et les Palais pointus
Des infideles Rois, sont rez-terre abbatus.
Le feu haut craquetant se mesle avec les nues,
Un torrent tiede-rouge ondoye par les ruës
Le glaive de Jacob vangeur n'espargne pas
L'enfant, qui foible encor, se traine sur ses bras :
Celuy qui va portant la neige sur sa teste,
Et la glace en son cueur : non pas la moindre beste,
Acte digne vrayment, non du sainct peuple Hebrieu,
Ains des fiers Hesilins, si la bouche de Dieu

201 *1603* … plus espais.

---

199. « Difference entre la puissance de Dieu et l'effort humain. »

225. « Justification de ce rigoureux supplice. »

Ne leur eust commandé, si le seigneur luy mesme,
N'eust contre Jerico jetté son Anatheme,
Reservant seulement pour le sacré thresor
De son palais errant l'airain, l'argent, et l'or.

Et toutesfois Acha*n*, sacrilege, butine
Quelques riches joyaux, dont la fureur divine
S'embraze contre Isac : et dans son dos empraint
Les coups du fleau vangeur, de son Edict enfraint.

Car s'estans desbandez du camp Israelite,
Pour attaquer Haï, trois mille hommes d'eslite
La ville prend l'alarme : et le Tyran du lieu,
Non moins brave guerrier que grand moqueur de Dieu,
Vest de son estomach la montagne velue
De l'escailleuse horreur de la beste goulue
Qui dans le Nil brigandes, et le cuir jette-dars
Du ruzé porc-espy couvre ses bras soudars,
La hure d'un Dragon luy sert de bourguignotte
Sur qui d'un grand Cheval la queue horrible flotte : [35]
Ainsi ne plus ne moins que le verd arbrisseau
Qui par bas esbranché ne porte qu'un toufeau,
A qui les vents mutins font à l'envy la guerre
Et qui baise or' deçà, ores delà la terre,
Ses traits envenimez sont d'un carquois couvers
Faits de cuir estoillé des lezars jaune-vers,
Son arc sagette-loing est faict d'un puissant arbre,
Sa fleche est un chevron, son fer faulce le marbre,
L'acier, les diamants, un fort cable est son nerf,
Et sa lance a pour fer les branches d'un grand Cerf.

231 *1603* … Achas,…

---

231. « Sacrilege d'Achan irritant Dieu contre Israel. »

235. « 6. Trois mille hommes d'eslite approchent de Hai. »

239. « Description de l'equipage du geant roy de Hai. »

240-241. Il s'agit du crocodile.

Souffrirons-nous, dit-il, que ceste infame race,
Du terroüer paternel honteusement nous chasse ?
Qu'Isac sans vaincre soit si tost victorieux ?
Et que tant de palais qui voysinent les cieux,
Soient à ces vieux Marans ? craignez ames foiblettes,
Les songes d'Abraham, bigottes femmelettes,
Tremblez au nom de Dieu qui va les eaux seichant,
Je n'ay point d'autre Dieu, que mon glaive tranchant.
Cela dit le Tyran ouvre la porte et porte
La guerre, et la terreur, va, court, charge en la sorte,
Que le flot tempesteux chocque un escueil usé,
Que les vents qui mutins ont leur prison brisé,
Donnent dedans un bois : que les bales soulfreuses,
Du ciel vont canonant les roches orgueilleuses. [35v°
Le sacré bataillon à vaincre coustumier,
Ne peut point soustenir cet orage premier,
Faict bouclier de son doz aux infideles armes,
Et perd fuyant à val, trois fois douze gensdarmes,
Lors la race de Nun, et les plus grands d'Isac,
Couvrant leur chef de cendre et l'espaule d'un sac
S'assemblent devant l'Arche : et plombans leur poic-
[trine
Invoquent abbatus, la Majesté divine,
Seigneur qu'avons-nous faict ? le peuple destiné
Au coutelas vainqueur de Jacob ton aisné
Triomphe de Jacob et contre ta promesse,
Chanan teint dans son dos sa picque vainqueresse.
Seigneur que n'as-tu fait que du Jourdain le flot,
Ayt tout court arresté la course de nostre ost [?]

---

255. « Sa harangue profane, et qui sent son Chananean. »

263. « Effort des Chananeans de Hai contre les Israelites, 36. desquels sont tuez. »

273. « Plainte de Josué et des anciens d'Israel à Dieu tout puissant. »

Or l'espoir d'acquerir une terre promise,
Chatouilleux, ne mettroit en hazard la conquise.
   Regarde et garde-nous : pren mesme garde à toy,
O Pere tout-puissant, ne permets ô grand Roy,
Que la race d'Abram soit aux fers exposee,
Ta saincte Arche à la flamme et ton nom en risee.
   Filz de Nun, respond Dieu purge tes bataillons,
Verse le sang de cil qui dans ses pavillons,
Sacrilege a caché le deffendu pillage
De ces murs qui premiers ont senty ton orage,
Lors tu seras vainqueur et les rampars hautains
D'Haï tresbucheront soubs les guerrieres mains.
   Acha*n* le lendemain est conduict au supplice,
Convaincu du forfaict, non par un simple indice, [36]
Ains par l'esprit de Dieu qui crochetant noz seins,
Y void comme en plain jour nos plus secrets desseings,
A qui le sort n'est sort, la fortune volage,
A qui mesme le Dé porte seur tesmoignage,
Est *c*onduict hors du camp, est assommé de coups,
Son corps est enterré d'un grand mont de cailloux.
   Encor, entre Bethel et l'antique muraille
D'Haï, se trouve un val qu'un mont faict en tenaille
Ferme de tous costez et de rocs dentelé
Tient le pré verdissant aux passans recelé,
De *s*es deux aspres-flancs les roches sont voutees,
Il a pour paresol deux forests haut montees

295 *1603* Achas…
301 *1603* Est Conduict hors…
307 *1603* De ces deux…

---

289. « Response et commandement de Dieu. »

295. « Punition du sacrilege. »

303. « 7. Josué dresse une embuscade en lieu propre au Roy et au peuple de Hai. »

Il est estroit et loing, le bruict d'un grand ruisseau,
Qui pousse bondissant de roc en roc son eau,
Essourde les pasteurs, et la nature mesme,
Songeoit en le faisant à quelque stratageme,
C'est là que le grand Duc soubdain apres minuict,
Le plus lest de son camp, bien advisé conduit.
Chacun tient bien son rang, on ne parle, on ne tousse,
Et semble que ces gens marchent tous sur la mousse,
Ainsi les fauves-loups lors qu'ils vont assaillant
Un timide troupeau dedans le parc beslant,
Des sentiers desrobez fendent l'obscur silence,
Leurs pieds sont empennez des aisles d'esperance,
Ils retiennent l'haleine, et passent à travers [36v°]
Les surveillans mastins sans estre descouvers.
Les heures ce pendant debouclent la barriere
Du jour meine travail, au char porte-lumiere,
Et l'astre qui ressuit douze maisons chasque an,
Commence à redorer la pointe du Liban.
Le Duc en mesme temps diligent achemine
Le reste de son ost vers la Cité mutine,
Qui sont pour la charger : comme au temps des chaleurs,
L'essain façonne-miel, mesnager, serre-fleurs,
Se desbande bruyant par les petites breches
De son cavé logis, et d'un bec porte-fleches
Attaque furieux la descouverte peau,
De cil qui veut ravir son chambrillé crouteau.
Bisongnes ozez-vous paroistre au coup encor ?
Vous faschez vous de vivre ? approchez : car c'est ore,
Que par le fer tranchant nous serons satisfaicts

---

317. « Comparaison. »

323. « Le jour venu Josué vient avec son armée devant Hai : dont le peuple sort. »

329. « Comparaison. »

335. « Superbe mocquerie des Chananeans. »

D'un milion de maux, que vous nous avez faits,
(Crie alors l'Amorrhee) et l'Hebrieu Capitaine
S'enfuyt comme effrayé par la poudreuse plaine,
Se retire en desordre, et rusé fait si bien,
Qu'il attire apres soy l'exercite Payen,
Tout droit à l'embuscade : à peine les gens-darmes,
Blotis dans le valon, oyent craquer les armes,
Qu'ils y veulent courir : mais ilz sont retenus
Du geste menaçant de leurs Princes chenuz,
Comme les bons levriers t*ir*ez sous mesme lesse,
Aussi tost que des chiens la glapissante presse
A lancé le levrault veulent forcer dispos
Leur maistre qui ne veut les lascher qu'à propos, [37]
Mais si tost que l'Ethnique a l'embuche passee,
Le Duc ranime ainsi la troupe pourchassee,
Çà çà tournons visage, allons, que tardez-vous ?
A la charge soldats donnons ils sont à nous.
Le soldat obeit et sur cette canaille,
Tire, choque, martelle, estocade, chamaille,
Elle veut resister : mais il s'esleve à dos
Un bruit si furieux, que l'averneux cahos,
Les monts et les forets croulent sous ce Tonnerre,
Et les oyseaux du Ciel, battus tombent à terre.
  Payens que ferez-vous ? si vous fuyez icy,
Vous y trouvez Caleb, champion sans mercy,
Si deçà Josué, ô trouppes miserables,
En vain vous implorez vos dieux peu secourables,

347 *1603* … titrez sous…

---

339. « Stratageme de Josué. »

348. « Comparaison. »

355. « Les Chananeans sont attrapez en l'embuscade, et y sont exterminez dont s'ensuit l'extermination totale de leur ville, à la façon de l'interdit. »

Vous semblez ô perdus les Lapins enserrez
D'une enceinte de Chiens de chasseurs et de rets.
Tout le bois d'un hau-hau, gu*a*re-cy, voi-le-là,
Estonne, retentit, l'un fuit-çà l'autre là,
Mais des meutes sauvez aux bastons ils n'eschapent,
Eschappez aux bastons, les toilles les attrapent,
Parez doncques le coup, ne marchandez la mort,
Et voyez en mourant cendroyer vostre fort.
Les filz de Gabaon, Cité grande et voisine,
Effrayez des exploits de la dextre divine,
Vont requetant de paix le Prince des Hebrieux,
Non, vous vous abusez (dict le victorieux)
Sçachez que dès long temps, la race Cananee [37v°]
Est au sac, est au feu par le ciel condamnee,
L'arrest vient de la part du Juge souverain,
L'homme ne doibt toucher où le ciel met la main.
Voyez, si noz maisons, aux vostres aboutissent,
Et si mesmes confins, nos champs voisins partissent,
(Respondent les Payens) certes le mesme jour,
Qu'il nous falut partir, ce pain partit du four,
Et ce drap du mestier : mais un si long voyage,
A moisy nostre pain, usé nostre equipage.
Nous vous adjurons donc au nom de ce grand Dieu
Qu'humbles vous adorez par l'air doux de ce lieu
Par l'Ange qui conduit vos troupes aguerries,
Par les embrassemens de vos femmes cheries,
Par vos berceaux branlans, par vos armes aussi,
Dont le vainqueur renom nous a conduis icy,
D'avoir pitié de nous et jurer que la vie,

367 *1603* … guere-cy,… [*Cf. confusion des sons –AR et –ER au XVIe siècle.*]

365. « Comparaison. »

373. « 8. Les Gabaonites se conservent finement estant devenus sages aux despens de leurs voisins. »

Comme aux peuples voisins, ne nous sera ravie.
Israël leur accorde, et solennellement,
A la simple promesse adjouste le serment.
O Seigneur je voy bien que la race Adamite
Est jugee à la mort, qu'elle ne peut maudite
Eviter ta fureur : et qu'encore l'Enfer,
Horriblement fumeux doibt d'elle triompher,
J'en voudrois estre exempt, mais quoy ? si plein d'au-
[dace,
Je vien tel que je suis m'offrir devant ta face,
Juste tu tourneras en arriere les yeux,
Car la chair et le sang ne possedent les cieux. [38]
Et l'exacte rigueur de ta haute justice,
Ne peut ô Tout-puissant souffrir le moindre vice,
Las ! que feray-je donc ? vrayment j'imiteray
Ce peuple Palestin, je me desguiseray,
Seigneur pour te tromper (car une saincte ruse,
Souvent trouve envers Toy grace, faveur, excuse)
Fin je me pareray, non du manteau d'orgueil,
(Car c'est luy qui poussa nos ayeulx au cercueil
Et les Anges au creux où l'Hydre de leurs geines,
De plus en plus foisonne en cruauté de peines),
Ains de la saincte chair de l'Agneau humble-doux.
Chair sur la Croix persee en tant de parts pour nous,
Chair qui semble de pouldre et de sang toute sale,
Chair fable des Gentils, et des Juifs scandale.

414 *1603* … de peines, [*La parenthèse est fermée à la fin du v. 412.*]

395. « Josué et les anciens se laissent surprendre, faute de demander conseil à Dieu. »

397. « Disgression allegorique du Poete sur ce fait des Gabaonites. »

413. Evocation des tourments incessants subis par les Anges déchus.

Et comme un peu d'argent, un peu d'estain, encor
Par une docte main riche se couvre d'or,
Moy qui ne suis que plomb, voire du plomb la crasse,
Dans l'amoureuse ardeur du creusel de ta grace
Je me couvriray tout de l'or de sa beauté,
Je renaistray fidelle en saincte nouveauté,
Et d'esprit et de mœurs Christ sera mon exemple,
Son esprit mon esprit, et je seray son temple.
Moy donc estant en Christ, et Christ estant en moy,
Voudrois-tu ? pourrois-tu, nous chasser loin de toy,
Priver contre raison du promis heritage, [38v°
Christ ton image sainct, et moy de Christ l'image ?
Bannir du ciel astré, ciel beau, ciel tout parfaict,
Christ par qui tu le fis : moy pour qui tu l'as faict ?
O dessein temeraire, ô venteuse arrogance,
Le vouloir seulement n'est point en ma puissance,
Et quand je le voudroy de ma chair la froideur
Esteint de mon esprit la telle quelle ardeur.
Fils Tout-sainct, du tout-sainct par ta bonté supreme,
Doncques transforme moy, tout d'un coup en toy mes-
[me,
Afin que tel je sois bien venu de mon Dieu,
Que je possede en paix, non le terouër Hebrieu,
Ains Sion la celeste, et que tu sois la cole
Qui solide m'unisse au Createur du Pole.
Or apres cet accord, les Satrapes d'Eglon,
De Salem, de Jarmuth, de Lachis et d'Ebron,
Picquez que leurs voisins eussent trahy, perfides
Leur commune patrie, aux bandes Isacides,
Fait une grande breche : et comme par la main,
Tir*é* dedans leurs murs un ost tant inhumain,

448 *1603* Tire…

443. « 9. Les Rois de Chanaan assaillent les Gabaonites. »

Assaillent Gabaon : mais l'Hebrieu capitaine,
Non moins juste que fort a pitié de sa peine,
Secourt ses alliez, et de geste et de voix,
Presente la bataille aux idolatres Rois.
  Le dur combat s'eschauffe, et la victoire aislee,
Brandissant ses lauriers, se fourre en la meslee,
Va, vient, revient encor, s'escarmouche, s'esmeut, [39]
Et prend or le party d'Isac, or de Jarmuth.
L'Austre desbande adonc des croupes Idumees
Cent hyvers courroucez, cent tempestes armees
D'une bruyante gresle et donne forcené,
Sur le visage affreux du Payen obstiné.
Le murmurant effort de l'orage rejette
Contre son propre archer la meurtriere sagette,
Repousse sur le cou des ennemis de Dieu
Les longs-bois, qui brandis menaçoient l'ost Hebrieu,
Et comme s'il portoit envie à la loüange,
Du vaillant fils de Nun, jà congnu par le Gange,
Choque, mugit, abat les gensdarmes premiers,
Sur ceux du second rang, les seconds sur les tiers,
Comme un pont de tarots que le soir pour s'esbattre,
Dessus un verd tapis, l'enfant bastist folastre.
Si l'une arche dement, foible il s'esbranle tout,
Les tarots jambe-ouverts, qui ne tiennent qu'au bout,
S'entrecouchant de rang, font une longue file :
Et l'enfant va pleurant son ouvrage inutile.
  Si quelqu'un appuyé sur son noüeux espieu,

457 *1603* L'Autre [*correction de Holmes*] … les croupes… [*corr. éd. ultér.*]

---

453. « Josué donne bataille à ces Rois. »

457. « Le Ciel combat pour les Israelites contre les Chananeans. »

469. « Comparaison du vain effort des ennemis. »

475. « Description d'iceluy, l'homme ne peut rien contre Dieu. »

Malgré l'ost et le temps, s'obstine sur le lieu,
La gresle que le vent contre son front sagette,
Plus roide que l'esteuf qu'une forte raquette
Reffouëtte contre l'aix d'un tripot ennoircy,
L'aveugle, rompt son nez, enfonce son sourcy.
L'exercite Payen tourne à l'heure visage, [39v°
Mais toutesfois en vain : car le pierreux orage,
Qui voloit droict au front, or à plomb descendant,
Des Ethniques soudars va la teste fendant,
A mesure qu'on voit marcher l'ost infidelle,
On voit aussi marcher le nuau porte-gresle,
Sans qu'il frappe un Hebrieu : bien qu'il ne trouve pas,
Entr'eux que la longueur du sanglant coutelas,
L'un couvre d'un bouclier, l'autre d'une salade,
Sa teste menassee, ou sa teste malade,
Mais la targe se casse, et l'armet enfoncé
Faict mordre du grand coup la campagne au blessé.
Ceux qui sont eschappez s'en vont à vau-de-routte,
Josué les poursuit, et bien que l'eau degoutte
De tout son corps fumeux, il tue, blece, abat,
Et ne veut point laisser imparfaict le combat :
Puis, ayant d'un sainct zele embrazé le courage,
Il tient (qui le croiroit ?) cet estrange langage,
Rayon de l'Eternel, Astre clair-flamboyant,
Espion de nature, ô Soleil tout voyant,
Atten, fay ferme un peu : et n'arrache trop viste,
D'entre mes mains la fleur de la race Amorrhite.
Ainsi qu'un chariot qui bien athelé court,
Par un chemin planier grinçant, s'arreste court,
S'il rencontre en passant quelque profonde bouë,
Ou si quelque grand tronc vient enrayer sa roue, [40]

---

493. « Josué poursuit les fuyards. »

497. « Et pour obtenir victoire entiere commande au Soleil et arreste sa course. »

L'astre ramene-jour, cour-viste, flamboyant,
Qui jà desjà panchoit vers son lict ondoyant,
Faict halte tout soudain, et donne aux Hebraïques
Loisir d'exterminer les payennes reliques.
  Nature s'en estonne, et d'ire fremissant,
En va faire complainte aux trois-fois Tout-puissant,
Son pas va pour compas, sa couleur est naïve,
De chasque sien tetin coule une source vive
De laict almement doux, et ainsi qu'un Atlas,
Elle a de l'univers la charge sur les bras,
A sa ceinture pend la grand clef qui desserre,
Et serre quand il faut les thresors de la terre,
Son corps est affeublé d'un precieux manteau,
Où sont representez le ciel, la terre et l'eau,
La terre en bisse teint, en pasle argent Neree,
En or meslé d'azur la chambreure ætheree.
  L'Amour anime-tout, la fleurie beauté,
La jeunesse riante et la fertilité,
Tousjours luy font la cour, la grace la talonne,
Et la richesse encor jamais ne l'habandonne.
  Elle estoit en ce point, quand de mille sanglots,
Sa bien-disante bouche accompagne ces mots :
  Donques serat-il dict qu'un homme au ciel com-
[mande ?
Donques tu permettras qu'un gendarmeau gourmande
De tes filles l'aisnee ? hé ! quoy donc ô Seigneur, [40v°]
J'auray le tiltre seul, un autre aura l'honneur
De gouverner ce tout ? et debrider le pole
Par le superbe vent de sa simple parole ?
Moy, loy de l'univers, prendray d'autruy la loy ?

530 *1603* … gourmande ?

---

511. « Description poetique de la plainte de Nature estonnée de ce changement et plaisant tableau d'icelle. »

527. « Sa harangue à Dieu. »

Si tu le veux ainsi (Pere pardonne-moy,
Si je parle si haut en ta saincte presence,)
Je te veux desormais quitter ta lieutenance,
Pourvois en ce vieillard, mets tout entre ses bras,
Cil qui commande au ciel peut bien commander bas.
Ma fille sçais-tu point que souvent ma clemence
A faict à mes enfans transport de ma puissance,
Qu'ils sont mes vice-rois [?] Et que cil qui par foy,
Despouillé de la chair s'unit vrayment à moy,
Peut seicher l'Occean, transporter les montagnes,
Et couvrir d'une mer les fruictieres campagnes ?
Ma fille tu l'as veu. Doncques si tu n'es pas
Jalouse des effects de mon robuste bras,
Ne le sois point du leur. Ils ne font rien qui vaille,
Qu'en tant que mon Esprit par leur dextre travaille.
O prince bien-heureux, je ne m'estonne pas
Si le fort Anachin chet soubs ton coutelas,
Si le Chananean, Hevien, Pheresee,
Basanois, Amorrithe, Hethien, Jebusee,
Sont raclez par ton ost, et si presque à la fois,
Tu viens, tu vois, tu vaincs, plus de trois fois dix Rois,
Conquestant la Syrie, et dans ses terres grasses, [41]
Par un partage esgal, logeant deux fois six races,
Puis qu'avec un seul mot tu fais des fleuves sourds,
Grand vicaire de Dieu, escrevisser le cours,
Les rampars te font largue : au son de ta trompette,
Le vent choque-rochers charge et fait sa retraitte,
Phœbus est à ta solde, et le ciel estoillé
S'orgueillit de se voir sous ta charge enrollé,

543 *1603* … mes vice-rois. Et…
560 *1603* (Grand vicaire…

541. « Response du tout-puissant. »

551. « 10. Sommaire du reste des faits de Josué, et briefve repetition de son histoire. »

Comme l'homme aveuglé que son guide habandonne,
Dans un bois fort espais miserable s'estonne,
Suit or un grand chemin, or un estroit sentier,
Ses tastonnantes mains font des yeux le mestier,
Agraffe son manteau aux espines pointues,
Chope contre les nœuds des souches abatues,
S'avoye, se desvoye, entre-tournoye, sort,
Et dans une fondriere en fin trouve la mort,
Non autrement Jacob, perdant son Capitaine,
Se detraque aveugl*é*, mesprise la fontaine
De la loy du Seigneur, et dans des ords canaux
Boit des Dieux Palestins les bitumeuses eaux :
Se forge peu constant des deitez nouvelles :
Et contracte aliance avec les infidelles.
  Le Tout puissant le voit, et pour son joug leger
L'acable despité sous le joug estranger.
Mais comme l'enfançon que sa nourrisse laisse,
Marcher seul quelquesfois, chancelle de foiblesse :
Pleureux sent que sous-soy les pieds tremblans s'en vont :
Jà jà tombe, et sans elle il se romproit le front,
Jacob vaincu des maux que justement il soufre,
Ja mais n'est si tost prest à choir dedans le gouffre
Du pasle desespoir que son Roy souverain, [41v°]
Pour le tenir debout, ne luy preste la main,
Suscitant quelque heros qui valeureux deschire
Et les fers, et les ceps, dans lesquels il souspire.

574 *1603* … aveugle…
583 *1603* Larmoieux… *Vers faux : 13 syllabes – à moins de prononcer « larmieux ». Corrigé d'ap. les éd. ultérieures.*

565. « 11. Deuxiéme partie representant en 300. vers ou environ l'estat du peuple de Dieu, sous les Juges apres Josué jusqu'à Samuel. »

Ainsi donc asisté par le bras immortel,
Brave il se fait seigneur, de Luz et de Bethel,
Prend d'assault Accaron, Jerosolyme et Gaze,
Les palais de Bezee de fond en comble raze,
Et coupe à son tyran les sacrileges doigts,
Tyran qui chasque jour redit ces mots cent fois :
Main jadis porte-sceptre, effroy de l'Idumee !
O main guerriere, main qui d'un long bois armee,
Faisois peur aux Pharons, osois Mars despiter,
Pouvois mesme du ciel desthroner Jupiter,
Las ! dequoy me sers-tu que d'argument de larmes ?
Tu ne peux me couvrir des defensives armes,
Tu ne peux manier la lance au bout d'airain,
Non pas mesme un couteau pour me couper du pain.
O pieds jadis aislez pour poursuivre les restes
De tant de camps rompus par mes glaives funestes,
Vous perdez vostre office, et mon corps racourci
Ne chemine, ains se traine en cette chambre icy.
Ha ! vrayment c'est le ciel qui desur moy foudroye,
Le Dieu juste me paye en la mesme monnoye
Qu'insolent j'ay payé septante puissans Roys,
Qui par ma cruauté mutilez de leurs doigts,
Comme de petits chiens, vivoient dessous ma table,
Et courbez me servirent de montoir à l'estable.
Ne rendez donc ô Roys immortels vos courroux,
Soyez tels aux vaincus que Dieu se monstre à vous, [42]
Hommes ayez pitié de l'homme miserable :
Estimez qu'il vous peut advenir le semblable,
Que la chance se tourne : et que nul ne peut pas
Se dire bien heureux jusqu'au jour du trespas.
L'adversaire qui vit apres vostre victoire,

591. « Premierement sous ceux qui deffirent et punirent Adonibezec duquel les regrets sont icy exprimez. »

615. « Advertissement aux grands du monde. »

Ne vit point pour soy-mesme, il vit pour vostre gloire.
L'olive est sur la palme, et l'invincible Roy
Ne peut mieux triompher qu'en triomphant de soy.
Isac se reveautrant en sa bauge premiere,
Dechet du nom acquis par sa vertu guerriere,
Et son bien et son corps est fait l'ai*s*é butin,
D'Aram, du Moabite, et du fier Philistin.
Quel remede ô Jacob ? tu vis sans chef, sans armes.
Ton gras terroir blanchit des os de tes gendarmes,
Et le nom seulement du prophane vainqueur
Te fige tout le sang, et te glace le cœur.
Fuy-t'en, va regaigner la non-faussable targe
Du Dieu foule-tirans, ha ! je voy qu'il descharge
Ton col des fers Payens, et par Othoniel,
Aod, Barac, Sangar, brise ton joug cruel.
Sangar picque ses bœufs, et d'un luisant araire
Retrace les sillons de son champ tributaire,
Quand un camp Palestin la Judee courant,
Attache aux toits captifs un Vulcain devorant :
Enleve la pucelle : et salement lubrique,
Force aux yeux du mary, la matrone pudicque. [42v°]
Il laisse sa besongne, il dresse au ciel ses veux
Et seullement armé du baston presse-bœufs,
Seul ataque cest ost : *V*oyez crie un Ethnique,
Que veut dire ce fol ? ô miserable picque
Les laboureurs cornus, et laisse à mes soudars,

627 *1603* … l'aissé butin,
645 *1603* … ost : voyez…

625. « Secondement, sous le gouvernement d'Othoniel, d'Aod ou Ehud, de Barac et de Sangar. »

637. « Description poetique de l'insigne victoire de Sangar, qui d'une gaule à piquer les bœufs tua 600 ennemis en un seul combat. »

Soudars tousjours vainqueurs l'exercice de *M*ars.
Apren dit l'Abramide, apren o chien ô peste,
Combien peut mon bras fort, ains la fureur celeste.
Puis sur son chef pouldreux le robuste bouvier
Donne deux tours sifflans de son noueux levier,
Et frappe au front l'ethnique, il bronche sur la plaine,
Et secouant le pied rend la derniere halene.
Un autre plus hardy, la picque brandissant,
Se presente à l'Hebrieu : mais l'*H*ebrieu gauchissant
Au fer du bois crespé, d'une main couroucée
Brise l'os mouelleux de sa jambe advancee,
L'infidelle apuyé sur l'autre encor combat,
Mais le sainct champion d'un grand revers l'abat :
Puis porté de fureur, d'un saut brusque il s'avance,
Ses pieds victorieux trepignent sur sa pance,
Et moitié par la bouche, et moitié par le flanc,
Fouleur luy faict vomir les boyaux, et le sang,
Tout ainsi, qu'en dansant dans les vineuses clayes,
On faict d'un doux nectar saigner toutes leurs playes,
Pleurer les raisins meurs, et dans un grand vaisseau
Filer qui çà, qui là, maint cramoisi ruisseau.
A trente pas de là l'un des chefs de l'armee, [43]
Hochant superbement sa salade emplumee,
Crie, Aproche ô bouvier aproche je te veux
Monstrer que tu n'as pas afaire aux gardes-bœufs,
Qui tiennent de Carmel la tempesteuse cyme.
On s'ayde ô pauvre sot, icy d'une autre escrime.
Sangar part de la main, court viste et couroucé,
Le porte loing six pas de son baston baissé,
Le chocque, chocque un autre : et l'autre encor à terre,

648 *1603* … de mars.
656 *1603* … à l'Hebrieu : mais l'hebrieu…

655. « Gentil pourtrait de diverses sortes de coups d'exploits d'un guerrier extraordinaire assisté de Dieu. »

Le tiers qui ne faisoit que de gestes la guerre,
Comme quand il faict noir qu'il pleust qu'il vente fort,
Du petart foudroyant le salpestreux effort
Emporte un grand portail, ce portail l'autre chasse,
Et le second le tiers s'ils sont tous face à face,
Le poussier la fumee, et le pet orageux
Oste l'entendement aux chefs plus courageux,
Le peuple espouvanté des murs saute en chemise,
Et la ville est plustost conquestee que prise,
L'espouvante troublant tellement les surpris,
Qu'ils sont au desespoir de crainte d'estre pris.
  Sangar se fourre adonc dans le gros de l'armee,
Son bras nerveux respond à son ire enflammee,
Cil qui suit, cil qui fuit courent pesle-meslez,
Il passe par dessus les corps enmoncelez,
Il abat l'un du pied, l'autre du coulde il pousse,
Du front à l'autre il donne une horrible secousse,
Icy son lourd baston faict voler en esclats
Et *c*rane et cabasset, de là fracasse un bras,
Une cuisse, un menton, une coste, une espaulle,
Et l'afamé pasteur n'abat à coups de gaulle [43v°]
De l'arbre tant de noix, que Sangar de soudars,
Tout le champ est couvert d'escus, *d'e*stocs, de dards,
Et seul deffait un camp, et l'idolatre race
Laisse six cens soldats estendus sur la place.
  O pere tout puissant que grande est ta bonté,
L'ennemy de Jacob n'est seullement dompté
D'un rustault dont les mains, tousjours embesoignees,
N'ont manié que socs, hoiaux, serpes, coignees,

696 *1603* Et Crane et cabasset…
700 *1603* …, destocs, …

689. « Apres la desfaite de quelques particuliers, Sangar donne dedans le gros des troupes ennemies. »

703. « Tiercement sous le gouvernement de Debora. »

Ains d'une femmelette à qui les cieux amis
Les renes de Jacob ont pour un temps commis,
Il n'a point autre Loy, autre chef, autre juge,
Que la sage Debore : à son throne ont refuge
Ceux qui pour la blancheur du poil tant respectez
Ceux par qui les escrips plus haults sont fueilletez,
Et celuy qui preside au sacré tabernacle,
Va consulter sa bouche, ainsi qu'un sainct oracle,
De sa face jamais nul ne revient confus,
Et le sçavoir acquis cedde au scavoir infus.

O fanal d'Israël, Tramontane qui guides
Sur ce peuple orageux les flottes Abramides,
Luy dit le peuple alors, hé ? que deviendrons-nous ?
Le joug du fier Jabin a descharné noz cous,
A tous les traicts paiens noz corps servent de butte,
Et le froid desespoir à nos portes tabutte.

Bon cœur dit-elle, Isac, Dieu braque son courroux
Contre noz ennemis, rentre en ligue avec nous,
Et couchant sur l'arrest la lance vengeresse, [44]
Veut qu'on face bien-tost marcher nostre jeunesse.
Cela dit, elle baille à Barac un escu,
Eschancré par les bords où vainqueur et vaincu,
Isac est peint en bosse, et de trente-six lustres,
Sont tirez en relief les exploits plus illustres.

Voy tu pas à ce bout un peuple qui panché,
Sur un fleuve à demy par tant d'hommes seché,

---

717. « Plainte du peuple oppressé par Jabin. »

723. « Response de Debora. Le Poete comprend par anticipation, en ceste sienne description de la bataille de Barac contre Jabin, les faits des autres Capitaines. » Le bouclier narrant l'histoire des hauts faits d'un peuple ou d'un héros est un morceau de bravoure traditionnel dans le récit épique (cf. le bouclier d'Achille dans l'*Iliade*).

731. « Sommaire de l'histoire et du gouvernement de Gedeon. »

Hume ou lape son flot : et que son capitaine
En choisist seulement une triple centaine,
Qui la trompe en la bouche, et la torche en la main,
Rodant autour d'un camp fait qu'il tourne inhumain,
Son fer contre soy-mesme, une infernalle rage
Saisit des mescreans le barbare courage,
Ceux qui couchoient amis sur mesmes matelas,
S'entre-hachent cruels à coup de coutelas,
Tout le camp est pavé de testes net coupees,
Par le fourby tranchant des parentes espees.
   Voicy pas d'autre part un robuste guerrier,
Qui s'estant couronné d'un frais-cueilly laurier,
Pour acomplir son vœu barbarement inique,
A l'homicide autel, conduit sa fille unique,
La mere desbraillee, et de qui le poil blanc,
Bat sallement les yeux, et le sein et le flanc,
Court et s'armant de dents, d'ongles mais plus de rage,
Se faict tout à travers de la foulle passage,
Veut sa fille enlever : mais quoy ? tant seullement
Elle emporte un lambeau de son habillement.
   Le prestre fond en pleurs, en joye la victime,
Le meurtrier est couard, le meurtry magnanime, [44v°]
Le pere la conduit d'un lent et foible pas,
Elle semble courir au desiré trespas :
Et que sa teste encor soit ce jour couronnee
Non des fleurs d'une hostie, ains des fleurs d'Hymenee,
Sa grace, ses beautez vont s'augmentant tousjours,
Quiconque voit ses yeux, les doux archers d'amours,
De sa face les Lis, le Coural de sa bouche
Il voit ou pense voir un Soleil qui se couche,
Bref le marteau, la fonte, et le burin encor,
Ont si bien animé le fer, le cuivre et l'or,

---

743. « De Jephté victorieux des Ammmonites puis sacrifiant sa fille à Dieu. »

Qu'icy ne manque rien que les cris à la mere,
La parole à la fille et les souspirs au pere.
Cil qui branlant l'horreur de son front non tondu
Triomphe d'un Lion du haut en bas fendu,
N'est-ce pas toy Samson ô perle des gendarmes [?]
Tu ne va despouillant tout un Arsenal d'armes
Et de nous forgerons le bras d*e*martelant
Ne bat pour t'equiper le fer estincellant :
Une maschoire d'Asne *est* l'effroiable masse
Dont ta main forte assomme, escarbouille, terrasse
Tou*t* l'ost incirconcis : chacun quitte son rang
Et le camp qui voloit en poudre, coule en sang.
Ces grands portes de fer, sous qui les tours massives
De *G*ase chanceloient, tu les portes captives,
Sur ton espaule large, et comme en te jouant
Tu vas d'un beau palais les piliers secouant,
Renverses la maison et là dessous attrappes
Des cruels Philistins les blasphemans satrapes.
L'un entre deux carreaux ayant le chef froissé [45]
Rend la cervelle ainsi qu'un fromage pressé
Jette le petit laict, l'autre en mourant estrive
Contre terre empallé d'un tronçon de solive ;
L'un souz un pan de mur tout à plat estendu,
La forme de son corps avec l'ame a perdu,
L'autre en fuyant attaint par la salle abattue,

769 *1603* … des gendarmes.
771 *1603* … le bras du martelant
773 *1603* … d'Asne, et…
775 *1603* Tou, l'ost…
778 *1603* De gase…

767. « De Samson deschirant le lion, assommant les Philistins d'une maschoire d'asne, emportant les portes de Gaza, tuant plus d'ennemis en sa mort qu'en sa vie. »

777. « Vif tableau de la ruine des Philistins. »

Ne monstre que la teste ainsi qu'une Tortue,
Et l'autre tout couvert d'un sablonneux monceau,
Semble en se remuant remuer son tombeau :
Tout ainsi que la Taupe aveugle, invente-mine,
Porte-soye, fuit-jour, souz sa mere chemine,
Vit presque sans gouster l'alme douceur de l'air,
Et pour quester des vers fait les piedz panteler.
Tout un peuple plus bas va deschargeant, infame,
Ses lubriques chaleurs sur une seule Dame.
Le mary despité d'un trenchant coutelas
Trenchant en douze parts son corps, jambes et bras,
Les mande aux douze coings de sa natalle terre
Comme douze fusils d'une intestine guerre.
On void plus bas encor tramer honteusement
Aupres d'un Dieu Payen l'Arche du Testament :
Le Dieu faux cede au vray, et l'execrable image
De soy-mesme abattu fait au sainct coffre hommage.
Bar*ac* ainsi armé attaque l'ost d'Azor,
Qui reluist tout de fer, d'airain, d'argent, et d'or :
Ses soldats peu guerriers perdent force et courage,
Voyant de toutes parts l'effroyable equipage
De neuf cens chariots, qui postans furieux [45v°]
Des esclairs de leur fer esblouyssent leurs yeux :
Leurs limonniers bardez ont au chef une espee,
Dans une eau de Damas à fiance, trempee,
S'orgueillissans ainsi que les Licornes font,
De l'estocq canellé qui decore leur front :

807 *1603* Barruc…

797. « De l'anarchie d'Israel comme la fin du livre des Juges le monstre. »

803. « De Heli gouverneur et sacrificateur. »

807. « Barac attaque les Chananeans. »

816. *L'estocq canellé* : la corne (unique) de la Licorne.

Au milieu de leur joug se roidit une broche,
Il est par les deux bouts garny d'une faux croche :
L'aissieu l'est tout de mesme, et bref nul ne peut pas,
Sans mourir, approcher des chars à quatre pas.
Debore va, revient, et marchant sur les aisles
Harangue en ceste sorte : O champions fidelles,
Courage, ô saincts soldats, chamaillez, frappez fort,
Dieu conduit vos haineux dans les rets de la mort :
Sans doute ils sont à vous : ces charrettes ferrees
Ne sont qu'espouventaux des ames aterrees
D'une sotte frayeur. Mes enfans c'est le cœur,
Non le hault appareil qui fait un camp vainqueur,
Ou plustost c'est la main du Dieu lance-tonnerre,
Qui dispose à son gré du succez de la guerre.
La victoire est sa fille, il la donne à vostre ost.
Freres que tardez-vous ? Allez, prenez-le au mot.
Ainsi que les Pasteurs qui du long d'une croupe
Voyant descendre un Loup vers la laineuse troupe,
Crient au Loup, au Loup, le haut mont coup sur coup,
Coup sur coup, la forest respond : au Loup, au Loup.
De vallon en vallon ceste parolle passe, [46]
Et le brigand goulu s'enfuit sans qu'on le chasse.
Par ces braves discours les Hebrieux ranimez
Jettent un si grand cry, que les coches armez
Rebroussent leur chemin, l'art de leurs maistres trom-
[pent,
Et changeans de party leurs propres bandes rompent.
Les uns par l'aigu bout des estocs droict-couchez,
Comme d'un coup de lance à jour sont embrochez,
Les autres tous couverts et de sang et de boüe,
Sont estorpez du fer des jantes d'une rouë.

---

821. « Debora fortifie les Israelites par ses remonstrances. »

843. « Ils donnent resoluement à travers l'armee ennemie laquelle rompt de soy mesme et se met en route, qui est representé par comparaisons propres. »

Ainsi que souz les pieds des chevaux attelez
Durant les mois plus chauds on despique les blez :
Le trot hasté du fouët abbat la gerbe assise,
Le grain despouillé saute, et la paille se brise :
Les autres destournez du droit cours des chevaux
Sont tout net mi-partis par les trenchantes faux.
Tout ainsi que d'un pré la moisson encor verte,
Chet devant le faucheur, qui la jambe entr'ouverte,
L'eschigne recourbee, et le bras estendu,
Fait des longs rangs du foin en croissant epandu :
Que s'ils se trouvent là quelques braves gensdarmes
Qui se faschent de perdre et l'honneur et les armes
Tout du premier rencontre, et qu'ils facent semblant
D'attendre le succez d'un combat si sanglant,
Et Debore et Barac courent à toute bride.
Mais comme il est escrit de la race Amramide,
Et du grand fils de Nun, qui bien aymé des cieux
Es vergers de Chanan transplanta les Hebrieux :
Elle hausse au milieu de l'armee, idolatre [46v°]
La dextre pour prier, et Bar*a*c pour combattre :
Il les charge, il les blesse, il les assomme tous,
Le general Gizare eschappe seul ses coups :
Se retire à Jahel, et sent de son hostesse,
Pensant estre en seurté, la dextre vengeresse.
En fin le gouvernail de l'estat d'Israël
Parvint entre les mains du fameux Samuel,
Homme rare en prudence, et qui l'art politique
Marie aux sacrez dons de l'esprit Prophetique.
De ses rares vertus ses deux fils forlignant

866 *1603* …, et Barruc…

861. « Deportement de Barac et Debora. »

868. « Sizara [Gizare] tué par Jahel. »

871. « III. Troisiéme partie, proposant l'estat du peuple sous Samuel. »

Font que de plus en plus Isaac va desdaignant,
Du Monarque du ciel le tousjours juste Empire,
Et qu'un grand changement en l'estat il desire.
    Aux comices sacrez du sainct peuple de Dieu
S'esleve un homme pauvre, incogneu, de bas lieu,
Mais tresgrand en esprit, et qui, par son bien dire
Aux plus grands dignitez, plain de courage aspire.
Chacun luy tend l'oreille, et lors il parle ainsi :
    O divine entreprise, ô louable soucy
De reformer l'estat : et par Edicts severes
Guarir la Republique affoiblie d'ulceres.
Mais, ô sage Jacob, c'est bien ores qu'il faut
Te garder de tomber de la fievre en mal-chaut,
Et qu'en pensant fuir la confuse Anarchie
Tu n'embrasses, pipé l'injuste Monarchie,
Adoree des sots, cherie des flatteurs,
Faineans, desloyaux, effeminez, vanteurs,
La franchise et support des hommes plus infames,
Mais joug insupportable aux genereuses ames.
Et qui pourra souffrir qu'un million d'humains
Attire et pousse l'air, occuppe pieds et mains [47]
Seulement pour un homme, et qu'une ample province
Tremble à la voix, au nom, au clin d'œil d'un vain [prince [?]
    Ne fait-il pas beau voir qu'un homme sans vertu
Se joue à tous propos, ainsi que d'un festu
De tant de gens d'honneur, fol gouverne les sages,
Beste ose par ses loix reigler les personnages
Excellens en doctrine, enfant commande aux vieux,
Et Cerf, mene au combat des Lyons furieux ?

898 *1603* … prince.

---

884. « Harangue en l'asemblee du peuple contre le gouvernement monarchic de l'homme mortel, les imperfections duquel sont depeintes exactement. »

Qui ne sçait que la court d'un prince mecanique
Est d'offices venaux une ouverte boutique ?
Du prodigue un berlan ? du paillard un bordeau ?
Du tyran un enfer ? Que le Royal bandeau
Ne luist jamais en lieu que, Comette funeste,
Il n'y porte soudain de tous vices la peste,
Qu'on ne trouve un seul Roy parmy cent mille Rois
Qui ne face à ses mœurs servir les sainctes loix ?
Ne triomphe impudent de la honte des femmes ?
Ne recule les bons, n'advance les infames ?
N'adore ceux par qui sont adorez ses mots,
Les traits laids de son front, ses pas, ses gestes sots ?
Et qui ne face encor couler inexorable,
Le torrent des imposts sur le plus miserable ?
Comme un corps cacochime envoye à tous momens
Aux membres plus foiblets tous ses froids coulemens.
Ceste forme d'estat est vrayment Republique
Où tout le peuple a part, où le fer tyrannique [47v°]
Sans crainte et sans respect ne s'enyvre de sang,
Où chacun obeit, et gouverne à son rang,
Où la communauté commandant souveraine,
Depart egallement le loyer et la peine,
Sans regarder les biens ou les portraits fumeux
Du pere de l'ayeul, du bisayeul fameux,
Où les doctes n'ayant leur ame ravallee
De la servile peur vont d'une route aisee
Donner jusques au ciel, et par leurs beaux escrits
De la posterité ravissent les esprits,
Où l'honneste combat de l'honneur vray ne cesse,
La vertu ne languit, l'heroïque prouesse
Ne perd ses nerfs plus forts par l'envie du Roy,
Qui ne peut d'un bon œil voir un plus grand que soy,

---

921. « Louange de l'estat Democratic, gouverne Aristocratiquement. »

Où par l'orgueil de ceux qui nais d'un sang illustre
Ne font à tous propos parade que du lustre
De leurs grands devanciers, et contens de cet heur
Mesprisent la vertu, le sçavoir, la valeur,
Où par le desespoir de ceux de basse lie,
Qui rampans tousjours bas reputent à folie
D'attenter rien de grand, veu que des grands estats
La coustume et la loy leur a fermé le pas :
Où cil qui n'apprint onc que c'est d'obeissance
Ne possede impuissant, du glaive la puissance,
Où tous au bien public ayans egalle part,
Exposent volontiers leur vie à tout hazart,
Où ceste liberté qui tout cœur noble enflame,
Naissant avecques nous nous suit dessouz la lame.
La Fere aymera mieux les pommes et le gland
D'une libre forest, que le repas sanglant
D'une cage de fer, et nous, ô rage extreme !
Que la nature a faits, et maistres de nous-mesme, [48]
Et maistres de ce Tout, *hé* ! chetifs, voudrons nous
Un joug hereditaire attirer sur nos cous ?
Pren-nous, ô dure mort, pren-nous plustost, ô parque,
Qu'Isaac soit le jouet d'un superbe monarque,
Trahisse sa franchise, et revere autre Roy,
Que du Sina venteux l'irrevocable loy.
Un autre que les ans rendoient jà venerable,
Merveilleux le sçavoir, les charges honorable :
Pren adonc la parole, et plein de magesté
Sur d'autres pilotis va fondant la cité.

955 *1603* … ce Tout. Hé ! chetifs,…

---

951. « Amour de liberté combien grand. »

957. « Contraire harangue persuadant le peuple d'establir le gouvernement monarchique et rejetter celuy sous lequel il avoit esté maintenu depuis Moyse et les anciens d'Israel jusques alors. »

Vrayment voilà (dit-il) une belle police :
Doncques nous remettrons le glaive de justice
Entre les mains d'un fol temeraire enragé,
Afin qu'il soit bien tost par soy-mesme esgorgé ?
Hé ! quel ours plus cruel ? quel Tygre plus sauvage ?
Quel Neptun plus mutin ? quel festu plus vollage
Qu'est un peuple sans mors, de passions troublé,
Insolent en bon heur, en malheur accablé ?
Que sert un haut dessein, puis qu'il faut qu'on l'es-
[talle
Aux yeux de tous venans, au milieu d'une halle ?
Le conseil esventé nuit à cil qui le prend,
Et le chef peu secret n'accomplit rien de grand.
Le populaire estat est une nef qui flotte
Sur une viste mer, sans Nort, et sans pilote,
Un conseil composé de mille esclaves Rois
Où l'on ne poise point, ains on nombre les voix :
Où propose le sage, et l'indiscret dispose,
Une foire où l'on met en vente toute chose,
Un detestable esgoust où les plus mal famez,
Impudens et brouillons, sont les plus estimez :
Un parc qui n'est peuplé que d'effroyables bestes,
Un corps, ainçois un Monstre horrible à mille testes. [48v°]
Et que ferons-nous donc ? Nous irons nous jetter
Es pattes d'un Tyran ? Non, ains pour eviter
Les deux extremitez nous ferons une trie
De ceux dont la vertu decore la patrie,
De ceux que l'heur a fait naistre d'illustre sang,
De ceux que la richesse a separé du rang
De ces bas excremens et du peuple Isacide,
Leur mettrons dans le poing la difficille bride :
Loing loing du sainct Timon pour jamais reculant
Le populaire abjet, furieux, turbulent.
Vous ostez la vertu si vous ostez l'eslite,

---

997. « Il conseille qu'on eslise un monarque ou seul gouverneur souverain. » Ou plutôt : un gouvernement aristocratique.

Fault-il pas que le sort face place au merite ?
Les balottes au droict ? Que ceux qui n'ont des yeux
Suyvent ceux de qui l'œil penetre dans les cieux ?
Mesme par les sentiers, fondrieres, precipices,
Qui se trouvent parmy les plus droictes polices.
Qui doit tenir la clef d'un coffre tout plain d'or
Que ceux qui l'ont acquis, et qui peut mieux encor
En tout temps gouverner la barque politique
Que ceux qui font naufrage avec la republique,
Qui peuvent beaucoup perdre, et contens de leur sort
Craignent le changement beaucoup plus que la mort ?
Cependant qu'il discourt sur un subject si grave
Un jeune plus bouillant, courageux, noble, brave,
Ennemy du vulgaire, et qui peut-estre encor [49]
Esperoit de porter un jour le sceptre d'or
S'avance, et dit ainsi : Tes citez sont trop franches,
Tu leur arraches bien les fueilles, non les branches.
Tu radoucis le mal, mais tu ne l'ostes pas,
Tu laisses en leur champ l'yvroye des debas,
Ligues et factions. Ces chefs sur qui se vire
Comme sur un pivot tout l'estat de l'Empire,
Semblent le plus souvent des Taureaux indomptez,
L'un tire, l'autre arreste : Ils vont de tous costez
Où le vent-furieux de leur desir les porte :
Et le plus fort en fin, le plus debile emporte,
Empiete la couronne, et change lentement
En pure Royauté ce tien gouvernement.
Bref, l'estat manié par certain nombre d'hommes,
Et le democratic ont de pareils symptomes,
L'un ny l'autre ne peut subsister longuement
A faute d'union, qui du gouvernement
Est l'humeur radicale, et la mumie unique

1020. « Condamne le gouvernement de plusieurs. »

1025. « Et le populaire aussi. »

Qui garde en son entier long temps la republique.
Mais la principauté semble le bastiment
Qu'un bon maistre a planté sur un seur fondement :
La paisible maison qui n'est point occupee
Qu'à servir un seul chef, la nef bien equippee
Où les maistres nauchers, quand l'orage est plus fort,
Ne s'entrempeschent pas pour l'amener à bord.
L'univers n'a qu'un Dieu, Phœbus au ciel commande,
Les Cailles ont leur chef, des avettes la bande [49v°]
Voue à son roitelet, service et feauté,
Et nature en tous cœurs grave la Royauté.
Au son de ses Edicts tout d'un branle chemine,
Souz elle la cité ne se choque, mutine,
La victoire, tandis qu'un chef consulte en vain
Avec son compagnon, n'eschappe de la main :
Et ceste majesté, qui comme base forte
D'un estat bien reiglé la pesanteur supporte :
Partie en plusieurs Rois tous egaux en grandeur,
Ne perd en peu de temps son auguste splendeur,
Telle qu'un fleuve grand qui charge son eschigne
D'un vaisseau, dont le faix fait ployer la marine
Aussi tost qu'on divise en cent petits ruisseaux,
Par des licts frais-cavez ses traffiqueuses eaux :
Nul pont ne le craint plus, la mer plus ne l'honore,
Il perd le doux commerce, il perd le nom encore.
Et que diray-je plus ? Un bon et sage Roy
Est du peuple l'appuy, le nerf, la vive loy :
Il est de sa cité l'ame, l'œil, la prudence,
Il est le vif pourtrait de l'eternelle essence.

1031. « Recommande le monarchique. »

1037. « Diverses comparaisons de plusieurs unitez à ce propos. »

1051. « Dissimilitudes, pour condamner le gouvernement de plusieurs. »

Tandis qu'il parle encor tous crient hautement,
Ayons, ayons un Roy, que son commandement
Nous soit un saint Edict : que chef de nos armees
Il nous face seigneurs des rampars Idumees.
Ingrats, dit Samuel, doncques vous rejettez
Le Sceptre du grand Dieu ? C'est fait donc ? vous quittez
Son party tout à plat ? vous vendez la province ?
Et trocquez l'*I*mmortel avec un mortel Prince ?
Rebelles vous l'aurez, vous l'aurez, mais sça-vous
Combien il vous sera juge equitable et doux ?
Il desatellera vos chevaux des charrues [50]
Pour servir à sa pompe, et trainer par les rues
Dans des coches, non moins adorez que dorez,
Un barbare attirail de mignons painturez,
De vos enfans plus beaux, plus gentils, et plus braves
Barbarement cruel il fera des esclaves,
Vous fouyrez la vigne, il la vendangera :
Vous semerez le champ, il le moissonnera ;
Il tondra vos brebis, et fera tyrannique
Qu'on ne blasmera plus la rigueur memphitique.
Mais Jacob nonobstant persevere insensé,
Et le grand Samuel à toute heure pressé,
Oint Saül fils de Cis, qui dement, hipocrite,
Tous ses premiers exploicts par une fin maudite.
Esprits par trop legers, brouillons ambitieux,
Qui taschez remesler la terre avec les cieux,
Qui picquez d'une humeur bigearre et frenetique,

1065 *1603* … l'immortel…

1059. « Le peuple veut un Roy. »

1063. « En est censuré par Samuel. »

1067. « Lequel predit les maux qui en aviendront. »

1079. « A l'instante requeste du peuple persistant en sa resolution Saul est oint roy sous qui le gouvernement d'Israel prend autre forme. »

Muez à tous propos de forme politique,
Qui cuidant voler hault roulez tousjours à val,
Et pour changer de lict ne changez point de mal.
Voyez, voyez comment la trois-fois haute essence
Deteste en cet endroit vostre folle inconstance.

Le populaire estat, l'auguste Royauté
Et l'Aristocratie ont pris authorité
Souz la faveur celeste, et ces trois Republiques
Florissent à l'envy, soit en faits heroiques,
Soit en arts, soit en loix : Vous donc Helvetiens,
Ragusins, Genevois, Grisons, Venitiens,
Gardez vostre franchise, et ne cassez, volages,
Vos loix, qui sainctes ont pris pied depuis tant d'ages.

Et nous qui d'autre part sommes nez souz des Rois, [50v°]
Reverons leur grandeur, dependons de leurs voix :
Ne lisons, n'oyons plus ces Autheurs mercenaires,
Ces Tribuns impudens, ces prescheurs temeraires
Qui crient en tout temps, qui japent en tout lieu
Contre les Potentats vrais lieutenans de Dieu,
Et ne preferons pas à l'estat Monarchique,
Cil de peu de seigneurs, ou le Democratique.

Il vaut mieux supporter les jeunesses d'un Roy,
Quelque tache en l'estat, quelque vice en la loy,
Que d'emplir tout de sang de vos effrois paniques,
Et pensant reformer perdre les Republiques.

On ne peut sans danger d'un massif bastiment
Remuer tant soit peu l'antique fondement :
Et le bon Medecin par regime et diette
Ayme mieux soustenir la nature flouette

1109 *Ed. ultér.* … tout le sang de cent effrois…

1091. « De trois formes de gouvernemens et les exemples d'iceux aujourd'huy avec recommandation de tous les trois. »

D'un corps qui san*s* mourir languit à tous momens,
Que le faire mourir par forts medicamens.

1115 *1603* … qui sant mourir…

IVe JOUR

Première partie

LES TROPHEES

[« Les Trophees » sont parus, suivis de « La Magnificence », en 1591 chez Jérôme Haultin. Ils étaient précédés d'une dédicace adressée par l'imprimeur au roi Jacques VI d'Ecosse.]

AU SERENISSIME ROY D'ESCOSSE

Sire,

Ceste partie des Poëmes du feu Seigneur du Bartas vous avoit esté destinée par luy mesme, tant pource que la Lepante est proprement à vous qui en estes le principal autheur, et luy seulement le traducteur : qu'aussi pource qu'en traittant l'histoire de David, il s'estoit notamment souvenu de V.M. comme les derniers vers en font foy. Et moy en les imprimant ayant recognu son intention, ay pris la hardiesse de vous presenter l'un et l'autre, puis que vous y avez desjà si bonne part. Je supplieray treshumblement V.M. de recevoir le tout avec la mesme faveur que vous avez porté à ses merites tant qu'il a vescu, et en ce faisant avoir pour agreable que j'aye pris ceste adresse pour faire voir sous la seurté de vostre nom les reliques precieuses de ce grand personnage, dont la gloire n'aura jamais autre tombeau que la memoire immortelle des plus beaux esprits du monde, entre lesquels V.M. tient les premiers et plus honorables rangs. Pour moy, ce peu d'industrie de Dieu m'a donné, je l'employeray tres-volontiers à publier ces excellentes œuvres, et les immortalizer à la posterité autant qu'il me sera possible, et ce de meilleur volonté si je cognoy que vous ayez pris plaisir en ceste espreuve, et au zele qu'a voüé à V.M.,

SIRE,

Vostre tres-humble et tres-
obeissant serviteur
H. Haultin.

SOMMAIRE

[Ce sommaire avait été oublié par Goulart, qui le remplaça en traitant longuement des « Trophees » dans son Advertissement : voir plus haut, p. 5. C'est ce texte que nous donnons ci-dessous.]

... Quant aux TROPHEES, que j'estime pouvoir estre prins pour premier livre du quatriesme jour de la seconde sepmaine, d'autant que j'ay oublié de poser au front d'iceux le Sommaire, comme és autres fragmens je le vous presente icy, pour ne laisser rien en arriere qui vous apporte contentement. Ce Poëme donc est abregé de l'histoire escrite en Samuel, depuis le seiziesme chapitre du premier livre, jusques à la fin du deuxiesme, où il est parlé de la peste qui extermina tant d'Israëlites en un jour. En ces chapitres le Sainct Esprit nous fait voir les merveilles de Dieu en l'infirmité de son serviteur David. Le Poëte represente les principaux poincts d'icelle Histoire en onze cens vers ou environ : choisissant ce qui luy a semblé plus digne d'être compris en l'œuvre par luy entrepris. Car une Davideide vaudroit bien le cours d'une Eneide, où le nombre des livres de l'Iliade et de l'Odissée ensemble, si quelque Chrestien et docte Poëte François vouloit y employer le temps et l'estude : comme un si noble et fertile sujet le merite. Mais le sieur du Bartas, qui ne vouloit ainsi s'estendre, ains visoit à se maintenir en sa bienseance accoustumée, s'est convenablement enclos en ce cercle d'un petit nombre de vers, qui comprennent une infinité de choses, sous le nom de TROPHEES ou marques des victoires de David, que nous rapportons à quatre principaux.

Le premier est celuy qu'il estoffa de la teste et des autres despouilles de Goliath. En la description de ce trophée paroissent pour circonstances la rebellion et degradation de Saul, à qui David, désigné pour successeur, s'ensuit le declin de la prosperité de ce Prince, assailly par les Philistins : l'ordre de la providence de Dieu faisant que David, jeune garçon peu auparavant oinct Roy secrettement, par le Prophete Samuel, s'achemine vers le camp d'Israel, par le commandement d'Isaï son pere, afin d'y visiter ses freres. Au poinct de l'arrivée de David, liberateur du peuple de Dieu, se presente le geant Philistin, descrit avec son equipage guerrier, lequel desfie le camp des Israelites, effrayez et inhabiles à ce duel, à quoy Saul les accourage tant qu'il peut, mais en vain. Un seul David esveillé à ce cri, et fortifié d'en-haut, descouvre un cœur totalement heroïque, dont Saul juge charnellement. Mais David asseuré d'ailleurs, et par mainte benediction precedente, persiste en sa demande, et obtient congé de combatre l'Incirconcis orgueilleux : contre lequel il marche, s'estant desfait des armes de Saul, muny d'une fonde et de cinq cailloux, pour attaquer ce furieux mastin abayant contre la gloire et le peuple de l'Eternel. En apres, sont mis en avant les propos des deux champions du tout inesgaux devant Dieu et les hommes : leurs approches, la priere, l'adresse, et l'heureuse victoire de David, renversant et coupant la teste à Goliath de son propre coutelas : dont s'ensuit la desfaite des Philistins, et la saincte reconnoissance que David fait à Dieu d'une tant insigne delivrance, figure de nostre redemption en la victoire de Jesus-Christ sur Satan.

Le deuxieme trophée suit, où le Poëte represente les succés heureux de David contre les ennemis du Royaume, et le soulagement qu'il donnoit, par le son de sa harpe, à son Roy, contre les efforts du malin esprit qui l'affligeoit. A raison dequoy est parlé des merveilleux effects de la Musique ancienne, nommément de celle de David, l'instrument duquel resonne encore divinement en ses Pseaumes, aux oreilles chastes et consciences sainctes, qui en sentent un excellent remede et allegement à toutes sortes de maux. Ce deuxiesme trophée est assailly de l'envie de Saul, d'où procedent des conseils sanguinaires, rabatus par Jonathan, et aneantis par la fuite de David, lequel (à l'exemple du Chef et des autres membres de l'Eglise) recule, pour s'avancer tant plus apres. Car, ainsi qu'en la vie presente, l'Eglise apres ses trefves se void en nouvelles espreuves, qu'une gloire assurée termine et couronne finallement : aussi David ne fuit pas comme vaincu et perdu, mais pour combatre et vaincre derechef.

C'est son troisiesme trophée, quand au desert ayant Saul en sa puissance dedans la caverne, il remporte de soy-mesme, de ses gens, et de Saul (lequel se confesse vaincu) une victoire memorable à jamais : puis embellie de ceste nouvelle et effroyable rejection de Saul demandant conseil à l'ennemy de salut par l'entremise d'une sorciere, dépeinte avec ses charmes, mots et arts detestables. Par mesme moyen sont vuidées diverses questions notables, naissantes de la consideration de ceste histoire tragique, qui a pour catastrophe la sanglante mort de Saul et de ses fils.

Le quatriesme trophée, contient briefvement les braves exploicts de David apres la mort de Saul, ce que le Poete illustre d'une belle comparaison apres laquelle il fait un sommaire des parties plus remarquables en la vie de ce Prince et en touche deux principales, qui sont ses guerres contre les Mesopotamites, Iduméens, Amalecites et autres, le lustre desquelles ternit la renommée des combats du fameux Hercule des Grecs, et du Cæsar des Latins : comme David luy mesme en fait humble reconnoissance à Dieu en ses Pseaumes, nommément au xviij. et cxliiij. figure des celestes trophées de ce grand David qui a exterminé tous les ennemis de son Eglise, et acquis à tous ses sujets paix et vie eternelle. L'autre remarque est enclose en la docte pieté de David, luisante és Pseaumes qu'il nous a laissez, dont la loüange et l'utilité ne sont oubliées.

Or comme nul ne vit sans tasche, et la perfection des esleus de Dieu, durant leur sejour au monde, est de reconnoistre leur imperfection, et la desployer devant le Tout-parfait en la grace duquel ils esperent : le Poëte entre sagement en la consideration du peché detestable de David, pollué d'adultere et de meurtre : depeignant comme au vif les beautez de Bersabée, non pour excuser David, qui se laisse surprendre au piege de mort, mais pour flestrir tant plus la soüilleure és pensées d'un prince tant obligé à Dieu sans respect duquel il se rend coulpable de forfaits horribles, dont finalement il est redargué par le fidèle Nathan, qui luy predit les miseres estranges depuis survenuës en sa maison, outre la peste causée par la curieuse arrogance du mesme Prince duquel on peut dire, par un long temps, et jusques à ce que la clemence Divine le retira de sa terrible cheute, que

Il fut tenté de maints Satans,
Et rencontra peu de Nathans.

Il en rencontra un bien à propos, mais lors qu'il y pensoit le moins : et Dieu monstra en Saul et David la verité de ceste sentence de l'Apostre : Il fait misericorde à qui il veut, et endurcit qui il veut. Car Saul allant de mal en pis perit finalement : mais David effrayé dans sa conscience, se repent de son iniquité, la deteste, s'humilie, demande pardon à Dieu, promet nouvelle obeissance, et obtient pardon : comme son Pseaume 51 en fait foy…

LES TROPHEES*, [5]

OU
PREMIERE PARTIE DU
QUATRIEME JOUR DE LA
seconde Sepmaine.

Une force heroïque, une Auguste beauté
Du courageux Saul orne la Roiauté :
Un bon heur l'authorise et la bonté divine
Foudroie par sa main la rage Philistine.
Il moissonne Amalec peuple toujours meschant :
Edom, Moab, Amon sentent son fer trenchant.
Heureux et trop heureux si son outrecuidance,
Subtile, n'eust glosé la Celeste ordonnance.
Aussi le Tout-puissant en son conseil privé,
Juste, l'a jà desja de couronne privé,
Degradé de ses dons : et fait oindre en sa place,
Bien que secrettement, la Jesseanne race,
David l'honneur d'Isaac, ainçois de l'Univers,
David l'amour du Ciel, et sujet de mes vers.
Dieu puis que je ne puis aspirer aux Tiares,
Trainer apres mon char tant de peuples barbares,

---

* Texte de 1591, La Rochelle, Haultin. Exemplaire de la Sorbonne (Rra 1049, in-12). A la suite des « Peres » (réimprimés de l'édition de 1588). Numérotation recommençant à 1.

1. « Victoire de Saul. »

6. « Sa rebellion et degradation. »

11. « Son successeur designé. »

15. « Vœux, souhaits et prieres du Poete. »

Et, comme ton David, de trophées sanglans
Honorer les rameaux de mes pouces tremblans :
Hé ! donne-moy ses vers, fay moy present, ô Sire,
Non des nerfs de son arc, ains des nerfs de sa lyre.
Baille moy, non sa lance, ains son luth doux sonneur,
Pour chanter dignement ta gloire et son honneur.
David seul peut chanter de David la louange,
Et ton los est au ciel le vray sujet d'un Ange, [6]
En terre d'un David, que d'amour enflammé,
Tu as pour te vanter, en Ange trans-formé.
Pour le laurier sanglant, donne moy le paisible,
Et s'il te plait encor, d'un rameau trois fois triple,
Pris sur un chesne vert, va, subtil enlaçant
De mon chef glorieux le chapeau verdissant :
Tesmoignage eternel que j'ay sauvé la vie
A mes concitoiens, qu'une profane envie
D'eterniser leur nom tenoit et nuit et jour
Attachez par les pieds à l'atelier d'Amour.
  Je te louë, ô mon Dieu, ô grand Dieu je te louë,
La France en m'imitant, jà devote se vouë
A l'amour vrayment saint, et ton nom seulement
Aux esprits plus gentils sert de riche argument.
Celuy que l'Eternel d'une secrette marque,
Entre les murs privez a sacré pour Monarque,
S'en va produire au jour : *u*n si grand feu ne peut

18 *1591* … mes poures…
41 *1591* … en si grand…

17-18. On accrochait les trophées (dépouilles de l'ennemi vaincu et marques de la victoire) aux branches (aux *rameaux*) des arbres.

31-34. Nouvelle allusion dépréciative à la poésie amoureuse, dont on sait la vogue au XVIe siècle.

35. « Action de graces à cause de la benediction de Dieu sur ses labeurs. »

Vivre long temps sans flame, et le Seigneur ne veut
Que le trenchant acier d'une ame plus qu'humaine,
Oisif se rouille apres le troupeau porte-laine.
Mon fils, on dit bien vray que la crainte tousjour
Soupçonneuse se tient à la suitte d'amour.
Mon David, j'ay grand peur (dit Jessé) pour tes freres,
Toute alarme m'alarme, et de nos adversaires
Tous les traits (ce me semble) ont pour unique blanc
D'Eliab, de Samma, d'Abinadab le flanc.
Va les donc visiter, et ces vivres leur porte,
Leur disant de ma part, La dextre tousjours forte
De Dieu soit vostre force, enfans, et puissiez-vous
Revenir dés demain victorieux chez nous.
David, tout gay, desloge, et rencontre occupées
Par deux camps ennemis deux roches droit coupées :
Un valon les divise, où de rage enflammé
Se presente un Geant, ains un Collosse armé :
Son crin noir, aspre, long, crasseusement se dresse
Jusqu'à ses larges flancs, sa barbe flotte, espesse,
Ses mains, ses bras, son sein, sont comme un hérisson,
Couverts au lieu de poil de maint aigu poinçon, [7]
Sa blasphemante bouche est la bouche d'un antre,
Ses yeux deux grand brasiers, un abysme son ventre,
Ses jambes deux piliers, et le voyant marcher,
On le prendroit de loin pour un tremblant clocher.
Un Cyprez de quinze ans pyramidal ondoye
Sur l'or de son armet, qui bien fourbi renvoye
Le Soleil au Soleil : tel qu'un Comete ardant,
Qui sur quelque Cité perruqué va dardant
Une clarté cruelle, et rougeastre presage
De quelque antique estat le trop proche naufrage.

45. « David s'achemine au camp pour visiter ses freres par le commandement de leur pere. »

59. « Goliath geant descrit, avec son equipage guerrier. »

Sa lance est un chevron, un grand telier, un Mas,
Que comme un tendre ozier il crespe sur son bras,
De qui le bout pointu d'un fer tranchant s'allume,
D'un fer qui rayonneux est du poids d'une enclume,
Au lieu de banderolle, un Dragon escaillé
Siffle autour de son bois de sang Hebrieu soüillé.
L'airain de sa cuirasse effroiablement claire,
N'est la charge d'un homme, ains d'un grand Droma-
[daire.
Son bouclier (où Cain massacre son aisné,
Où le grand fils de Chus veut prendre forcené
Le Ciel par escalade, où prisonniere, marche
Dans le camp Philistin du Dieu de Jacob l'Arche)
Ressemble un mentelet qui de ses doubles ais,
Talussé, va couvrans un escadron espais.
Sa menassante voix est telle qu'un orage
Qui roule, armé d'esclairs, dans un malin nuage.
Peuple fuyard, voicy le quarantiesme jour,
(Ainsi jappe ce Chien) que je rode à l'entour
De ton timide camp, qu'en duel je t'appelle,
Que seul je veux vuider nostre antique querelle :
Çà donc le plus hardi. Approche tu n'auras
Que trop d'heur et d'honneur de mourir par mon bras.
Que ne suis-je moins fort ! ma commune vaillance
Trouveroit pour braver un peu de resistance.
Mais, ô vergongne extréme ! hé ! quand cesserons nous,
Moy de vous deffier, vous d'éviter aux coups ?
Si vous n'avez assez de cœur pour vous deffendre,
Pourquoy vous armez vous ? vaut-il pas mieux se ren- [8]
[dre ?
Vaut-il pas mieux sentir ma douceur que ma main ?
Deviez-vous pour fuir, vous couvrir tous d'airain ?

81-84. Nouvelle évocation d'un bouclier « épique » (cf. plus haut, p. 166) orné d'une série d'histoires, ici toutes catastrophiques pour les Hébreux.

Ha ! puis qu'il est ainsi qu'un seul n'a pas l'audace
De porter seulement la fureur de ma face,
Venez dix, venez cent, venez tous contre moy,
Vienne encore vostre Dieu, vostre invisible Roy,
Qu'il arme les enfers, qu'il escroule les terres,
Qu'il s'equippe d'esclairs, de foudres, de tonnerres,
Çà qu'il entre en camp clos, qu'il se presente aux coups,
Je crain vostre beau Dieu moins encores que vous.
Ayant vomi ces mots, le Cyclope effroiable
Meut ses os spacieux, un tourbillon de sable
S'esleve sous ses pieds, et tousjours le trespas,
La fuite, et la terreur marchent devant ses pas.
Comme un couple agassant de Pies caqueteuses
Voyant fondre du Ciel les serres rapineuses,
D'un Tiercelet hardi, sent un glacé frisson,
Et branle-queuë fuit de buisson en buisson :
Si qu'à peine les cris, les cailloux, les houssines
Luy font quitter l'abri des poignantes espines :
L'ost fuit devant ce monstre, et les Hebrieux soudars,
Qui deçà, qui delà se tapissent espars :
Le Prince a beau tancer, beau caresser, beau batre,
Il n'en peut seulement r'alier trois ou quatre :
Quelle honte (dit-il) qu'un camp tousjours vainqueur
Ait peur d'un homme seul ! Qu'est devenu ton cœur,
O brave Jonathan, qui seul te fit combattre
Au destroit de Boses l'exercite Idolatre ?
Quel malheur a tranché les nerfs de ta vertu,
O genereux Abner ? et d'où vient qu'abatu
Toy-mesme, O grand Saul ! qui des ondes Japhées
Jusqu'au Tygre as remply la terre de trophées,
Tu n'as rien de Saul ? O, qui sera l'Hebrieu
Qui vengera l'honneur et d'Isac et de Dieu ?

---

115. « Description de la peur des Israelites. »

125. « Harangue de Saul. »

O qui donra, poussé plus de zele que d'ire,
Les ceps aux Philistins, aux fils d'Abraham l'empire,
Qui me rapportera dedans le poin sanglant
La hure de ce Loup contre le Ciel hurlant : [9]
O, quiconque tu sois, qui prodiguant ton ame,
Des ruisseaux de ton sang dois effacer ce blasme,
Croy que j'annobliray et toi et ta maison,
Que tu seras mon gendre et qu'en toute saison
Le plaisant souvenir d'un fait si memorable
Sera parmi les saints et saint et venerable.

Nul n'ose cependant pour combattre approcher,
Tous desirent le prix, mais tous le trouvent cher :
Les mignons fiers en mine, et de courage laches,
Font des lions en cour et dans le camp des vaches :
Mais ce qui souffle en eux une froide terreur,
Allume en mon David une juste fureur.

Sire voicy, dit-il, la main qui doit abatre
Le chef depite-ciel de ce monstre idolatre.

O gentil pastoureau (respond le Prince alors)
Tu as bien le cœur grand mais trop foible le corps.
Ton desir vole haut : mais il faudroit pour prendre
Un sanglier tant hagard, d'autres pannerets tendre.
Pour vaincre Goliath, il faudroit un Nembrot,
C'est l'effort d'un heros et non d'un bergerot,
Qui est de basse taille, et qui sent croistre à peine
Sur son jeune menton une folastre laine.
Tien-toy donc sur tes gonds : et n'atire leger,
Sur toy l'effort mortel d'un si certain danger,
Sur moy si grande honte, et sur tant de fidelles
L'insupportable faix des chaines eternelles.

---

139. « Sa promesse à celuy qui combatra et vaincra Goliath. »

145. « Crainte des Israelites. »

149. « Asseurance heroique de David. »

153. « Jugement charnel de Saul. »

Dieu change en fier Lyon le Cerf le plus craintif,
En Aigle le Pigeon, en vainqueur le fuitif,
Il fait qu'un Duc Hebrieu, et qu'un Sisare sente
La vainqueresse main d'une femme impuissante,
L'Immortel est ma force : en vain, donc, ô mon Roi,
Crains tu pour Israël, en vain crains-tu pour moi.
Mes promesses ne sont temerairement vaines,
J'ay de son chef tranché des arres trop certaines.
Sire, vois tu ces bras, ces bras tous tels qu'ils sont,
Ces deux bras ont trempé le Bethlemite mont
Du sang d'un fier Lion et ces deux bras encore
Roidis par la vertu du grand Dieu que j'adore, [10]
Ont peu tuer un Ours, qui le long d'un coupeau
Emportoit un Mouton, l'honneur de mon troupeau.
Dieu m'est un mesme Dieu : ceste beste sauvage,
Qui veut de son bercail faire un cruel carnage,
Blesme sent jà desja sa colere et ma main,
Jà je petri son cou prophanement hautain,
Je decous son gosier d'un coup de cimeterre,
Et jà son chef bondit deux ou trois fois sur terre.
Le Prince le regarde : O, dit-il, mon enfant,
Va-ten au nom de Dieu, et revien triomphant,
Tien, pren mon corcelet, ma salade, ma lance,
Et pour nostre salut pousse au ciel ta vaillance.
Le champion fidele estant ainsi armé,
Ressemble un Orion, qui marchant enflammé,
Entre le Po vagueux et l'Astre porte-voiles,
Et, superbe, allumant de brillantes estoilles
Sa masse, son baudrier, son morion cresté,
D'une hyvernale nuict fait un clair jour d'Esté.

---

165. « Confiance sainte de David. »

173. « Par le recit des succez precedens il se conferme en sa vocation. »

185. « Saul octroye à David le duel contre Goliath. »

Mais il n'a point encor parfait un demy stade,
Que jà le corcelet, la pique, la sallade,
Luy poisent plus qu'un mont, si bien, qu'il ne peut pas
Ni ses pieds avancer, ni manier ses bras.
C'est de mesme façon que le cheval d'Irlande,
Que l'on fait à plus courre à travers une lande
Avec les aiguillons, tout aussi tost qu'il sent
Charger son povre dos d'un harnois trop pressant
Qu'un mors serre sa bouche, et qu'encor la croupiere,
Garnie de pendans, le bride par derriere :
Devient comme perclus, trouble et s'arreste court,
Ou s'il marche en avant, c'est un mouvement lourd.
David donc se descharge, et fondant sa victoire
Sur la sainte faveur du grand Dieu donne-gloire,
Ne cerche d'autres traits, ains fait son Arcenal
Au bord d'un clair ruisseau qui roule par ce val,
Y choisit cinq cailloux, et sans autre equipage
Va joyeux attaquer ceste beste sauvage.
Quel combat est-cecy ? j'apperçoi d'une part
Cheminer un escueil, dont l'horrible regard [11]
Fait peur à son camp propre, et sous qui comme il semble,
Des rochers de Socot la forte eschine tremble :
Et je voy d'autre part un jeune, un tendre fils,
Où la grace et beauté combatent pour le prix.
Qui raseroit l'honneur dont son menton se frise,
Le prendroit aisement pour l'amie d'Anchise.
Il sembleroit Amour, moyennant qu'on ravist
L'arc d'yvoire à l'amour et la fronde à David.
L'or luit dessus son chef, le pourpre sur sa jouë,

---

195. « David est incommodé des armes de Saul. »

207. « Il s'en descharge, et choisit des cailloux. »

213. « Amplification de la foiblesse de David selon l'apparence exterieure par comparaison de son adversaire et de luy. »

La grace en tous ses faits, l'envie mesme louë
Ses exquises beautez, et bien qu'un zele ardant
Aille sur son clair teint ses flammes respandant :
Qu'il fume de courroux, que prompt il se debate,
Et que son cœur grossi dedans son sein ba-bate,
Sa tempeste est bonasse, et de ses chastes yeux
Le fouldre plus cruel est encor gracieux.
Bout-d'homme, hé ! suis-je Chien, qu'il me faille [poursuivre
Les pierres en la main, es-tu jà las de vivre ?
Ha garçon ! qui jamais ne vis que des moutons :
O povre ! ô jeune sot ! icy nous ne luittons
Comme entre vous pasteurs pour gagner une cage,
Une houlette peinte, un agneau, un fromage,
Je n'ay pour un pipeau ce combat entrepris,
La teste du vaincu est du vainqueur le prix.
Où est ceste poussiere, où sont ces cicatrices ?
Où est ce hale encor, tesmoin des exercices
Qui te font si hardy ? Ha petit Damereau,
Tu n'estoileras plus ton front blondement beau
Des rayons de tes yeux, et plus ta Dame encore
Ne frisera l'honneur dont ta teste se dore,
Cest or sera foulé : et ces yeux doux-rians
Des oiseaux charongniers seront les mets frians.
Mais non je ne veux point, ô pucelle affetee,
Soüiller dedans ton sang ma dextre redoutée :
Cerche quelque autre main trouve une autre Atropos,
Et ne fonde, insolent sur ma honte ton los.
Quand tu serois un Dieu, encore ô tendre page !
Ne voudroi-je combatre avec tant d'avantage. [12]
Aproche seulement (s'écrie alors l'Hebrieu)

231. « Premiers propos de Goliath à David. »

235-237. Allusion aux concours entre bergers dans la tradition bucolique.

253. « Sa reponse. »

O mastin effronté qui jappes contre Dieu :
L'avantage est pour moi : vilain, j'ai pour escorte
Du Dieu tousjours vainqueur la main justement forte.
L'Ethnique est tout en feu, jà de ses bigles yeux,
Yvres d'ire et de sang les esclairs furieux
Sortent par la visiere, il escume de rage,
Une Erynnis cruelle en son ame ravage,
Il marche forcené d'un effroyable pas,
Son port porte la mort, sa face le trespas :
Il desire outrager le Monarque du Pole
Par blasphemes nouveaux, mais il n'a pour parole
Qu'un grincement de dents, puis comme un Beuf caché
Dans les flancs caverneux d'un mont un peu breché,
Par les pierreux replis, par les obscures sentes,
Entonne horriblement ses plaintes mugissantes.
Le tyran fait de mesme, et d'un son bourdonnant
Dans le creux de son casque, il va ces mots tonnant :
Ton Dieu regne en son Arche, et moy dessus la terre,
C'est à luy que je fai directement la guerre,
Non à toy Nain abject. Ce blaspheme ô meschant,
Sera de ton gosier le Coutelas trenchant,
(Respond l'humble David) et par ta cheute horrible,
Ton ost tiendra mon Dieu un Dieu grand, Dieu ter-
[rible,
Dieu qui ses champions couronne de bon heur,
Dieu qui ne peut souffrir qu'on touche à son honneur.
Vi tu jamais comment un galion attaque
Dessus les calmes flots une horrible carrague ?
L'une va lentement et l'autre tourne accort
A prouë, à poupe, à sponde, à babord, à stribord,

---

257. « Fureur despiteuse du geant. »

271. « Son blaspheme. »

273. « Desfi genereux de David. »

279. « Approches des deux combatans. »

L'une se fie au vent, l'autre à la rame nage,
L'une fait plus de peur, l'autre plus de dommage.
Tu comprends ce duel ? Le Philistin pesant,
Pié ferme, du long bois bransle le fer luisant :
David rode à l'entour se recule, s'avance,
S'abaisse, s'agrandit, se desrobe, s'eslance,
Or' à dextre, or' à gauche, et fierement actif,
Est en toute posture à son coup attentif. [13]
  Comme quand deux vieux coqs sur leurs ergots se
    [dressent,
Herissans leur beau crin rouges d'ire se blessent
D'esperon et de bec, et ne marchans qu'à sauts,
Affilent leurs courroux par cent nouveaux assauts :
Les lords qui font pour eux une gageure grande,
Contemplent partisans que l'un ou l'autre estende
Son ennemi par terre, et qu'orgueilleux foulant
Sa croupiere au poil d'or d'un orteil tout sanglant,
De l'aigu son du bec, du batement de l'aile,
Il chante triomphant sa victoire nouvelle.
Ainsi le peuple saint et le peuple estranger,
Exempts non de la peur, ains du prochain danger
Voyent passionnez les champions qui portent
Leur fortune en leur poing, de geste ils les exhortent,
Les animent de voix, et de vains spectateurs,
Se font ou peu s'en faut des ardans combateurs.
Tous se sentent d'espoir et de crainte combatre,
Tous ont les yeux bandez sur ce triste theatre,
Tous dépendent d'eux deux, comme vrais artisans
D*u* bon heur ou malheur de tous leurs partisans.
  O Seigneur ! (dit David en tournoiant sa fronde)

310 *1591* De bon heur…

291. « Comparaison. »

311. « Priere, addresse et victoire heureuse de David. »

Sois et l'arc et l'archer de ceste fléche ronde,
Le chanvre jette-mort se desbande en flisquant,
Soudain d'un coup mortel le caillou va marquant
Le Philistin au front, et s'encharne en la sorte
Qu'un plomb de pistolet s'enfonce en une porte.
Il en a le meschant (crie tout l'ost Hebrieu)
Ha le vilain ! l'Athée, il sent la main de Dieu.
L'Abramide guerrier voyant le coup ne bouge,
La playe pisse loin du tyran l'ame rouge,
Ainsi qu'à longs filets le prisonnier ruisseau
Rejaillit en sifflant par le fendu tuyau
D'une source loin prise, et de ses liqueurs douces,
Argentelé, bat l'air à petites secousses.
L'idolatre p*o*sant sa main dessus le front,
Cela, dit-il, n'est rien, mais la terre se fond
Desja dessous ses pieds, sa face devient pasle,
Et toute la vigueur de ses membres s'exhale : [14]
Son col trois fois se dresse, il se plie trois fois,
L'effroy d'Isaac, en fin, tombe de tout son pois,
Couvre un journal de terre, et tombant il ressemble
Une superbe tour que cent maçons ensemble
Sappent rez-pié, rez-terre, et par dehors roulant,
Tonnerreuse fait bresche au vainqueur insolent :
Lors se font deux grands cris, l'un gay, l'autre funeste,
Le tyran s'esvertue, il r'assemble le reste
De son ame fuyante, et pour se retrouver
Encor un coup aux coups tache à se relever.
Tout tel qu'il a vescu, il est en la mort blesme,
Il menace en mourant, il maugrée, il blaspheme,
Et comme le mastin qui ne se peut venger,

325 *1591* … pesant sa main…

---

325. « Orgueil de Goliath renversé. »

336. « Sa contenance furieuse. »

Va contre un dur caillou sa rage descharger :
Goliath mord la terre, et de ses dents deschire
Ses deux mains, comme estans traistresses à son ire
Le saint guerrier approche, et de son propre fer
Sa teste envoye en terre, et son ame en enfer.
L'ost Philistin s'espand, et les Payens gendarmes,
Ont les armes pour charge, et la fuite pour armes,
Le danger aux talons, la honte sur le front,
Et, sans estre attaquez, eux mesmes se desfont.
O Dieu, qui, tout puissant presides à la guerre,
Que ton los (dit David) couvre toute la terre,
Qu'Isac, par toy vainqueur, te chante incessamment,
Et que tu sois tousjours de mes vers l'argument,
O spectacle inouï ! ô merveilleux Theatre !
Ce monstre est abatu mesme avant que combatre :
L'enfant garde-brebis vainc un chef renommé,
Le Nain foible un Geant, le desarmé, l'armé,
Ce coup n'est deslasché d'une fronde debile,
C'est l'effort tempesteux d'un belier raze-ville,
D'un frondier incertain ce coup juste n'est pas,
Ains d'un arbalestrier qui tire de cinq pas.
Non ce n'est pas ma main, la main lance-tonnerre,
Qui d'un caillou renverse Abimelech par terre,
A fait ce brave exploit. Aussi sans fin je veux, [15]
Saint chantre, tesmoigner sa force à nos neveux.
Le Roy d'Isac l'embrasse, et donne favorable,
A sa claire vertu mainte charge honorable,
Pres et loin il l'employe, et pres et loin aussi
Il descharge son cœur de tout chagrin souci.

---

346. « Sa mort. »

347. « La desfaite des Philistins. »

351. « Reconnoissance sainte de David. »

367. « Son credit pres de Saul, auquel il sert en public, en particulier, le son de sa harpe. »

En campagne sa main rabat l'orgueil Ethnique,
Il guerit à la cour l'humeur melancolique
Qui secouë son ame, et par ses d*o*ux accords
Chasse l'esprit malin qui bourrele son corps.
L'ame avec son estuy n'a pas peu de commerce,
Pour l'organe du corps son office elle exerce,
Elle danse à son branle, et le corps se ressent
Et des biens et des maux que douillette elle sent ;
L'oreille huis du sçavoir par doux fredons flatée,
Les envoye aussi tost à l'ame tempestée
Par des noires fureurs : tranquille nos esprits,
Et froide esteint les feux dont nous sommes espris.
  Ainsi changeant de ton, tu changes, ô Tirtée,
En victoire ta route. Ainsi ton Timothée,
O fameux Pellean, tient de ton cœur le frein,
Arme quand il luy plaist et desarme ta main,
Mai*n* terreur de l'Asie, et d'un accent Phrygique
Te fait un Tigre fier, un agneau du Dorique.
Ainsi tant qu'en Argos d'un ton gravement saint,
Le chaste violon à toute heure se plain
Pour son Monarque absent, Clitemnestre resiste
Aux enchanteurs discours de l'adultere Egiste.
Ainsi au ton devot de l'airain doux-tremblant,
Le Prophete sacré l'ame à son ame emblant,
Peu à peu se decrasse et dans sa fantaisie
Profondement empreint le seau de Prophetie.
Si nostre esprit est nombre (ainsi qu'on a chanté)
Il doit este souvent du nombre alimenté,
Ou s'il est fait par nombre (et de vray je l'estime)

373 *1591* … ses deux accords
387 *1591* [*sans correction ultérieure*] Maint terreur…

---

383. « Exemples des effets de la musique ancienne. »

393. « Efficace de la musique. »

Il le faut r'amener par une douce rime
A quelque bon accord, tout ainsi que la voix
Qui chantant un trio s'esgare quelques fois,
Est ramenée au son par la voix mesurée,
Qui coule selon l'art d'une bouche asseurée. [16]
Et peut estre qu'aussi de David les saints mots
Doucement animez de passages devots,
Exorcistes, chassoient l'ennemi de nature,
Qui traistrement cruel, l'ame du Roy torture.
Il est quoy qu'il en soit utile serviteur,
Mais sa fidelité, ses exploits, son grand cœur
Sont suspects au tyran : et la torche divine
De ses rares vertus le guide à sa ruine,
Si Dieu du Pole avant ne luy tend ces deux bras,
Et ne change benin en palmes ses trespas.
Je creve (dit le Roy) quand aux champs, à la ville,
On chante que Saul en a fait mourir mille,
Et dix mille David. O lache ! O faineant !
Il brigue la faveur de ton peuple ondoiant.
Cent Prophetes menteurs à sa poste il attiltre,
David est Roi de fait, toi seulement de tiltre :
Tu le souffres pourtant : haste-toy, povre sot,
Estouffe ses desseins dans le tendre maillot,
Et tranche courageux la teste à ce superbe,
Qui dans le pré d'Isac sous tes pieds coupe l'herbe.
Mais non garde d'en bien. Tu pourrois encourir
La haine de Jacob en le faisant mourir :
Mais puis qu'il n'est content d'une commune gloire,
Qu'il tasche amonceler victoire sur victoire,
Danger dessus danger, hazardons le souvent,
Qu'il commande en nos camps, qu'il se paisse de vent,

---

405. « Nommément de celle de David. »

415. « Il est envié de Saul. »

423. « Lequel conspire sa mort. »

Et faisons que bien tost ce designé Monarque
Y trouve, ambitieux, pour le bandeau la parque.
Quand Sangar, quand Samson en lui seroient fondus,
Il n'eschapperoit pas les rets par moy tendus,

Mon David fait encor plus qu'il ne lui commande,
Sa gloire en Israël flambe tousjours plus grande,
Et se sentant armé de l'esprit Tout-puissant,
Pour un danger offert il en recherche cent.
Où recourra Saul ? ne se pouvant desfaire
D'un si grand ennemi par le fer adversaire,
Il employe le sien : et tantost de son dard,
Il veut durant son jeu l'outrer de part en part, [17]
Et, selon, sanglanter d'une façon traistresse
Ores le lict nopcier, ore la table hostesse :
Il ne forge autre chose, et desloyal ne vit
Que pour tramer la mort de l'innocent David.
Il l'eust fait sans son fils, qui d'œil et qui d'oreille,
Tousjours pour le salut du fils de Jessé veille,
Sans le grand Jonathan, qui seul a malmené
Un camp victorieux pres des rocs de Sené.
Une nuë de traits contre luy se descharge,
Pour si grande forest son escu n'est prou large,
Son acier devient mousse à force de tuer,
Jà despourveu de glaive, il commence à ruer
Les corps morts aux vivans, et les salades plaines
Sont ses dards, sont ses traits, sont ses bales soudaines :
L'ost Payen devant luy ne trouve où s'arrester,
N'aguere il est sans nombre, ore on le peut conter.

David doncques fuyant la fureur de son Prince,
D'un bout à l'autre fuit l'Isacide Province,

---

441. « Il s'efforce de le tuer. »

447. « Jonathan s'y oppose dextrement. »

455. *Salades plaines* de la tête de leurs possesseurs !

459. « Les fuites de David. »

Se retire ore à Nobe, ores en Odollan,
Or' au desert de Zif, en Maon, en Cillan :
Pour toit il a du ciel les arches estoilées,
Et son repas dépend des forests esbranlées.
Le Tyran se voyant de sa queste fraudé,
S'en prend aux innocens, si quelqu'un a bandé
Ses yeux pour ne le voir : Si quelqu'un sans qu'il sça-
[che,
Quel est leurs differens, le fils de Jessé cache,
Il est soudain meurtry. Le Prestre souverain
N'eschappe, malheureux, sa parricide main,
Et quelquefois encor l'enfantelet, la femme,
Le Bœuf, le Chien, le Chat passe au fil de sa lame.
David, tout au contraire, est haineux capital
Des ennemis du Roi, rend le bien pour le mal.
Et bien qu'estant plus fort quelquesfois il rencontre
Le saint, l'Oint du Seigneur, vrai sujet il se monstre,
Le respecte, l'honore, et de toute rancueur,
Oublieux du passé, il despouille son cœur.
Un jour Saul s'escarte, et pressé de son ventre,
Dans les pl*is* chambrillez d'un mont caverneux entre, [18]
Mont où David se cache, et descouvre non veu,
Son antique ennemi d'escorte despourveu :
Il est soudain surpris de crainte et de merveille,
Et sa troupe lui tient tel propos à l'oreille :
Celuy qui te cerchoit est cheu dedans tes laqs,
Tu le tien le meschant, hé ! ne le vois-tu pas ?
Arrache donc du pied ceste espine importune :
Par la mort du tyran establi ta fortune :
Pren au mot le bon heur : qui ne veut quand il peut,

480 *1591* Dans les plus…

---

465. « Fureur de Saul, contre ceux qui favorisent le fugitif. »

479. « Victoire notable de David sur soy-mesme. »

A peine, ô mon Seigneur, peut-il lors qu'il le veut.
Hà ! tu fais du retif, quelle bestise extreme,
De trahir, pour Saul, et ta troupe et toi mesme.
Il part pour le tuer, puis il s'arreste court,
Et de ceste façon en soi mesme discourt,
  De vray c'est un tyran, mais il porte la marque
De prince legitime, et l'eternel Monarque
Ne veut que le vassal trampe jamais sa main,
Quel pretexte qu'il ait, au sang du souverain :
Il me poursuit à tort, mais l'Eternel ordonne
Que je pare ses coups, mais non point que j'en donne.
Je suis bien oinct pour Roi, mais non publiquement,
Je patiente, ô Dieu, apres ton jugement :
Il te souvient des tiens, et quoy qu'il tarde jettes
Sur les cruels tyrans tes flammeuses sagettes.
  Cela dit, il approche, et couppe finement
Par derriere un lopin du Royal vestement.
Le Roy sort, David sort, et du haut d'une roche
Luy crie agenouillé, *O* mon grand Prince, approche
Ne crain point ton David, je sçay que tes flateurs
T'aigrissent contre moi par leurs discours menteurs :
Que de ces fins aspics la pointe envenimée
Blesse mortellement ma blanche renommée :
Que comme convaincu de leze Majesté,
Je suis hay de tous, par ta Cour detesté.
Mais de ton serviteur les vertus signalées
Reboucheront bientôt leurs langues affilées :
Et de mes beaux exploicts les rayons bien espars,
Brillans, dissiperont ces envieux brouillars. [19]
Hé ! veux-tu mon seigneur un plus clair tesmoignage,

508 *1591* ,... ô mon grand Prince...

---

495. « Sur ses gens. »

505. « Sur Saul. »

De ma fidelité, que l'honneur de ce gage ?
Mon Roi, pouvois-je pas coupper si promptement
De ton Ame le fil, que ton accoustrement ?
Las ! plustost en ma main coule de veine en veine
Le venin porte-mort d'une ardante gangrene,
Qu'elle touche à mon Christ, et que j'aille cassant
L'image sacré-saint du trois-fois Tout puissant.
Ton ire, nonobstant, sans fin me persecute,
Vrai chamois je bondi tousjours de bute en bute,
Mes gendarmes et moi semblons des Loups garous :
Suis-je, ô grand Roy d'Isac, digne de ton courroux ?
J'ay tort, mon fils David, Dieu le bon Dieu te rende
Au double ce bien fait ; une vertu si grande
Merite un grand loyer. Ah ! je voy desja ceint
Ton chef de mon bandeau : ô chef Auguste et Saint
Souvien-toy de mon sang, et colere, n'efface
De la maison d'Isaac et mon nom et ma race.
Ainsi parle le Prince, il pleure amerement,
Un pasle desespoir le geine incessamment,
Son esprit, presageur d'une gauche fortune,
Toute sorte d'oracle imbecille, importune,
Craintif veut visiter les fuseaux de Clothon,
Et, du ciel esconduit consulte Phlegeton.
En ce siecle vivoit dans Endor une femme,
Docte en charmes puissans (de tout temps on diffame
Ce sexe de magie, ou soit que son cerveau
Mol reçoive aisément l'empreinte de tout seau :
Ou soit que, le voyant nu de force et de gloire,
Il la vueille acquerir par la science noire.)
Ceste escume de Stix, des fureurs la fureur,

---

531. « Saul se confesse vaincu. »

537. « Misere de Saul, demandant conseil au diable par l'entremise d'une sorciere. »

549. « Description d'icelle. »

Des poisons la boutique, et d'enfer la terreur,
Ceste triste Erynnis, de Chamos les delices,
L'amour de Belzebub, n'a pour tous exercices
Que le meurtre secret, pour vœux les maudissons,
Pour bruvage friand le sang des enfançons,
Et pour rep*as* encor, des charongnes nouvelles
Le foye, les boyaux, le cerveau, les mouëlles. [20]
Es nopces elle allume un brandon de discord,
Execrable, elle hait amour plus que la mort :
Ou s'elle a soin d'Amour, c'est pour pousser funeste
Un severe Caton à quelque amour inceste :
Elle est et nuit et jour hostesse des tombeaux,
Elle esteint comme on croit les celestes flambeaux,
Devise avec les morts, et superbe commande
D'un clin d'œil seulement à l'Avernale bande.
    O gloire de Jacob qui Roine fais la loi
(Tels sont les mots flateurs de l'infidele Roi)
A tous les elemens, qui fais vomir aux bieres
Leurs charongneux butin, qui clouës les rivieres
Sur la pante d'un mont : et fais que sautelant
Le plus ferme rocher va tout en eau coulant,
Hastes le flus salé, et deffens la chaussée
Des assaux de la mer par les astres poussée :
Changes le jour en nuit, tiens sous ta clef les vents,
Rends fixe le Soleil, et les poles mouvans :
Violentes Phoebé qui par ton chant frappée
Demeure pour un temps paslement sincopée :
O tout sçavant esprit ! fay remonter icy
Le prudent Samuel, par ta bouche esclairci
Mon esprit soupçonneux, et permets que je sçache
Le bonheur ou mal-heur que le destin me cache.

555 1591 … repos…

---

565. « Requeste de Saul à la sorciere. »

Requise deux, trois fois, elle qui paravant
Ressembloit un des morts r'amenez par le vent
De son puant gosier, l'horrible d'avantage,
Et semble un vray Satan, lors que plus il enrage.
Autour d'elle se fait une plus noire nuit,
Elle jappe, elle brait, elle hurle, elle bruit,
Et du barbotement de ses vers execrables,
Plains de mots inouïs, barbares, effroiables,
De son chant geine-enfer, croule-mont, force-flots,
Entendre à peine on peut ses detestables mots.
O mort, chaos, silence, eternelles tenebres,
Palleurs, horreurs, terreurs, Divinitez funebres,
Demons hastez-vous donc : si ce puant flambeau
Est du suif d'un mien fils, si sur la tendre peau [21]
Des enfans arrachez des ventres de leurs meres,
Detestable, j'escri ces broüillez characteres,
Si ce noir asperges de poil vierge houppé,
A vostre autel du sang d'un mien parent trempé :
Si mon haleine sent aux entrailles humaines,
Belpheges hastez-vous, puissances sousterraines :
Si j'invoque vos noms d'un gosier prou meschant,
Escoutez, ô fureurs, mon execrable chant,
Mes blasphemes oyez, et guerdonnant mes crimes,
Poussez un Samuel hors de vos creux abismes :
J'ay pour me revancher un vers assez puissant,
Pour un homme (ô Demons) je vous en rendray cent.
Ombre, que tardes-tu ? des astres les coursiers
Craignent bien l'esperon de mes carmes sorciers :
J'oreille les forests, et les plantes plus dures
Prophetisent au son de mes tristes murmures,

---

581. « Contenances de la sorciere. »

591. « Ses detestables mots. »

607. « Evocation de l'ombre de Samuel, sous la semblance duquel Satan apparoit à Saul. »

Et tout-puissant encor, d'un vers imperieux
Je fay malgré Juppin tonner dedans les cieux :
Et tu ne veux monter ? ô quel grand personnage
Se presente à mes yeux [?] Hà ! je le voi, son aage,
Son habit sacré-saint, sa douce gravité
Bluette aux environs quelque divinité.
Il ouvre jà la bouche, et pour t'oster de peine,
Serviable, n'attend d'autres boutons de geine.
Saul humble l'adore, et meschamment devot,
Du prophete aposté ne perd le moindre mot.
    Roy d'Isaac, que fais-tu ? la trouppe charmeresse
N'agueres ne craignoit que ta main vengeresse,
Ore elle est ton trepié. Chetif, pense tu pas
Qu'on ne peut emploier les tyrans de là bas
Qu'avec pactes certains, qu'avec contre-services,
Par hommages, parfums, prieres, sacrifices,
Que cest art nuist à tous, sur tous à son autheur,
Et que l'Athée encor, le Payen, l'enchanteur
S'entresuivent de pres, l'un en un rien Dieu change
L'autre Satan en Dieu, l'autre Satan en Ange.
Tu ne veux, quand Dieu veut, ses discours escouter,
Et quand Dieu le defend tu le veux consulter : [22]
Vivant tu ne t'en sers : mort le mets en besongne,
Prophete, tu l*e* hays, et l'adores charongne :
    Mais, non, ce n'est pas lui, de Satan le ressort
Ne s'estend sur un saint, il ne craint point l'effort
D'un vers qu'en blasphemant une vieille barbote,

614 *1591* … à mes yeux. Hà !…
634 *1591* …, tu les hays,

---

621. « Detestation de la Necromance. »

631. « Impieté de Saul. »

635. « Ce ne fut ni ne peut estre Samuel, ains Satan qui apparut et parla à Saul. »

Contre tous ces venins sa foy sert d'antidote.
Son corps et son esprit n'y sont ensemblement,
Le mariage attend le jour du jugement
L'Esprit seul n'apparoist, car il est invisible,
Sa seule chair non plus, car elle est corruptible.
Puis, si c'est son vray corps, *hé* ! n'as-tu point des yeux
Pour le voir aussi bien que ce monstre odieux,
Que ce diable encharné, sous qui tremble, vassale,
La rebelle fierté de la cour infernale :
Lucifer n'est-il point ouvrier assez subtil
Pour façonner un corps qui lui serve d'outil ?
Et comme la rigueur d'une longue froidure
Gele le flot courant en une laine dure,
Peut-il pas espaissir les parties de l'air
Y meslant des vapeurs ? peut-il pas les coler,
Les peindre tout ainsi que d'un teint tout bizarre,
Par les rais du Soleil l'Arc en Ciel se bigarre ?
Corps, qu'on voit fait desja, mais non comme il se fait,
Corps parfait d'apparence et d'essence imparfait,
Corps sans cœur, sans poumon : car le Demon s'y cache,
Non pour luy donner vie, ains afin qu'il delasche
A l'abri de ce fort cent engins dangereux,
Pour battre le rempart des cœurs plus genereux :
Que sous le sucre doux des remontrances saintes
Il nous donne un bouçon, et que ses levres feintes,
Proposant cruëment de Dieu les jugemens,
De nostre espoir plus seur sappent les fondemens.
Mais oyons ce qu'il dit : Saul, hé ! quelle rage
Te pousse à renouer le filet de mon aage !

643 *1591* … corps. Hé !

647. « Apparitions du diable ». Sur Satan illusionniste, voir *Seconde Semaine*, « L'Imposture », v. 141 sq.

665. « Propos de Satan à Saul. »

Troubler mon cher repos , et par charmes non vains
M'entortiller encor és affaires humains ?
Cerche tu l'advenir ? ô prince miserable,
Tu n'en sçauras que trop : Jà la mort effroyable [23]
Te tiens par le collet et ta race demain
Sentira des Payens la massacreuse main.
Le grand, le sainct David sera mis en ta place,
Dieu l'a dit, Dieu le veut, il faut qu'ainsi se face.
Le Demon ne ment point, non qu'il ait feuilleté
Les chartes du destin fils de l'Eternité :
Ains pour avoir souvent releu nos adventures
Dans le livre secret des claires conjectures
D'un loin-voyant Esprit, il rencontre souvent,
Ainsi ou peu s'en faut qu'un medecin sçavant,
Venu le jour du Crise, audacieux presage
Si nature ou le mal gagnera l'avantage :
Et comme l'Astrologue asseure quelquefois,
Par un eclipse instruit[,] le trespas de nos Rois,
On trouve, ingenieux, dans les brasiers funestes
Des feux plus signalez, des faims, guerres et pestes.
Bref comme il a predit Israel vient aux mains,
Le brave Jonathan suivi des deux germains,
S'endort d'un ferré somme, et ce Roy miserable,
Pour ne servir captif aux Philistins de fable,
Soy-mesmes il se tuë, et pour sembler vainqueur
Du vainqueur et de soy monstre avoir peu de cœur.
Ce n'est quoi que l'on die, une masle asseurance,
De se donner la mort, c'est faute de constance :
C'est tourner court le dos à l'abord des malheurs,

---

675. « Predictions du diable. »

685-686. *Les brasiers ... des feux...* : l'éclat… des astres…

686. « Effet de ceste prediction particuliere.»

693. « Contre ceux qui se tuent eux mesmes. »

C'est rendre laschement nos armes aux douleurs.
O cruauté barbare ! ô phrenaisie extréme !
Blesser Dieu, le public, le Magistrat, soy-mesme,
D'un mesme coup d'estoc, l'un en demolissant
L'ouvrage ingenieux de son doigt tout puissant :
L'autre en luy desrobant le bien de son service,
Le tiers en usurpant son sacré-saint office :
Et toy-mesmes encor en faisant par deux morts
Un volontaire fait et de l'ame et du corps.

Isboset son cher fils tient pour un temps sa place,
Et David seulement commande sur la race
Du bien-heureux Juda : mais, sage en peu de temps
Il rejoint de la nef d'Isaac les aiz flottans :
Et regne tellement sur la montagne sainte, [24]
Qu'il est l'amour d'Isaac, et des Payens la crainte.
As-tu jamais pié-ferme entrepris de conter
Les flots s'entresuivans, qu'Aquilon fait monter
Dessus le bord Breton ? l'un devant l'autre passe,
La mer dessus la mer vagueusement s'entasse,
S'entasse sur soy mesme, et sa face couvrant,
Escumeuse, confond le nombre et le nombrant.

Tout ainsi, quand je veux mettre en ligne de conte
Les vertus de David le nombre me surmonte,
Ceste mer m'engloutit : et me trouvant enclos
Dans la vaste forest qui verdit de son los,
Je ne sçay quel noyer, quel haut sapin, quel chesne,
Mais plustost quel Bresil, quel Cedre, quel Ebene,
Ma Muse doit choisir, pour d'un poulce sonneur,
Amphion, en bastir un temple à son honneur.

---

705. « Trophees de David apres la mort de Saul. »

708. Il rassemble les planches éparses du navire, autrement dit les tribus dispersées du peuple d'Israël (II Samuel, 5, 1).

711. « Belle comparaison à ce propos. »

Quelque autre chantera sa constance exercée
Par tant de longs exils, sa vie compassée
Sur le patron des saints, son humaine bonté
Connuë par Nabal et Semei l'effronté :
Le pourfil de sa face enchanteusement belle,
De ses yeux foudroyans la lumiere jumelle :
Publira sa justice, et comme le trenchant
De son glaive tousjours trenche pour le meschant :
Qu'il n'a loy que la loy du grand Dieu de Solime,
Qui ne regarde point la personne, ains le crime,
Que faisant à son ire un magnanime effort,
Il meurtrit les meurtriers des brasseurs de sa mort :
Poussera jusqu'au ciel les bouillons de son zele,
Dira qu'il a choisi une loge eternelle
A l'arche vagabonde, et que des prestres saints
Les oracles tousjours ont reiglé ses desseins.
Je porte seulement sur l'aile de mes carmes,
Parmi le Ciel François ses chansons et ses armes,
Voilà le blanc sacré de mon hautain projet.
Encor ne puis-je point qu'effleurer ce sujet :
De tant et tant de fils, mon agreable peine
Doit ourdir, doit tramer, le fil de ma Sepmaine. [25]
  De l'Amphitrionide, honneur des hommes forts,
On celebre à bon droit les trois-fois quatre efforts :
Mais qu'est-ce tout cela, qu'un massacre de bestes,
Que duels sur duels, qu'inutiles conquestes ?
Où nul camp n'est rompu, où l'effort vehement
De la main peut beaucoup, et peu l'entendement.
Les Ours, Lions, Geans vaincus en estacade,

---

725. « Sommaire des parties plus excellentes remarquables en la vie de David. »

741. « Ses Pseaumes et exploits guerriers. »

747. « Hercule n'est rien à comparaison de David. »

753. « Exploits guerriers de David, descrits en son histoire au 2. li. de Samuel. »

Sont les essais du nostre. Aram tire malade
A la mort sous ses coups, l'Idumée vertu
Fait joug à sa valeur. Amalec abatu
Frissonne oyant son nom. *Il* fausche l'Ammonite,
Extermine Sob*a*, racle le Moabite,
Le Jebusée efface, et presque chasque mois,
Victorieux combat l'orgueil Palestinois :
Si qu'à peine d'Hercul les masses acharnées
Ont donné tant de coups que David de journées.
Au grand dompteur du Pont, chef brave, chef expert,
L'Estranger Mars profite, et le Civil le perd :
Mais tout rit à David, et sa main fortunée,
N'a pas moins triomphé de la rage obstinée
De Saul, d'Isboset, d'Absalom le mutin,
Que du fort Aramée, et du fier Palestin.
La fortune tousjours n'aleine point en pouppe
Au valeureux Cesar, elle esclarcit sa trouppe,
Deffait ses Lieutenants, et luy fait à la fin,
Porter couvert de coups la rigueur du destin,
Mais David sent tousjours du Ciel doux l'assistance,
Soit qu'il meine l'armée, ou soit qu'en son absence
Son Joab la commande, et l'heur fermant son œil,
L'accompagne constant jusqu'au flairant cercueil.
La victoire chez luy a sa tente plantée,
De genereux espoirs son enfance alaittée,
De trophées pompeux nourri ses ans guerriers,
Fait grisonner son chef à l'ombre des lauriers.
Les monts baissent leur dos pour luy donner passage,

757 *1591* … nom, il fausche…
758 *1591* … Sobner…

---

754. *Les essais du nostre* : des coups d'essai par rapport à notre héros.

777. « Victoires perpetuelles de ce grand Roy par luy celebrees és Pse. 18 et 144. »

L'Euphrate contre luy ne defend son rivage,
Le grand Jourdain n'est point pour luy qu'un petit sault,
Les murs diamantins sont forcez sans assault : [26]
De son nom redoubté le seul mortier emporte,
Tonnerreusement fort, barreaux, verroux et porte :
Des vaux profonds de Gad il fait un rouge estang,
Les feux des Philistins il esteint de leur sang,
Et poursuivant en Gob une si juste guerre,
Sur les cruels Geans deslache son tonnerre.
O forts (dira quelqu'un, en remuant leurs os
D'un coutre fend-seillon) ô forts ! ô grands Heros !
Mais plus fort, mais plus grand celuy duquel l'orage
Vous a faits le fumier de ce gras labourage,
Ses haineux sont plustost deffaits que menacez :
Dieu n'enfile ses heurs, il les roule entassez
Sur le chef de David qui bon sujet desire
D'estendre avec le sien de l'Immortel l'empire,
Qui sans invoquer Dieu ne met jamais aux champs
Ses estandars bouffis : qui de celestes chants
Ses triomphes honore, et d'un sacré-saint pouce
Le los du Souverain jusqu'aux clairs astres pousse.
A peine fut-il nay que d'un tendre cerceau,
Le Rossignol s'alla nicher dans son berceau :
Que l'Abeille forma dans la bouche sacrée,
Le rayon chambrillé de sa Manne sucrée :
Que la Muse du Ciel soubs son toict descendant,
Comme on void en Esté couler un astre ardant,
Frisser par l'air serain, s'empenner d'estincelles,
Et fondre d'un long trait sur les moissons nouvelles :
Soigneuse le reçoit de ses doigts yvoirins,
Souffle avec cent baisers moitement nectarins

784 *1591* … sont forces sans…

800. « La faveur de Dieu sur David choisi pour celebrer en ses Pseaumes le Seigneur Tout-puissant. »

Tout le ciel dans son ame, en son giron le couche,
Et pousse en le berçant ces accents de sa bouche :
Vi mon petit enfant, enfant vrayment doré,
Vy sainct, crois tout divin, de ce vent ætheré,
Dont je rempli ton sein, rempli toute la terre,
Ta vois foudroye en paix, et ton bras à la guerre,
Que la mort de ton los n'ait ny rive, ny fond,
Et qu'un double laurier presse ton sacré front.
Esprit parent du Ciel voy, voy comme la Bize,
Flattée sent desja la docte mignardise [27]
De ton vagissement, pere des sacrés vers,
Voy s'entre-coudoyer à l'entour de ton *b*ers
Les bois, mais oreillez : les mers, mais non vagueuses,
Les Tigres, mais privez : les roches mais dançeuses.
Voy comme tout le Ciel ravy d'un si doux son,
Quitte, pour escouter ton bal et ta chanson.
O des communs la honte ! et des doctes l'envie,
O vers digne*s* vrayment d'une eternelle vie !
O tapis enrichy des plus vives couleurs !
O parterre esmaillé d'un riche Avril de fleurs !
Miracle dont le chef tout en Astres rayonne,
J'ay peur en te voyant, j'ay peur de ma couronne.
La faconde opulente ailleurs qu'en tes chansons,
Oncques pour s'embellir ne prit tant de façons,
D'habitz et d'affiquetz, Roine ore elle se pare
D'un bouffant brocatel qu'un artifice rare
Emperle, endiamante, et tantost d'un drap fin
Bourgeoise elle s'habille, ou bergere de lin :
Tousjours, quoy qu'il en soit propre, belle, modeste,

824 *1591* … de ton vers
830 *1591* O vers digne vrayment

---

829. « Louange des Pseaumes de David. »

835. « Elegant enrichissement de ceste louange. »

Et jettant les rayons d'une grace celeste :
Tantost comme le Tigre ondeux enflé, bruyant,
Tu vas d'un fleuve d'or les campagnes noyant :
Or comme ton Jordain courbé tu Meandrises,
Vas toymesme au devant de tes liqueurs exquises,
Et dedales les champs, or dans un sec tuyau
Pousses comme Cedron un petit filet d'eau,
Mais si doux qu'il sera la douce malvoisie
Des siècles à venir. Si clair que la poësie
Qui se baigne en la mer des celestes secrets,
Chaste en arrousera ses papiers plus sacrez :
Et si devot encor que les devotes ames,
N'esteindront en autre eau leurs tonnerreuses flammes.
Tu es des chantres saincts le haut, le double mont,
Des fidelles esprits l'Interprete facond,
Des cœurs passionnez la carte anatomique,
De forts contrevenins une plaine boutique,
Un chaud fuzil de zele, un tableau qui sçavant
Nous presente le Christ non tant peint que vivant. [28]
O Volume divin, claire voix de l'Eglise,
Riche espargne des saints, plustost la triste Bize
Tiendra du Nil la route, et l'Austre violent
Aura pour son maillot les flots gelez d'Island
Que tu sois sans honneur. Tu vivras en tout aage,
Et ployable apprendras à parler tout langage :
Rien les mers, rien les airs que tes airs ne bruiront,
Es temples haut montez tes chants retentiront,
Ton vers serenera de Dieu la face triste,
Et les plus grands esprits marcheront sur ta piste[.]
Vulgaire loin d'icy de tes profanes mains
Ne manie effronté des mysteres si saints,
Ne touche aux vers sacrez d'une lime si douce,

870 *1591* … sur ta piste ?

---

855. « Utilité excellente de ces Pseaumes. »

Pour un luth si Royal il faut un Royal poulce.
Ha je voy sur le bord du Floth doux-serpentant
Un brave, un docte Roy, qui saint va remontant
Ce *clair chant* tout celeste, et fait au bout du monde,
Truchement resonner de David la faconde.
Le Cleith Dombertanois s'arreste pour l'ouyr,
Le Tein roule-cailloux semble s'en resjouyr :
Du grand Lac de Lomon les branlantes Ciclades
Accordent au refrein de leur chant leurs gambades :
Les Clakis fils du bois sur les Hebrides eaux,
Branslent à ces accents leurs loin-volans cerceaux,
Et moy mesme portant une Pleide en escharpe,
D'un pié musicien dance au son de sa harpe.
Ainsi pleine de Dieu la Sirene du Ciel,
Degorge prophetesse un roux torrent de miel
En faveur de David. Mais nul ne v*o*it sa tache :
Souvent parmy les fleurs le froid venin se cache :
Le cheval plus gaillard trebusche quelquesfois,
Et quelquesfois David fait du sourd à la voix
Du Dieu regle-Univers, son chant zel*é* s'alente,
Et sur le lict d'autruy, miserable, il attente.
Bersabée est son feu, Bersabée où toutjour
Paisible avoit logé l'honneur avec l'amour.

877 *1591* Ce clerchau...
889 *1591* ... ne vid...
893 *1591* ... son chant zele...

---

875. « Digression sur le los du Roy d'Escosse, interprete de David. »

875-886. L'éloge de Jacques VI, le roi-poète, entraîne cette abondance de termes écossais (voir à l'Index). Les *Clakis* (v. 883) sont une variété d'oies sauvages. *Une Pleide* (v. 885) est un « plaid », tout simplement. Pour ces explications, voir Holmes, t. III, p. 363.

895. « Peché detestable de David souillé d'adultère et de meurtre »

Mais sa beauté superbe, et de ses yeux la force
Commence à minuter leur lettre de divorce : [29]
L'honneur cede à l'Amour, et peu à peu s'en vont
Et la crainte du cœur et la honte du front :
La sale d'un Palais, une rue, un grand temple,
Pour sa beauté n'est point un theatre assez ample.
Si la soye la couvre, en sa faveur il faut
Les bains de son jardin fenestrer bas et haut,
Tandis qu'elle se lave, et que tantost assize
Sur un banc de noir jaspe elle peigne, elle frise,
Elle oingt ses cheveux d'or, qu'elle plonge tantost
De son corps bien formé l'A*l*bastre sous le flot,
Telle qu'un lis qui tombe aux creux d'une phiole,
Telle qu'on peint Venus quand lascivement molle
Elle naist dans la mer, et qu'avecques les Thons
Jà le feu de ses yeux embraze les Tritons.
Telle qu'on void encor l'Image d'une Grace,
Fait d'est*uc*, et couvert d'un fin Cristal de glace,
Que folastre tantost elle se va meslant
Avecques les poissons du pavé scintillant :
Musaïque pavé dont l'artiste assemblage
Represente un Dauphin, une carpe qui nage.
Au bransle de ceste eau, le grand fils de Jessé
Oisif se pourmenant sur un mur terrassé,
Découvre le clair astre, et berluant imite
Le captif qui sorty de l'ombre Cimmerite,
D'une basse prison sent tout d'un coup ses yeux
Frappez des chauds esclairs d'un Soleil radieux.
Mais, réclarci trop tost il void à son dommage,
Les admirables traits d'un enchanteur visage :

908 *1591* … l'Abastre…
914 *1591* Fait d'estac…

897. « Description poetique de la beauté de Bersabée. »
919. « David surpris de la beauté de Bersabée. »

Son œil semble brillant l'Estoille du matin,
Ses deux levres deux bords de cramoisi satin,
La blancheur de ses dents un argent de coupelle,
Sa charnure une neige, où vermeille se mesle
La beauté de la rose, et ses thresors divers
S'enflent ambitieux pour se voir descouverts.
Hé ! quel marbre animé, quel doux charmant yvoire,
Nouë dedans ce flot ? Quelle neufve victoire
De mes palmes triomphe ? ô clairs bains ! si vos eaux
Gelées vont roulant, d'où sortent ces flambeaux [30]
Qui consomment mon cœur ? si vostre onde bouillonne,
D'où vient ce froid Hyver qui mon ame glaçonne,
Estourdit tous mes sens, et fait que je ne puis,
Lethargique venin connoistre qui je suis ?
O beauté nompareille ! ô beauté toute belle !
Tu m'es sans y penser estrangement cruelle :
Las ! pour te voir je meurs, et meurs pour ne te veoir
Que de loin et sous l'eau, ô debile pouvoir !
O foible royauté ! puis qu'une femmelette,
Foulant mes clairs bandeaux tient mon ame sujette.
Mais ô pouvoir Auguste, Auguste royauté,
Si bien-heureux je puis dompter ceste beauté.
Ainsi parle le Roy, et comme une scintile
Qui chet dans un tonneau plein de poudre subtile,
Il devient tout en flamme, et n'aspire pensif
Qu'à l'accomplissement de son amour lascif,
Il en vient tost à bout, en delices s'abysme,
Oublieux de David adjouste crime à crime :
Et boüillant fait ainsi que le jeune piqueur,
Qui superbe ayant moins d'adresse que de cœur,
Chasse à coups d'esperon, chasse à coups de houssine,

---

933. « Pensées indignes d'un si grand Prince. »

949. « Propres comparaisons representans la prompte cheute et misere de David, conjoignant le meurtre à l'adultere. »

Le cheval qui jà court trop viste à sa ruine,
Bronche de pierre en pierre, et rompt precipiteux,
Et picqueur et picqué contre un roc impiteux.
Car craignant non l'effet ains le nom d'Adultere,
D'un mary soupçonneux le traittement austere,
Et l'amoindrissement d'un bien commun à deux,
Perfide, il fait mourir son espoux hazardeux.
L'Eternel s'en irrite, et juste desja tire
Contre ce desloyal les flesches de son ire,
Quand Nathan clair brandon et de zele et de foy,
Modestement hardi acoste ainsi le Roy,
Oy, Sire, un grand forfait, chef de nostre Justice,
Donne l'oreille au crime, au crime le supplice.
N'aguere un tien Vassal de qui les gras troupeaux,
Desroboient du Liban les verdissans couppeaux :
A qui du clair Jordain le damassé rivage,
Retondu, ne pouvoit fournir de pasturage, [31]
Apprestant un banquet n'enfonce ses cousteaux
Dans le gosier tremblant de quelqu'un de ses veaux :
Ains arrache, volleur à son amy fidelle
Son unique brebis : brebis qui toute belle,
Brebis qui de laict plaine et couverte de laict,
N'avoit pour abruvoir que son creux gobelet,
Pour creche que sa main, pour giste que sa couche,
Et mignarde succçoit la glaire de sa bouche :
Il fait bien plus encor. Adonc tout courroucé,
Le monarque interrompt le discours commencé :
Qu'il meure le meschant, qu'il meure et qu'un supplice
Exquis suive de pres son exquise malice.
O Sepulchre blanchi (dit le sacré Nathan)

969. « Il est redargué de son horrible forfait, par le fidelle serviteur de Dieu. »

987. « Amplification de la parabole proposee par Nathan, et poetique amplification d'icelle. » *Sepulchre blanchi* : expression évangélique (Matthieu, 23, 27.)

Tu as Dieu dans la bouche, et dans le cœur Satan,
Tu blasmes en autruy le vice où tu t'enfonces,
Lasche sans y penser contre toy tu prononces
Ce jugement de mort, ô Roy, mais non plus Roy
De tes affections, miserable, c'est toy
Qui l'unique brebis du juste Urie enleves,
Et qui contre son sein pousses d'Amon les glaives.
L'œil beau est un soleil qui blesse l'œil blessé,
Ouvrant l'œil à cest œil, tu donnes insensé,
L'entrée à cest enfant, ce demon qui prend estre
Chez nous d'oisiveté, qui d'hoste *s*e fait maistre,
Et qui fait que celuy qui sainctement humain,
Sur s*on* persecuteur ne veut jetter la main,
Conspire le trespas de celuy qui desire
D'encourir mille morts pour croistre son Empire.
   Hé ! tu ne trembles pas. Hé ! quoy n'as-tu pas peur
O decoulante chair, ô vaine ombre ! ô vapeur !
De l'ire du grand Dieu, qui bruslante calcine
Les monts bastis de marbre, et seiche la marine [?]
Non non tu sentiras de sa dextre le poids.
Tu serviras batu d'exemple aux autres Rois.
La mort, la proche mort de ce fruit adultere,
Qui juste va geinant jà les flancs de sa mere,
Bourrelera ton ame, et te fera sentir
Qu'un plaisir deffendu engendre un repentir. [32]
   Ha ! puis que, chien sans front, ta vagabonde flamme

998 *1591* … le fait maistre,
1000 *1591* Sur sur persecuteur…
1006 *1591* … la marine.

997-1002. L'enfant en question est la concupiscence. Pour ne pas réagir contre cette tentation, l'homme trop faible en favorise le développement.

1013. « Prediction des miseres estranges en la maison souillee d'adultere et de meurtre. »

De ton plus grand amy n'espargne point la femme,
Tes fils desnaturez ton lict incesteront,
Tes femmes au beau teint poluës recevront
Doublement ta semence, et tant de concubines
De ta race seront les lubriques rapines.
Chez toy le frere ira, d'un non parent baiser
Sa detestable ardeur sur sa sœur appaiser,
Tu seras de ton sang le pere et le beau-pere.
Et tes fils purgeront ton sanglant adultere :
Tu l'as fait en secret, et l'Astre enfante-jours
Sera tesmoins honteux de leurs sales amours :
Tout Juda les doit voir, et les citez maudites
Que le ciel entomba sous les flots Asphaltites,
Repousseront leur chef hors du fumeux estang,
Bien aise de se voir vaincues par ton sang.
Tu as brassé la mort à l'innocent Urie,
Tu l'as fait, ô cruel ! mais aussi la turie,
L'horrible parricide, et lasche trahison
Hostes perpetuels honniront ta maison :
Ton sang contre ton sang descochera sa rage,
Ton fils te soustraira de Jacob le courage,
Pour te desarçonner armera tes vassaux
Et te donra felon assauts dessus assauts,
Jusqu'à tant que pendu par sa perruque blonde,
Ornement de sa croix, honte de l'œil du monde,
Ton propre Lieutenant ait sur terre versé,
L'escarlatine humeur de son ventre percé :
Et si je ne me trompe, helas ! quelle tempeste
Du non coulpable Isaac accravante la teste,

1014. « Description de la peste causee par le curieux orgueil de David. II Sam. 24. »

1038. *L'œil du monde* : le soleil. Evocation de la mort d'Absalon (voir Index), accroché à un arbre par sa trop abondante chevelure et lardé de coups d'épieu par Joab, le *Lieutenant* de David (v. 1039).

Combien d'Abramiens ton curieux orgueil
Dans trois jours pestilens emprisonne au cercueil.
Las ! en haine de toy l'air paresseux engendre
Un mal non paresseux, l'aage vieil, l'aage tendre
Luy sont indifferens : car il suit, vehement,
Tous les anglets d'Isaac presque en mesme moment :
Le malade ne peut souffrir la molle couche,
Un feu sort de ses yeux, un retraict de sa bouche, [33]
Son chef pese à son col, à ses jambes son corps,
Dedans il est en flamme, et tout en eau dehors,
D'une profonde toux ses poulmons il agite,
Il vomit tout ensemble et sang et pituite,
Le conduit de sa voix est d'ulceres bousché,
L'interprete de l'ame aspre, sale, escorché,
Le mal pensé s'irrite : et suspens ne balance
Entre la crainte blesme et la gaye esperance,
La mort et la langueur marchent d'un mesme pas,
Car le coup du venin est le coup du trespas :
L'art cede à la douleur, le discours à la rage,
Et la doctrine porte au Medecin dommage :
La voye est sans passans, la cité sans bourgeois,
La femme ne poursuit d'une funebre voix
Son espoux au tombeau, chacun son malheur pleure,
Le vif avec le mort pesle-mesle demeure.
  Comme l'enfant bien né, qu'un maistre rigoureux
Surprend en quelque faute, abbaisse l'œil pleureux,
Blesmit, rougit, tremblotte et demande modeste
Pardon à son Censeur non de voix ains de geste.
David oyant tonner ce sacré truchement,
Apprehende de Dieu l'horrible jugement,

1056. *L'interprete de l'ame* : la langue.

1067. « Similitude demonstrant la frayeur, confession et repentance de David, humilié par la voix de Nathan et demandant pardon à Dieu, comme appert par le 51. Pseaume. »

Est tout matté d'effroy, et n'a point d'autres armes
Pour vaincre ses ennuis, que les perleuses larmes.
Il despouille son or, il va du pié foulant
Son glaive, son bandeau, son sceptre estincelant :
Il jeusne, il prie, il crie, et dans la proche grotte
Anime une chanson si tristement devote,
Que le marbre en souspire, et fendu de douleurs,
Mesle ses pleurs nitreux avec ses tiedes pleurs.
Il chante et nuit et jour? *O* clemence eternelle !
Lave, plonge en tes flots ceste ame criminelle.
Merci, merci Seigneur. *E*t de dueil tout transi,
Le Rocher nuit et jour redit merci, merci.
Dieu, mon Dieu, mon bon Dieu, puis que pour nos
[offences
Tu verses les torrens de tes aspres vengeances
Sur le champ porte-lis, que ton juste courroux [34]
Bruit, canone, foudroye à tous momens sur nous,
Que la faim, que la peste, et que l'horrible guerre
Marchant sous un drapeau, ravagent ceste terre :
Fay profiter en nous tant de sortes de fleaux,
Fay que nous esteignions dans nos larmeuses eaux
Le feu de ton courroux : saincts detestions le vice,
Et reformez changions en douceur ta Justice.

1081 *1591* … jour, ô clemence…
1083 *1591* … Seigneur, et de dueil…

1081. « Priere du Poete. »

Seconde partie

LA MAGNIFICENCE

SOMMAIRE

Le Poëte descrit magnifiquement en ce livre la Magnificence de Salomon fils de David, figure (en son sage gouvernement) du vray Salomon Prince de paix, Jesus-Christ, Fils de Dieu et Espoux de l'Eglise. Sa Preface contient une necessaire representation de la difference entre luy et les autres Poëtes de ce temps, sur tout en la longueur de son œuvre entrepris, où il s'excuse modestement : puis selon son dessein, entre en matiere : et pour le premier article de son discours, propose David, qui par preceptes excellens forme son fils, pour le rendre au gouvernement du Royaume : descrivant les principales vertus dont un bon Prince doit estre continuellement accompagné, puis les vices desquels il luy convient se donner garde : ce qui est clos par le saint trespas de ce grand Roy.

Le deuxiesme article contient l'apparition de Dieu à Salomon, auquel sont offertes Gloire, Richesse, Santé et Sapience. Luy addressé du S. Esprit, prefere, et à bon droit, la Sapience à toutes les autres, desquelles Dieu luy fait present, pour couronner ses dons en luy. En apres le Poëte met devant les yeux ceste Sapience de Salomon, en connoissance de toutes choses divines, naturelles et terrestres, sur tout au gouvernement de ses sujets, et en l'administration de Justice, dont il produit un exemple notable tiré de l'histoire sainte, au I. liv. des Rois, des dix premiers chap. duquel tout ce Poëme est extrait.

Au 3. article, ayant monstré la felicité de Salomon, il traite de son mariage avec la Princesse d'Egypte : Ce qui meritant les plus beaux traits d'un pinceau vrayement poetique, fait aussi que nostre excellent autheur trace en 60 vers un beau verger, d'où partent les Amours qui esmeuvent Salomon et Pharonide à se porter affection mutuelle, qui parvient à l'effet de mariage. A ceste occasion le depart d'Egypte, l'entrée de ceste Princesse en Jerusalem, la rencontre du Roy et d'elle, et leur banquet nuptial, ont leur description convenable. Et d'autant que ce mariage de Salomon signifie quelque chose de plus grand que la grandeur mesme, assavoir, l'union mystique de Jesus Christ avec son Eglise, le Poëte voulant eslever le lecteur à ceste divine contemplation, le prend un peu plus bas : Et, sous ombre d'honorer le festin nuptial de Salomon, nous exhibe un merveilleux bal, qui est celuy des cieux, où les Astres fixes et errans ont un mouvement si justement compassé, que tous autres mouvemens ne sont que lourdises à comparaison. Entre autres il ameine à ce bal divin le Soleil et la Lune : et sous le Soleil il propose Salomon et Christ : sous la Lune, la Princesse d'Egypte et l'Eglise. Tout cela se void dépeint en vers comptenans des recherches infiniment belles, et qui meritent plus solide consideration que ce brief argument : sur tout, si l'on prend garde à ce qu'il adjouste du devis sacré de l'espoux avec l'espouse. Nous avons sommairement marqué ces choses en marge, pour faire venir l'envie à toute ame sainte, de penetrer beaucoup plus avant en l'intention du Poëte.

Le dernier article ne contient pas moins de merveilles en la description du bastiment de ce magnifique Temple de Salomon, figuré au grand monde, et racourcy dans les trois livres de ce sage Prince, la priere duquel, en la dedicace du Temple, est adjoustée. Et consequemment la venuë de la Roine de Saba, en Jerusalem, où elle sonde la sapience du Roy, qui l'instruit en la connoissance du seul vray Dieu,dont s'ensuit le digne esbahissement de la Roine. A quoy, pour closture, le Poëte adjouste une quinzaine de vers à la loüange du serenissime Roy d'Escosse, Jacques VI à present regnant.

Somme, soit que l'on considere l'instruction de Salomon soit l'apparition de Dieu pour le benir, ou sa sagesse, ou sa gloire ou son mariage (figure de toute nostre felicité) ou le Temple par luy basty, ou toute la conduite domestique, politique, et spirituelle, tandis qu'il a reveré Dieu, soit la structure et beauté des vers qui representent toutes ces choses : il faudra confesser qu'à bon droit ce livre est intitulé LA MAGNIFICENCE.

LA MAGNIFICENCE*, [35]

OU
SECONDE PARTIE
DU QUATRIEME JOUR
de le seconde Sepmaine.

Que vous estes heureux, *ô* delicats esprits,
Qui par vostre fureur mesurez vos escrits,
Qui ne dessechez point apres un long ouvrage,
Vostre docte cerveau, qui changeant de ramage
Ore d'un grave stile, ore d'un stile doux,
Deduisez l'argument qui premier s'offre à vous ;
Qui tantost en chansons, ores en epigrammes,
Faites evaporer le feu qui cuist vos ames.
Mais, mon honneur, mon vœu, l'arrest au ciel donné,
Me tient comme un forçat par les pieds enchaisné
A ce dur atelier, mon ame ailleurs ne songe,
Autre demangeaison nuit et jour ne me ronge,
Je semble trop actif la pierre du moulin
Qu'un flot impetueux tourne-tourne sans fin.
C'est pourquoi tant de fois maulgré Phœbus je chante,
Je cous des vers trainans à la vigueur ardante
Que le Pole m'inspire : et billebarre encor
De laine et de coton ce beau drap à fonds d'or.
Vous n'alez espuisant les forces de vos aisles,

1 *1591* … ô *omis. Vers boiteux.*

---

* Texte de 1591, La Rochelle, Haultin. Exemplaire de la Sorbonne (Rra 1049, in-12). A la suite du texte des « Trophees ».

1. [1] « Comparaison et difference entre les autres Poetes et le nostre. »

Ains pendant vostre Avril, comme les Philomeles
Sages vous voletez de buisson en buisson,
De sujet en sujet, de chanson en chanson ;
Mais moy par trop hardi j'imite l'Arondelle, [36]
Je ne trouve où brancher, je passe à tire d'aisle
Des longs siecles la mer, mer sans fonds et sans bord,
Or emporté du Su, or emporté du Nord.
Vostre carriere est courte, est agreable, est pleine,
A chaque bout de champ vous reprenez haleine,
Trouvez quelque verd siege, et vous r'afraischissez
Dans de beaux cabinets de roses tapissez :
Mais ma course est sans fin, je glisse or sur la glace,
Or par un precipice esblouy je r'amasse,
Or je gravis à mont, je brosse or par un bois,
Je bronche, je me pers, je tombe quelquefois,
Et comme vil mortier colle la Galactite,
Le Porphire, le Jaspe, et le Marbre, et l'Ophite,
Pour lier mes discours bien souvent j'entremets
Des vers lasches, clochans, rudes et mal-limez.
Si ne veux-je pourtant quitter ce mien ouvrage,
Le labeur est bien grand, mais plus grand mon courage,
Mon cœur n'est point encor d'un feu sainct espuisé,
Il n'y a rien de beau qui ne soit malaisé :
On ne recognoistroit les monts sans les vallées,
Et les tailles encor artistement meslees
En œuvre Mosaique, ont pour plus grand beauté
Divers prix, divers teint, diverse quantité.
Dieu vueille qu'en mes chants la plus insigne tache
Semble le moucheron qu'une pucelle attache
A sa face negeuse, et que bien peu d'erreurs
Donnent lustre aux beaux traicts de mes hautes fureurs.

---

23. « Il confesse qu'en œuvre long parfois l'esprit sommeille. »

39. « Mais pourtant il ne perd courage ains poursuit son dessein. »

David s'affoiblissoit, et la méche vitale,
Perdant le suc huileux de l'humeur radicale,
S'esteignoit peu à peu, quand d'un gosier mourant
Mais d'un sang vigoureux, sage il va discourant :
Qu'il instruit Salomon, et que jeune il l'instale,
Suivant l'oracle sainct, en la chaire royale :
Mon fils, celuy que l'heur, la nature, et la loy,
Sans corrival, sans force, et sans trouble ont fait Roy,
Doibt estre sage et bon, si long temps il desire
De tenir dans le poing des resnes de l'empire.
Mais cil qui seulement du bonheur assisté, [37]
Par un degré nouveau monte à la Royauté,
Se doit monstrer plus qu'homme, et par sa vertu rare
Asseurer sur son chef la branlante Tiare.
Mon Solomon tu sçais de quel lict tu es né,
Tu vois combien Jacob respecte ton aisné,
Combien contre nos mœurs d'honneur je te procure,
Et que pour t'agrandir je fai tort à nature,
Ren toy doncques parfait, et d'un cœur noble et haut
De ta basse naissance obscurci le defaut.
Roy du sang d'Israël, ser le grand Roy du monde,
Sur le seul piedestal de sa conduite fonde
Tes desseins plus hardis, et tien sur ses escrits
Tousjours tousjours fichez tes yeux et tes esprits,
Des mastins abayans les blasphemes évite,
En tes mœurs Viceroy ton Souverain imite,
Et croi que l'espesseur de tes murs haut-montez,
Tant de portes de fer, tant de palais voustez,
Ne feront que son œil dans tes plus sombres sales
Ne penetre, Censeur, de ton cœur les Dædales.

---

51. « 1. David jà vieil instale Salomon au throsne royal, lui prescrit les reigles d'un juste gouvernement, et descrit un Prince excellent. »

57. « Il luy recommande donc la pieté. »

Mon fils, si la naissance ou le ferme destin,
T'eust fait *n*aistre Idumee, ou prince Philistin,
Si d'un Pharon superbe il t'eust donné le tiltre,
Si le Medois courboit à tes genoux sa mitre,
Si le Perse estoit tien, encore devrois-tu
Remparer ta grandeur du lustre de vertu :
Mais pour imposer joug à la race Abramide,
Manier dextrement du peuple sainct la bride,
Tenir d'un Josué, d'un grand Sanson le lieu,
Succeder au tres haut, faut estre un demi-Dieu.
  Le nouveau serviteur ne prefere à l'antique,
L'art de regner ne gist tant en art qu'en pratique :
Le moust cede au vin vieux, et le bon mesnager
N'arrache du milieu de son exquis verger
Quelque arbre genereux, qui d'un fruict delectable
Vingt hyvers a chargé sa delicate table,
Pour luy subtituer un sion dont le fruit
Il n'a jamais gousté que des dents d'un faux bruit.
  Solomon, les flateurs sont des pendans d'oreilles, [38]
Aux Rois plus advisez dangereux à merveilles :
Hé ! que ne peuvent-ils ? veu que dans nostre cœur
Ils treuvent pour renfort un plus malin flatteur,
De soy-mesme l'amour, peste qui tousjours vive,
Fait avec ses forains une ligue offensive :
Ils font croire au coüard qu'il est bien avisé,
A l'yvrongne gaillard, au desloyal ruzé,
Ils baillent au cruel le nom de prince juste,
Au niaiz de modeste, au prodigue d'Auguste,
Et d'un nez bien purgé son naturel flairant,

82 *1591* … maistre Idumee, …

---

91. « Item la prudence consistant au chois des serviteurs. »

99. « À connoistre bien les flateurs. »

103. Dangers de l'amour de soi.

Vont en luy transformez ses vices adorant.

Fuy donc ces monstres-là, ne te ren accostable
Aux hommes diffamez pour leur vie execrable :
Sage, ne donne accez en ta cour aux voleurs,
N'entretien les meurtriers, hay les ensorceleurs,
De peur que le venin de leur mortelle haleine,
De toute la cité n'infecte la fontaine :
N'empoisonne les mœurs, surjon où le Vassal
Puisera des-ormais ou le bien, ou le mal,
Commande à tes desirs, à l'ire, à la peur blesme,
Celuy n'est vrayment Roy qui ne l'est de soy mesme :
Ne fay ce que tu peux, mais bien ce que tu dois,
Courbe toy le premier sous le joug de tes loix,
Les vassaux sans frayeur courent à toute bride
Par bois, monts et torrens, s'ils ont leur Roy pour guide.

Monstre-toy debonnaire, affable, gratieux,
Et n'imite arrogant ces images des Dieux
Qu'on tire une fois l'an de leurs boistes dorées,
Pour impetrer du Ciel les pluyes desirees.

Desmentir sa parole est indigne d'un Roy,
Quiconque rompt sa foy ne trouve point de foy,
Trompeur il est trompé. Contre son inconstance
Le peuple soupçonneux s'arme de defiance :
Et les princes voisins ayment mieux d'autre part
Avoir pour allié un Lion qu'un Renard.

127 *1591* *Holmes donne* Que le payen tiroit de ses boistes dorees,

---

111. « À descouvrir et chasser toutes sortes de meschantes personnes. »

119. « Il luy recommande aussi Temperance, Magnanimité et Justice. »

125. « Clemence. »

129. « Verité. »

Soi des loyers prodigue, et des peines avare,
Arme ton estomach d'une constance rare,
Les lieux plus eminens sont assiegez d'ennuis, [39]
Et les *vents* les plus forts donnent és plus grands huis :
Ne trouble ambitieux par tes armes la terre,
Si la force ou l'honneur t'engage en une guerre,
Paroi fils de David, et fai que ton bras soit
A la faire aussi chaud qu'à l'entreprendre froid :
Veille, suë, discour, franchi d'un haut courage
A pied le fleuve pris, et le liquide à nage,
Les rameaux ombrageux d'un Platane toufu
Soient ton frais parasol, l'exercice ton feu,
Ta table un grand bouclier, le verd gazon ta couche,
Avec des mets friands n'irrite point ta bouche,
Le travail soit ta sausse, et d'un torrent negeux
Dans le creux morion hume le flot fangeux :
Les cornets enroüez, les Tabours, les trompettes,
Te servent de doux lucs, de cistres, d'espinettes :
Robuste vien à bout d'un haut mont en trottant,
En courant d'un champ long, d'une fosse en sautant,
Ton chef soit perfumé de sueur et de poudre,
Sois et chef et soldat : le soldat est un foudre
Alors qu'il a son Roy qui marche devant tous,
Compagnon en fortune et juge de ses coups.

138 *1591* … les noms… *Corrigé d'après les éd. ultérieures.*

---

135. « Moderation. »

136. « Constance. »

140. « Vaillance. »

142. « Patience. »

145. « Frugalité. »

153. « Force. »

J'enflammeroy *t*on cœur de l'amour de l'estude,
Si je ne cognoissoi la divine habitude
De ton Esprit profond, fay servir seulement
A l'art vrayement Royal des lettres l'ornement,
Et pren garde qu'ainsi que l'humeur excessive
Estouffe d'un fruitier l'ame vegetative,
La trop grande leçon, et delices des arts,
N'esteignent la vigueur de tes esprits gaillards,
Ne te rendent pensif, tes sens vifs n'assopissent,
Et des peubliques soins ton cœur ne divertissent.
D'une ame toute aislee accompagne le cours
Du flambeau guide-nuits, du flambeau guide-jours,
Sonde de l'Ocean les horribles abismes,
Mesure des hauts monts les blanchissantes cimes,
Furete tous les coins de ce bas bastiment,
Mais c'est pour admirer quel est l'entendement
Qui l'a si bien parti : et ne soy point semblable [40]
Au simple courtisan qui vieillit miserable
Dedans la basse court, et tient ses yeux collez
Sur les plyntes, bosels, et pilliers cannelez,
Qui contemple, esperdu, les statues, medailles,
Mo*ul*ures, chapiteaux des Royales murailles,
Qui trop s'entretenant *est* à soy, n'est à soy,
Lors que les compagnons entretiennent le Roy.
Tien droit le trebuchet, les yeux clos, les mains [pures ;
Venge severement les publicques injures,
Et les tiennes oublie. Oy les cris, voy les pleurs

159 *1591* … mon cœur…
180 *1591* Montures,
181 *1591* … n'est à soy, n'est à soy,

---

159. « Estude et connoissance des bonnes lettres, notamment des sciences liberales l'usage desquelles est demonstré. »

183. « Justice. »

De ceux qui sont noyez d'une mer de douleurs.
Tien souvent audience aux yeux de ta province,
Qui ne veut estre juge il ne doibt estre prince,
Et *d'*Eternelle loy jamais n'escarte pas
Du sceptre justicier le guerrier coutelas.

Ne favorise aux grands, les petits ne dedaigne,
Ne fay point de tes loix une toile d'araigne,
Toile où le moucheron s'enrete cependant
Que le bruyant freslon va sa trame fendant.

Chasse loing les pasteurs qui leur troupeau devorent,
Choisi des magistrats qui leurs estats honorent,
Qui craignent l'Eternel, qui jugent droittement.
On fait par les valets du maistre jugement.
Donne aux gens de vertu, mais ne touche au domaine,
Qui touche au fonds tarit de ses dons la fontaine.
Mais sur tout mon mignon, pour Dieu ne te per pas
Dans la trompeuse mer des fœminins apas.
Las ! helas ! je me crain (ô Dieu ! tout bon, tout sage,
Destourne de mon sang l'effect de ce presage)
Je crain qu'à l'advenir ceste douce poison,
D'une Idolatre foy n'empeste ma maison :
Que si l'amour sacré des vertus ne t'enflame,
Si le flestrissement d'un eternel diffame
Ne te peut retenir, fay qu'en quelque façon
Les malheurs paternels te servent de leçon.

A Dieu, mon cher enfant, le Tout-puissant m'ap-
[pelle,
Je passe de la mort à la vie eternelle,
Et pour regner au ciel, franc de soucis humains, [41]

189 *1591* Et l'Eternelle…

195. « Salomon exhorté de se garder de quelques vices, qui entre autres ruinent les Princes. »

211. « Saint trespas de David. »

Le sceptre Idumeen je resigne en tes mains.
Toy qui vas transportant pour les pechez d'un Prince,
De maison en maison, de province en province
Le brillant diademe, arreste-le chez moi,
Et des fils de mes fils fai naistre ce grand Roi
En qui Jacob espere, apres qui je souspire,
Grand Roi qui de Satan doit abatre l'empire.
David meurt, et son fils, sur sa piste courant,
Va de voix, va de cœur l'Eternel adorant.
Par l'huis de pieté entre dans son royaume,
Entonne en son honneur maint Cantique, main Pseaume,
Immole en Gabaon, et par esprit y void,
Tandis que sa chair dort, le Dieu que seul il croid,
Grand Dieu qui couronné de rayonneuses flammes,
Luy presente le chois de quatre belles dames.
Là la Gloire crespant en sa dextre un grand dard,
Ne marche point en vierge, ains en brave soldart,
Dans les astres brillans elle cache sa teste,
Elle porte en escharpe une claire trompette
Dont le vent n'est que los, trompette dont le son
Remplit du beau Soleil l'une et l'autre maison :
Le superbe tissu de *s*es robes trainantes
Est tout historié de victoires sanglantes,
De trophees, d'anneaux, de triomphans arrois,
Et sous ses pieds vainqueurs gemissent mille Rois.
Non loin de là paroist la richesse paree
Des thresors de Pluton, de Thetis, et de Rhee,
Le drap haut esclattant de son corps est vestu,
Est aspre de rubis, et roide d'or batu :

235 *1591* … de ces robes…

---

221. « [2.] Salomon luy succede. »

229. « Dieu luy offre la Gloire. »

239. « La Richesse. »

En l'une et l'autre main elle verse une buye,
D'où coule un blond Pactole, une Argolique pluye,
Un Tage estincellant, ses ministres sont l'heur,
L'espargne, le veiller, et le suant labeur.
Là se void la Santé, elle a le front sans rides,
La jouë sans palleur, l'œil sans perles humides,
Elle semble un enfant vif, joyeux, potelé,
Elle danse, elle saute, elle a le cours aislé,
Serain luit dans son poing le flambeau de la vie [42]
Et le pennage saint de l'oyseau d'Arabie,
Ourdi luy sert de cotte : et je vois d'autre part
Venir la Sapience au modeste regard,
Pour se guinder souvent aux choses eternelles,
Des Mamuques legers elle porte les aisles,
Elle a le geste froid, elle a grave le pas,
On ne la void jamais sans reigle et sans compas ;
Le miroir de soi mesme, et celui de Nature
Pendent aux beaux chainons de sa riche ceinture.
Le Prince ayant jetté sur leur beauté ses yeux,
Pense estre fait desjà vrai citadin des cieux.
Il void autour de soy tout un Eden reluire,
Et parmy tant de biens il ne sçait quel élire,
Apres il parle ainsi : Qu'ay-je fait, ô Seigneur !
Pour recevoir de toy tant de bien, tant d'honneur ?
Tu previens mon merite, ou plustost tu fais gloire
De vaincre ma malice : ô Seigneur ! la victoire
Est un present auguste, et n'y a rien si doux
Que d'enyvrer de sang l'ardeur de son courroux.
Mais las ! elle est souvent suivie d'insolence,
Et des meurtres sanglans la longue accoustumance
Transforme avec le temps les Monarques moins fiers

---

247. « La Santé. »

254. « La Sapience. »

261. « Pourquoy Salomon ne choisit point la Gloire. »

En Pantheres, *Lyons*, en Tigres, en Sangliers.
Celuy-là semble heureux dont les puissantes troupes
Desrobent de Carmel les verdissantes croupes,
Pour qui tout un païs, riche en vin et froment,
Dechiré par le fer enfante incessamment,
Qui des *S*eres douillets a les despoüilles blondes,
Les cailloux precieux des Arabesques ondes,
Les forests d'Entidor, les minereaux d'Ophir,
Les odeurs de Sabee, et les toisons de Tyr.
Mais quoy ? l'on void par tout où fleurit la chevance,
L'industrie descroistre et croistre l'arrogance ;
Le Riche sert son or, quiconque vers les cieux
Veut divin eslever et son ame et ses yeux,
Faut qu'il soit vrayement povre, ou qu'au povre il res-
[semble ;
Et puis Richesse et Peur logent tousjours ensemble.
Je voudroi long temps vivre, et voir de mes neveux [43]
Les chers arriere-fils, et ceux qui naistront d'eux :
Mais je crain la longueur des ennuis dont suivie
Se void communement la longueur de la vie.
Assez vit qui vit bien, car de l'aage le cours
Ne se mesure pas par le nombre des jours,
Ains par les beaux exploicts, et la vie mortelle
Est un moment, un rien aupres de l'eternelle.
La prudence est toute autre, aupres d'elle l'honneur
Est un vent passager, la vie une vapeur ;

274 *1591* … En Pantheres, en lyons, en Tigres… *Vers faux. Corr. dans les éd. ultérieures.*

279 *1591* Qui des seres…

---

283. « Ny la Richesse. »

289. « Ny la longue vie. »

297. « Mais la sagesse, au prix de laquelle la gloire, la richesse et la vie ne sont rien. »

Le clair sceptre n'est rien qu'une branche d'Erable,
L'or qu'un sale limon, les perles que du sable,
C'est le miroir de Dieu, c'est un esclair qui part
Du brasier foudroiant de son divin regard ;
C'est des cieux plus benins une influance sainte,
Jamais de son clair front la beauté n'est esteinte ;
Tousjour semblable à soi, elle ne poursuit pas
Seulement mesme route, ains va d'un mesme pas.
Sans elle la santé, la valeur, la richesse
Me seroyent trois poisons. C'est l'unique sagesse
Qui de tous autres biens est le temparement,
La fontaine, l'outil, la guide et l'ornement.
O Dieu, fay qu'elle marche, ô Dieu, fay qu'elle couche
Tousjours avecques moi, que de sa saincte bouche
Je hume incessamment la flairante douceur :
Qu'en jugeant elle soit tousjours mon Assesseur ;
Et qu'avec sa houlette, encor'enfant je guide,
Par des pasquis heureux le bercail Abramide,
Innombrable bercail, bercail digne vraiment
D'avoir quelque pasteur tombé du Firmament.
Seigneur donne-la-moi, je langui, je me pasme,
Ou si je vi, je vi, sainct pyrauste, en sa flame,
Et, papillon nouveau, dans ses clairs lamperons
Je grille, trop hardi, mes foibles aislerons.
   Tien-la (dit l'Immortel) voici je te la donne,
Et, puis qu'en ta poitrine autre amour ne bouillonne,
J'enten que pour surcroist tu possedes l'honneur,
Les biens et la santé, je veux que ton bon heur,
En servant ceste vierge, à me servir t'invite, [44]
Dame de si bon lieu ne doit marcher sans suite.
   Solomon esveillé cogneut evidemment

---

311. « Priere de Salomon pour obtenir sagesse. »

323. « Dieu la luy octroye, et les autres biens aussi. »

329. « Effets de ceste sainte vision et beneficence de Dieu. »

Que des humeurs du corps le doux temperament
N'a point dans son esprit causé ce songe estrange,
Ains que c'est un pourtrait fait par la main d'un Ange :
Car il a bien-heureux, sans art les arts en main,
Les lettres sans estude, un sçavoir plus qu'humain
Dore ses actions : il vole au ciel, il sonde
L'obscure profondeur des entrailles du monde.
 Du papier sacré-sainct les enigmes luy sont
Des propos familiers, et son cerveau profond
Sur peu de mots couchez par des divines plumes
Pourroit en peu de jours bastir de gros volumes.
Savant il void mourir le Soleil sans terreur,
Des Astres il cognoit la non-errante erreur ;
Il sçait si c'est nature, ou quelque Ange qui roule
D'un triple mouvement en mesme temps leur boule :
Si Phœbus luit du sien, Phœbé d'un feu presté,
Si l'Automne, l'Hyver, le Printemps et l'Esté,
Sont des fils du Soleil, et de quelle fumee
Une Estoile au long crin est là haut allumee.
De quels bruians poulmons les vents sont enfantez,
De quels penons ardens les foudres sont portez ;
Il sçait quel frein retient l'Ocean dans ses bornes,
S'il obeit vassal à l'Astre porte-cornes,
Si le suant baiser du ciel almement doux,
Est des perles le pere, et des huistres l'espoux :
Et s'il est vray, qu'obscur il engendre les sales,
Les luisantes serain, et tonnerreux les pasles,
Si le gris Ambre naist de l'ondeux Element,
Ou si c'est d'un poisson le soüef excrement :
Il sçait pourquoy la terre est immobile, ronde,

---

337. « Description excellente de la sagesse de Salomon au regard de la Philosophie divine et naturelle. »

352. *L'Astre porte-cornes* : la Lune.

355. « Connoissance de l'Antipathie de diverses choses. »

La lie de Nature, et le centre du Monde,
Il la sçait arpenter, et sçait encor comment
La Colochinte peut avec tel jugement,
Dans les conduits obscurs choisir l'humeur blanchastre,
L'Ellebore la noire, et la Rha la jaunastre ;
Et si cela se fait dans nostre foible corps, [45]
Ou le tirant à soi ou le chassant dehors.
Bref de l'Hysope au Cedre il cognoit la puissance
Des plantes que nature entretient en essence.
Il peut dire pourquoi du triste Loup la dent
Rend viste le cheval, et sa piste pesant ;
Qui fait qu'en un moment la change-sexe Hyene,
Par son approche ombreux prive d'abois la Chiene.
D'où vient que l'Elephant d'ire tout forcené
S'apprivoise à l'abord du Belier toisonné :
Comment le Souverain munit de sauvegarde
L'Aigle contre le feu, que sa main rouge darde :
Pourquoy l'Oison du bas qui couve ses grands œufs
Dessous la large peau de ses pieds chaleureux,
Et qui crie sans langue, a ses aisles colees
Si bien aise il ne void les campagnes salees.
Il cognoist si la pierre est une *ex*halaison,
Ou bien un limon cuit, docte il donne raison
Si les metaux sont faits de Soulfre et de Mercure,
Si d'un suc espaissi par la longue froidure
Et purgé par le chaud, si de cendreuse humeur,
Ou si celuy qui fit la vag*u*euse tumeur,
La terre bigarree, et le celeste empire,

381 *1591* … une chalaison,
386 *1591* … la vageuse tumeur,

362-364. Allusion à la médecine du temps, qui guérissait l'humeur blanche avec la coloquinte, la noire (c.-à-d. la folie) avec l'hellébore, etc.

376. L'aigle était réputé n'être jamais frappé par la foudre.

Tout puissant les forma tout tels qu'ore on les tire.
Il comprend bien pourquoi le sang est arresté
Par la claire vertu du Jaspe marqueté :
Le Saphir guerit l'œil, le Topaze fait guerre
A Venus, l'Amethiste au Dieu Porte-Lierre.
Et d'où procede encor que le clair Diamant
Va s'opposant, jaloux, aux larcins de l'Aymant.
Il n'ignore les tons, les mesures, les nombres,
Ni la proportion des corps avec les ombres,
Et saoulé du nectar qui decoule du ciel,
Les mousches ont confit dans ses levres le miel :
Mais il n'embrasse pas la froide theorique
Avecques tel ardeur que l'utile pratique :
Et ne fait tant d'estat d'un sçavoir babillart,
D'un sophistique orgueil, qu'il fait de ce bel art
Qui soustient un estat, le saint timon manie, [46]
Et des grands et petis entretient l'harmonie.
Sur tout il est bon juge, il donne force aux loix,
Et comme le plus haut des hauts monts Bigauroix,
Porte la teste droite, *a s*erene la face,
Mesprise les Autans, les pluyes et la glace,
Des Borasques se rit, et brave, va foulant
Sous ses genoux l'orgueil du tonnerre roulant,
Il est juge inflexible, il demeure sans tache,
L'amitié de son poing le fer vengeur n'arrache :
La haine ne l'aiguise, il foule les faveurs,
Il pestrit sous ses pieds et les peurs et les pleurs.
Jamais au rais de l'or son clair œil ne berlue,

407 *1591* ..., asserene la face,

---

392. *Dieu Porte-Lierre* : Bacchus, c.-à-d. l'ivresse.

395. « Des Mathematiques, et de l'Eloquence. »

404. « Salomon maintien la Justice. »

Il n'est onc affublé d'une ignorante nue.
Chacun tient à bon droict pour oracle sa voix,
Il sçait accortement tirer l'ame des loix.
En affaire douteux, prudent il subtilize,
Et des plaideurs rusez les cœurs anatomize.
Depuis qu'il estoit né quinze moissons encor,
Almes n'avoient branlé leur chef herissé d'or :
Alors qu'il decida d'une prudence heureuse
De deux fines putains la dispute fameuse.
Terre, dit la premiere, est-il possible helas !
Que, crevant de despit, tu n'engloutisses pas
Ceste femme execrable ? hé ! Sire, est-il possible
Que sortant de commettre un crime tant horrible,
Elle ose effrontément de ton Throne abuser,
Non pour demander grace, ainçois pour accuser ?
De sommeil, de viande, et de vin oppressee,
Marastre elle estouffa son fils la nuict passee.
Puis le trouvant gelé, sans pous, et mouvement,
Rusee dans mon lict le met tout bellement,
Print le mien en son lieu. Tien, o vieille paillarde !
O plus qu'infame, tien tien ta race bastarde.
Retire ta charongne, et me ren mon plaisir,
Mon espoir, mon amour, mon jouet, mon desir.
O cruelle aventure ! o sacrilege estrange !
Donques tu baiseras ce beau, ce petit ange :
A tes begues propos, mignard, il sousrira ? [47]
Dans tes sales cheveux il s'entortillera ?

416 *Holmes donne la leçon* ignorance nue *et cite – l'autre* (ignorante nuë) *comme plus tardive dans les éditions Chouet. C'est celle que nous trouvons dans notre exemplaire de référence et elle ne nous paraît pas vide de sens : nous la maintenons donc.*

---

421. « Exemple notable de sa Sapience au fait de l'administration de la Justice recité en l'histoire sainte. 1. Rois. 3. »

Tendre il viendra combler ton ame de liesse ?
Et grand il nourrira ta difforme vieillesse ?
Mais moy povrette helas ! je n'aurai p*our* ma part
Que les ennuis du port, que les douleurs du part,
Le branlement du bers, le musc de ses urines,
Et le son importun des plaintes enfantines ?
O la plus miserable entre tous les humains !
O mere sans enfant, hé ! que n'as-tu les mains
Armees d'un couteau, comme ton cœur de rage,
Non, plutost que souffrir un tant indigne outrage,
Je tueray ceste Chienne, et plutost dans mon sein,
Cruele, je teindray ma forcenante main.
L'autre respond, ainsi : Ha ! louve, ha chaude lice !
Hé ! qui croiroit jamais qu'une si grand malice
Accompagnast le vin, si tu n'as peur de Dieu,
Crain au moins l'esprit clair du Roi qui tient son lieu.
Il ne te suffit point de me rendre perfide,
Yvrongne, plagiaire, infame et parricide,
Tu veux m'oster mon fils, mais tu ne l'auras pas,
Amour de nœuds trop forts le serre entre mes bras :
Qui m'ostera mon fils, il m'ostera la vie.
O du juste David juste fils je te prie
Qu'en faveur des faveurs qu'accort il te faisoit,
Lors que r'enfantillant tes pleurs il appaisoit
Par un affeté geste, et que sa langue mole
De nouveau r'apprenoit à former la parole :
Ou quand encor' tout chaud, tout sanglant, tout pantois,
Il revenoit chargé des despoüilles des Rois
Il couroit t'embrasser, te berçoit en sa targe,
Et pleurant t'elevoit sur son espaule large,
Tu prenois lors sa barbe, et riois en voiant
Un autre Solomon rire en l'or flamboiant.
Du casque paternel mignardois cent minetes

445 *1591* ... point... [*Corrigé d'apr. les éd. ult.*]

A travers le duvet de ses blanches aigrettes,
Et semblois de grans flots d'un pennache couvert,
L'oiselet qui s'esbat dedans un buisson vert.
Je t'adjure au doux nom de ta grand Bersabee, [48]
Qui tremblottant de froid s'est mille fois courbee
De nuict sur ton berceau, qui de soir au matin
Cent fois d'un sang blanchy a vuidé son tetin :
Qui sur ton front a mis l'emperlé diademe,
Et qui soigneuse vit plus en toi qu'en soi mesme.
Je t'adjure, o grand Roi ! par tout ce qui se voit
Icy bas de plus saint, que tu me faces droit,
Que si las ! ta bonté, ta nuisible clemence,
Ne veut du tort receu m'octroyer la vengeance,
Au moins ne m'oste point ce que sans ta faveur
Nature m'a donné, ne m'arrache le cœur,
Ne me prive du sang, et ne permets de grace
Qu'en orfa*n*té je vive ayant vive ma race.
   Tandis qu'ensemblément elles crient au roy,
Il est mien, il est mien, tu mens, il est à moi :
Le peuple est mi-parti, desjà l'un dans son ame
Juge pour ceste-cy ; l'autre pour l'autre femme :
Comme quand deux joueurs hazardent sur un ais,
Champs, vignes, et chasteaux au roulement des dez,
Un contraire desir les assistans transporte,
L'un favorise l'un, l'autre l'autre supporte,
Et chacun agité d'esperance et de peur,
S'émeut au mouvement de l'yvoire trompeur.
   Le Roi seul est en doute, et ses sages oreilles
Trouvent leurs cris, leurs pleurs, et leurs raisons pareil-
[les,
La face de l'enfant ne le peut adjuger
A l'une plus qu'à l'autre. On ne peut soulager
L'esprit douteux du juge en calculant leur aage,

492 *1591* Qu'en orfauté…

Chancellant il se voit privé de tesmoignage.
Puis il discourt ainsi, mais c'est comme en songeant,
Quand toute preuve manque au juge diligent,
On doit avoir recours à quelque conjecture
Puisee dans le sein de la docte nature,
Ou s'aider de la gehenne. Or l'amour maternel
Est de l'alme nature un edit eternel :
Et l'on ne cognoit point nature plus severe
Que celle qu'en son fils souffre une bonne mere.
Puis comme en s'esveillant : Çà, le glaive aiguisé, [49]
Çà, dit-il, que l'enfant vous soit or divisé,
Il faut que la pitié *à* la justice cede :
La justice ne veut qu'une entier le possede.
O dure question ! Le juge voit alors
Les secrets de leur cœur, nus, se jetter dehors.
Tout le masque est levé, et leur langue poussee
D'un sincere desir respond à leur pensee.
Soit (dit la fausse mere) ainsi fait, je le veux,
Justes partez ses os, ses ongles, ses cheveux.
Hé ! ne le partez pas, je me ren, je lui quitte
(Dit l'autre) tout mon droit. Tien ô femme maudite
Possede mon enfant, je l'aime mieux pour toi
Tout entier et vivant que desmembré pour moi.
Il est tien (dit le Roi), il est tien par naissance,
Tien par affection, et tien par ma sentence.
Or comme mesme mine aporte avecques l'or
Beaucoup de Chrysocole, et d'argent fin encor,
Une gloire incroiable, une extreme richesse,
Du grand fils de David seconde la sagesse ;
Il commande sur terre, il commande sur l'eau,

516 *1591* … son fils souffre, une…
519 *1591* … et la justice…

533. « Dieu adjouste richesse et gloire à la sagesse de Salomon. »

Cent diademes font hommage à son bandeau ;
La mer du Nil, Sidon, sont ses plus proches bornes,
Et l'Euphrate sous lui bais*s*e ses moites cornes :
Le Peru, comme on dit, coule dans son thresor,
Le sable dans Sion n'est plus commun que l'or,
Le caillou que la perle, et par toute Judee
La mer de tout bon heur semble estre desbordee :
Chacun cueillit sans peur, sans envie, sans bruit,
Les grapes de ses ceps, de ses figuiers le fruit :
Il foisonne en tout bien, non afin qu'il se change
D'homme en sale pourceau, ains plustost d'homme
[en Ange,
Pour loüer l'Immortel qui luy donne icy-bas
Jà desjà quelque goust des celestes esbats.
De ce Roi grand en biens, en prudence, en faconde,
Le renom doux-flairant s'espand par tout le monde,
Celuy de Tyr le veut pour son confederé,
Et Pharon pour son gendre : Il n'est moins adoré
Des voisins que des siens, et de ses yeux les flammes [50]
Vont jusqu'au bord du Nil brus*l*er la fleur des dames.
Solomon que fais-tu ? Povre ne vois-tu pas
Que ces nopces ne sont des nopces ains des lacs ?
Qu'un Hymen bigarré de diverse croyance
Est des mortels debats l'immortelle semence ?
Et que l'Asne et le Beuf sous un joug accouplez
Ne seillonnent pas bien le terroir porte-blez :
Quiconque se marie avec une infidele
Fait divorce avec Dieu. La foi tousjours chancelle,
Elle a besoin d'un aide et non d'un tentateur,

540 *1591* … lui baise…
555 *1591* … bruster…

551. « Sa renommee s'espand par tout. »

557. « [3.] Contre l'alliance recherchée par Salomon en Egypte. »

Du premier instrument de l'antique menteur,
D'un venin qui mortel couche dedans ta couche,
Et qui l'impieté souffle dedans ta bouche.
Grand Roi, celle qui part des Nilotiques flots,
N'est point chair de ta chair, n'est point os de tes os,
C'est un os estranger, une coste barbare,
Un membre tout pourry de la lepre de Phare.
Mais quoy, me diras-tu, la belle a despouillé
De l'idolatre Nil le vestement soüillé,
S'est paree de blanc, a vestu l'innocence,
Et s'est faite par foi d'Abram juste semence :
Cela pourroit bien estre, et la saincte beauté
Dont elle est le pourtraict me faict vers ce costé
Volontaire pancher. Mais j'ay peur que sa suite
Ne corrompte ta cour, et que Dieu ne s'irrite,
L'Eternel, qui ne veut qu'on aille meslanger
Avec le sang d'Isac le sang d'un estranger.
Sous l'equateur benin l'amoureuse Nature
Arrouse un petit bois eternel en verdure,
Là tout le long de l'an dure un May verdissant,
Qui va de ses couleurs les beaux champs tapissant,
Là rit par tout la terre, et les fleurs estoilees,
Vives sautillent plus, plus elles sont foulees.
Tout y croist sans travail, ou si c'est par labeur,
Le seul plaisant Zephire en est le laboureur.
L'austre jamais ne choque, et la gresle n'ebranche
L'immortelle forest, le droit palmier se panche
Pour baiser son espouse, et tout le long de l'an [51]
Le Platan en sifflant fait l'amour au Platan,

566. La tentation a été la premiere ruse de Satan.

573. « Excuse pour icelle » [l'alliance égyptienne].

583. « Poetique description du plaisant verger d'où partent les amours qui blessent les cœurs de Salomon et de Pharonide fille du Roy d'Egypte. »

Le Peuplier au Peuplier presente son service,
L'Ormeau est embrassé de la Vigne tortisse,
Le Lierre avec le Chesne est estroitement pris,
Tout y naist, tout y croist, tout y vit à Cypris :
L'opinion la garde, elle en deffend la porte
Au soin, à l'avarice, à la vieillesse morte,
Si dessus l'huis fleuri de la verte maison
Elle ne va laissant le paquet de raison.
Mais bien elle y reçoit les audaces peureuses,
Les signes eloquens, les prieres flateuses,
Les courroux tost estaints, les pleurs soudains taris,
Les habiles larcins, la balance, le ris,
La mole oisiveté, la volupté qui toute
D'un Nectar tout sacré flairantement degoute :
Le veiller enroüé, l'agreable tourment,
L'espoir des chauds souhaits, immortel aliment,
La prodigalité, les licences desceintes,
Les charmeuses chansons et les douces complaintes.
  Des arbres embaumez les trop chargez rameaux
Petillent sous les nids des gentils amoureaux,
Beauté pond, Desir couve, et l'ardeur enflamee
Des passions esclost ceste race pignee.
L'un est en glaire encor, l'autre tout animé,
L'autre dessus son dos porte le bers aimé ;
L'autre a le poil follet, l'autre de haye en haye,
De rameau en rameau jeune apprentis s'esgaie,
L'un au frais d'un pommier doucement pantelant,
Laisse prendre à ses bras son carquois exhalant
Une ardente vapeur : l'autre contre une Passe
Fait l'essai de son arc qui les Geans terrasse,
Et l'autre tend rusé des gluaus aux Tarins,

599-602. L'opinion n'admet pas que la vieillesse se livre à l'amour, à moins de faire bon marché de la raison (d'abandonner la raison à l'entrée du jardin de Vénus).

Aux doux Chardonnerets, aux caqueteux Serins.
Voi, voi, comme ceux-cy laissans leur aisle oisive,
D'oiseaux se font piqueurs, qui chevauche une grive,
Qui pousse un Perroquet, qui manie un Faisan,
Qui picque un Cigne blanc, qui fait voler un Pan,
Qui meine à reculon la mignarde Colombe, [52]
Qui fait tourner en rond la porte-ordre Palombe.
Voi comme *u*n escadron de *c*es enfantillons
Chasse folastrement les dorez papillons :
L'un avec un bouquet, l'autre avec la main tendre,
L'autre avec un rainseau de roses les veut prendre.
L'oiseau cornu s'escoule, et par maints souples tours,
Trompe assez longuement l'embusche des amours.
Mignons, crie Cypris, quittez ce jeu folastre,
Vous pourriez mes petits vous pourriez bien abatre
Au lieu d'un Papillon un enfant de Venus,
On trouve assez souvent des Cupidons cornus.
  Cela dit, deux jumeaux dont les fleches orines
Ne se trempent jamais qu'es royales poictrines,
  Sus tirons (disent-ils) tirons mon cher germain,
Chacun contre ces cœurs un traict de nostre main :
L'effect court aussi tost que leur parole aislee,
Ils font deux ou trois pas pour prendre la volee,
Et dru dru secoüant l'aisleron emplumé,
Le cerceau trois fois teint d'un cramoisi semé
Icy d'or, là d'azur, l'un vers la Palestine,
L'autre aux rives du Nil, haut guindé, s'achemine.
  La fille *à* Pharaon, merveille de son temps,
Agenceoit ses cheveux jusqu'à terre flotans :

633 *1591* … comme en escadron de mes enfantillons,
653 *1591* La fille de Pharaon… *Vers faux. Coquille pour* la fille de Pharon ?

653. « La Princesse d'Egypte est embrasee de l'amour du Roy de Judée. »

Et dans un cabinet planché de jaunes lames
Souffroit la docte main de trois accortes dames,
L'une d'un buis cent fois dentelé par deux pars,
Seillonne les touffeaux de ses cheveux espars :
L'autre verse dessus ses perruques dorees
Un fleuve doux-glissant de senteurs Nectarees.
La tierce, or de l'aiguille, ore d'un doigt mignart
En frise, en crepillons, en anelle une part.
L'autre deçà delà sans artifice ondelle,
Et l'artiste mespris rend sa beauté plus belle,
Quand l'un de ces jumeaux fourni de traicts ardans,
En forme d'Arondelle isnel entre dedans,
Et je ne sçai comment contre son sein deslache,
L'arceau d'or que finet sous l'aisle gauche il cache.
J'en ay, (dit lors la vierge) ha ! j'en ay dans le flanc, [53]
Mais ne trouvant sur soi cicatrice ny sang,
Non ce n'est une playe. Ha ! pauvrete, je gage,
(Dit elle) qu'en dormant sur le proche rivage,
Un malin serpenteau glissa dedans mon sein,
Il bequette mon cœur. Hé ! baillez-moi la main,
Portez-moi sur le lict, une glaceuse flame,
Un glaçon chaleureux tyrannise mon ame.
O cruel enfançon, helas ! combien de fiel
Ton traict envenimé broye avecques ton miel,
La vierge qui souloit sur l'esmail des campagnes
Rire, sauter, dancer avecques ses compagnes,
Aime la solitude, est triste, est toute à soy,
Resve, gemit, souspire, et si ne sçait pourquoy.
La superbe grandeur des riches Piramides,
Represente à ses yeux les rempars Jebusides ;
Dans le christal du Nil elle voit le Jourdain,
Dedans Memphe, Solime, et chasque fois sa main
Dessus le Cane*v*as tire, non commandee,

687 *1591* … le Canebas…

Et le chifre et le front du Prince de Judee :
Qui faisant le dessein du temple sacré-saint,
Est par l'autre Besson en mesme temps atteint :
La fleche tient à l'os, le mal est dans ses veines,
Le dormir ne faict point dormir ses douces peines.
Pharonide est son cœur, Pharonide tousjours
Est l'unique sujet de ses plus hauts discours.
Il nourrit dans son ame une intestine guerre,
Le Soleil tout voyant se leve or sur la terre,
Or brusle en son mi-jour, or se couche atiedi,
Mais tousjours ses amours sont en leur chaud Midi :
Gaillard comme il souloit ses chevaux il ne domte,
Il ne lit, il n'escrit : sur son throne il ne monte
Pour escouter la vefve, il n'a soin de sa cour,
Il ne fait plus la loy, il la reçoit d'amour.
Prudens ambassadeurs, qui pratiquez ces nopces,
Des tableaux, des anneaux, ne chargez vos carosses,
L'ingenieux amour en a de son beau trait
Au profond de leur ame engravé le pourtrait :
L'un vit tousjours en l'autre, ils ont, ô fait estrange ! [54]
Fait de leurs cœurs brulans un heureux contr-eschange.
Beaucoup mieux que chez soi leur cœur se plaist
[dehors,
Mais il desire unir à son hoste son cors.
Cela se fait bien tost, la vierge est arrachee
D'entre les bras pressans de la mere faschee
Et gaie tout ensemble, et le pere vieillard
Accompagne pleureux de tels mots son depart :
Ma fille, mon doux soin, Osire te conduise,
La mugissante Isis ta maison fertilise

---

689. « Salomon devient amoureux de Pharonide princesse d'Egypte. »

703. « Ses ambassadeurs la demandent et obtiennent pour femme à iceluy. »

D'une race doree, et les chastes amours
De Solmon et de toi croissent avec vos jours.
Femmes, vierges, enfans, jeunes, vieux, sains, mala-
[des,
La suivent des creneaux par vœux, et par œillades,
Le calme Nil se fait plus calme que devant,
L'Austre est vent pour la barque, et pour les flots sans
[vent :
Son pied rend toute terre odorantement verte,
Son œil va fecondant l'Arabie deserte,
L'Idumee est en feste, et par tous les chemins
On n'entend que cornets, flustes et tabourins :
Le peuple couronné, formillant par la plaine,
Crie, Vive à jamais, vive, vive la Roinel
Qu'elle semble un sion qui palit languissant,
Contre l'ombrageux pié d'un pere trop puissant :
Mais ailleurs transplanté se paist d'une *aure* douce
Vers le ciel rosoiant sa forest libre pousse :
Heureux rit tout à soi dans le sol estranger,
Et de ses pommes d'or dore tout le verger.
De la riche Sion on ne void point les rues,
Le bas est tapissé d'escarlates velues,
De soye les costez, le brocatel luisant
Les deffend des rayons d'un Soleil trop cuisant :
On se presse, on se choque, une ondeuse maree
De peuple suit par tout la pucele adoree,
Du haut de leurs maisons les dames vont jettant
Une pluye de fleurs sur son chef esclatant,
Jalouses toutesfois que les roses jumelles
De ses jouës font honte aux roses naturelles.

731 *1591* … d'une autre…

---

719. « Son depart d'Egypte et son voyage vers Judée. »

735. « Son entree en Jerusalem. »

En fin voici venir le cher honneur des Rois, [55]
Voici les deux amans, tels que sur le mi-mois
La Lune et le Soleil entiers s'entreregardent,
Et mille clairs rayons amoureux s'entredardent :
Ils sont esgalement jeunes, beaux, diapr*és*,
Ils sont pareils en grace, et qui ne voit de pres,
Scofion, ni bonet sur leurs testes dorees,
Les prend pour deux Adons, ou pour deux Citherees.
Ces novices d'amour tremblent mal asseurez,
A leur premier abord leurs sens sont alterez,
Le brasier doux-ardant qui se couve en leurs ames,
Par leur teint damoiseau jette ses rouges flames,
Leur langue est begaiante, et leurs yeux estoilez
D'un crespe vergongneux semblent estre voilez.
Mais où me guidez-vous, ô pompeux Hymenee,
Ethnique suis-je point sous l'arche fortunee ?
Où les dieux du haut rang, les moyens, les petis,
Mangeoient, beuvoient, dançoient, aux nopces de The-
[tis ?
Ici, le grand Jupin de l'Idumoise terre
Sous ses pieds trepignans foule l'ardant tonnerre :
Sa majesté transforme en un geste riant,
De Roi vient courtisan, de Prince supliant,
S'esgale aux plus petits, toutesfois quoi qu'il face,
L'honneur dissimulé luit tousjours sur sa face,
Ici plusieurs Phebus et mainte Muse encor
Sur les vers doux-parlans repassent l'archet d'or,
Si bien que peu s'en faut qu'à leur son les *a*rcades,

749 *1591* … diapres,
771 *1591* … les Arcades,

---

745. « La rencontre de Salomon et d'elle. »

753. « Indices de leur amour mutuel. »

763. « Leur banquet nuptial, exactement descrit en peu de vers. »

Qu'à leur son les piliers ne facent des gambades.
Ici mainte Junon, ici mainte Pallas,
Ici mainte Diane atrape dans ses laqs
Mille seigneurs gentils, selon que la richesse,
L'ardent desir d'honneur, ou la beauté les blesse.
Ici mainte Hebe belle, ici plus d'un Chiron
Diligent à servir promeine à l'environ
Des licts le doux nectar, et la table se plie
Sous les plats qui gravez regorgent d'Ambrosie :
Cent Mars vont attaquant des non-sanglans combats,
Cent Hermes inventifs trouvent dix mille esbats,
Cent Satyres cornus, cent Pans, cent Oreades, [56]
Boufons mettent en jeu cent foles mascarades :
Car je ne sçai comment de Dieu les serviteurs
Hument le doux venin des estrangeres mœurs.

De tant de vrais pourtraits que quelqu'autre embel- [lise
De ses riches tapis le drap à haute lice,
Parmi les passe-temps je veux un bal choisir,
Un bal accompagné d'un sage doux plaisir,
Bal grave, chaste, sainct, bal digne ou je m'abuse,
Et du grand Solomon et de ma saincte Muse.

Apres qu'on a levé les plats delicieux,
On commence à danser dans l'enclos spacieux
D'une sale qui riche, auguste, claire, et ronde,
Fut nommee à bon droit la grand sale du monde.
Quels delices de voir trepigner flanc à flanc,
En cercle tout au long des hauts murs un long rang
De Dames, et d'Heros, leur œil est un clair Phare,
D'un clinquant rayonneux leur corps leger se pare :

---

789. « Digression du bal grave, chaste et saint. »

793. « La sale où il se fait est le monde, autour des murs duquel, qui sont les cieux, se void ce bal des corps celestes ou astres, qui ont une desmarche mesurée en perfection. »

Ce n'est une demarche, ains un doux glissement,
L'harmonie est leur frein, tous vont esgalement :
Ils accordent accorts leurs passages en sorte
Qu'on diroit à les voir qu'un seul esprit les porte,
Encor qu'ils aillent *viste* on ne le diroit pas,
Ils postent sans bouger entre cent mille pas,
Ils en reculent un, ils font rondes sur rondes,
Et jettent en courant des œillades fecondes.
Au milieu du pavé en escharpe s'estend
L'azuree largeur d'un baudrier bluettant,
Faite en marqueterie, où tous couverts de flames
Balent chacun à part cinq seigneurs et deux dames,
Ici danse un vieillard qui porte un long manteau
Teint de couleur de plomb, et ceint d'un serpenteau
Qui mord sa perse queue : en son drap l'elebore,
La Rue, le Cumin, la blonde Mandragore,
Rampent artistement, là sont au vif pourtraits
L'Ours, le Porc, le Chameau, l'Asne y brait à peu pres,
L'oiseau Strymonien, comme il semble, y criaille,
Et le Pan y piafe, il porte pour medaille
Une grand' Cornaline où d'un burin profond [57]
L'artisan a gravé le Temps au triple front :
Tous ses pas sont pesans, et morne son visage,
Son corps est bien icy, mais ailleurs son courage :

805 *1591* … aillent bien viste… *Vers faux.*

---

809. « Le Zodiaque, dans lequel marchent par excellent compas les 7. planetes, les cinq seigneurs sont Saturne, Jupiter, Mars, le Soleil, Mercure : les deux dames, Venus et la Lune. »

809-810. *En escharpe s'estend / L'azuree largeur d'un baudrier bluettant* : le cercle du zodiaque est très souvent comparé à une écharpe, à une ceinture, à un baudrier (cf. *Sepmaine*, IV, 197 et 199).

813. Portrait de Saturne d'après Goulart (voir note ci-après), d'Esculape d'après Holmes.

Là le seigneur Zedec va d'un pied plus dispos,
Il est beau, gay, gentil, sur son robuste dos
Un vestement tissu et de soye et de bisse,
Retirant sur l'estain à grands couches se plisse,
Figuré d'oliviers, de violes, de lis,
D'almes Mirobolans, de chesnes et espis,
Tout bordé de Faisans, d'Aigles aux brunes aisles,
Et d'Elephans chargez de branlantes torelles,
Poignant de Diamans, d'Esmeraudes semé,
Et de douces odeurs haut et bas parfumé.
Le tiers haste encor plus sur la mesme carriere
De son Pyrique bal la desmarche guerriere,
Sa face est toute en feu. Maint jaspe grand et beau,
Mainte Amethiste luit sur le riche pommeau
De son glaive courbé du pied jusqu'à la teste,
Sur son corps vigoureux l'acier fourbi bluette :
Son bouclier flambe d'or, dessus ses bords gravez
Courent Loups et Chevaux en bosse relevez :
Et sa circonference est pour crespine ornee,
D'un rameau contrefait d'Euphorbe et Scammonee.
O belle qui es-tu ! qui du feu de tes yeux
Enflamme*s* l'Ocean, l'Air, la Terre et les Cieux.
Qui es-tu di-le nous ? ô des belles la belle,
A qui le Passereau, la Tourte, et Colombelle,
Font nuict et jour la cour, dont les cheveux dorez
Sont de rose[,] de thim, et de Mirthe entournez.
Qui ceins tes flancs d'un ceste odorantement riche,
Où l'escadron mignard les doux amours se niche,

846 *1591* Enflamme…
850 *1591* … de rose de thin, et de…

825. « Apres Saturne il nomme Jupiter. »

835. « Mars. »

845. « Venus. »

Qui portes un habit de Grenadiers bordé,
Boutonné de saphirs, et de Berils bordé !
Dont le pied fredonneur suit ore, ore devance
Par l'estoillé plancher le Prince guide-dance :
Belle n'est-ce pas toy qui d'un feu chaste-doux
En un cœur as fondu les cœurs de nos espoux ?
 Et cil qui te suivant mignarde ses passages, [58]
Subtil n'en fit-il pas les éloquens messages ,
O quel estrange habit ! son manteau bigarré
De ruisseaux d'argent vif semble estre chamarré,
Et chasque bande encor ondant par l'escarlate,
Au bout a pour flocon un Porphire, une Agate.
Une mute de chiens poursuit icy le Dain,
Là le Renard rusé,là le Chevrueul soudain,
Les Calandres icy, Linotes, Philomelles
Feintes sur arbres feints, laissans pendre leurs aisles,
Semblent enfler leur gorge et former une voix,
Qui fleuretante veut faire honte aux haut-bois.
Le Persil fume-terre, et Pimpernelle ombrage,
Les crepelez cheveux de son tortis fueillage ;
Il tourne, il vire-vouste, il est gaillard et prompt,
Il fait maints petits ronds en faisant son grand rond,
Son cours deçà delà bigearre se va tordre,
Et toutesfois on void un ordre en ce desordre.
 Place *ô* vulgaire abjet, prophanes à l'escart,
A ces delices saints vous n'avez nulle part :
Mais vous ô purs esprits venez fendre la foule,
Sus gaignons le devant, çà, que nostre œil se saoule
Du maintien des espoux, couple en beauté parfait,

877 *1591* Place au vulgaire abjet,...

---

859. « Mercure. »

877. « Le Soleil et la Lune representent en terre Salomon et Pharonide, Christ et l'Eglise au ciel. »

C'est pour eux seulement que la feste se fait.
Ha ! je le voy de pres. Hé, Dieu ! quelle lumiere ?
Je ne la puis souffrir : ô toy, clarté premiere !
O soleil du soleil ! Helas ! *at*trempe un peu
La pointe de tes rais, modere un peu ton feu :
De droit fil, sur ta sœur va ta clarté respandre :
C'est fait je n'en puis plus, je m'en vay tout en cendre.
O bien heureux espoux ! puis qu'il ne m'est permis
De voir à descouvert vos visages amis,
Permettez que j'exprime en ces vers vos carolles,
Vos riches paremens et vos douces paroles.
  La Roine a ses cheveux (beaux cheveux d'où tout [jour
Distile une rosee) annelez en maint tour :
L'un coule jusqu'aux pieds, l'autre à clairs flocons [monte,
Serrez d'un long cordon de grands perles de compte,
Sa cote est d'un damas à fonds d'argent frangé, [59]
De l'argent d'une mer richement fueillagé,
De Courge, de Lunaire, en maints effects estrange,
Et peint de l'animal qui les Zephires mange.
  Pourquoy Muse veux-tu, d'un exacte pinceau
Tirer par le menu tout ce qu'elle a de beau,
De toutes les beautez, graces, clartez, richesses,
Dont le ciel a doüé les troupes danseresses,
Elle en est la matrice, et puis comme un cristal
En renvoye la force aux spectateurs du bal.
  Un chapelet tissu des fleurs bien comparties
De jaunes Citronniers, Vyresole et Clyties,

885 *1591* … Helas ! je trempe…

---

893. « La Lune, Pharonide, l'Eglise. »

900. C'est le Dragon.

907. « Le Soleil, Salomon, Christ. »

Et broché de Rubis, Chrysolites, Balais,
Couronne de l'amant la teste jette-rais.
Sa fraise safranee a pour riche dentelle
Cent carboucles ardens, le Baulme, la Canele ;
Le Cedre, le Laurier richement façonnez,
Ornent de leurs rameaux ses plis goderonnez.
Sur son manteau d'or-trait le cigne aux blanches aisles
Medite à son honneur quelques chansons nouvelles.
Le Phœnix y bastit son nid et son tombeau,
Le Croquodile armé d'un jaque sort de l'eau,
Le moissonneur rosti quitte faux et javelles,
Et le soudain effroy ente à ses pieds des aisles.

Le fier Lyon y jete un grand feu par les yeux,
Par le nez, par la bouche, aiguise, furieux,
Son ire à coups de queue, et jà ses *n*ers desbande,
Pour attaquer de Pards une odorante bande,
Quand voicy le beau Coq, un pennache pourpré
Tymbre son chef superbe, un crin moitié doré,
Moitié pers, brille espais sur sa haute encoleure,
Par la peinte largeur de sa poitrine dure
Coule une rouge barbe, en ses yeux fauves vers,
Se campe la terreur, ses membres sont couvers
D'un fil d'or defilé[,] son bec court s'aquiline,
Son pied d'un pas soldat, esperonné chemine,
Il fourche sa grand queue en deux rameaux voustez,
De ses bruyans cerceaux il ba-bat ses costez :
Chante comme on diroit, et faict par sa presence, [60]
Baisser du fort Lion le crin et l'arrogance.

Ces bien-heureux Amans d'un pas exercité

923 *1591* … ses vers…
931 *1591* … defilé son bec…

---

915. « Estoilles du Zodiaque. »

937. « Mouvemens du Soleil et de la Lune. »

Trepignent en avant, en arriere, à costé,
Ils dansent à les voir la pavane Espagnole,
Et jamais toutesfois leur plaisante Carole
Ne sort point hors des bords du baudrier qui gravé
D'estoilez animaux, biaise le pavé.
Quand ce gentil espoux vers le mont Silo coule,
Mille sortes de fleurs vives croissent en foule,
Et quand vers Olivet, sous ses agiles pas
Naissent mille floccons de neiges et frimas :
Car le pavé luisant battu de ses desmarches,
Semble d'un tisserand les remuantes marches.
Ce couple ore se baisse, or se va reculant,
Se void or d'un œil mousse, or d'un œil scintillant,
Marche à front, marche à flanc, d'une course inesgale,
Et le teint chrystallin de la vierge Royale
Reçoit en ses beautez insigne changement,
A mesure qu'il est œilladé de l'Amant.
Que si quelque importun se fourre à l'improviste
Entre les deux amans, elle vient toute triste,
Vous diriez qu'elle meurt, son œil brillant s'esteint,
Tant peut en un cœur noble un feu chastement sainct,
Mais tout cela n'est rien au prix de la Musique :
Ils accordent le ton de leur voix Angelique
Aux pieds, à la viole, au luth charme-souci,
Et d'un vers amoureux s'entreparlent ainsi :
O pucelle aux clairs yeux, que je te trouve belle :

941-942. Cf. *supra*, M 809-810.

943. « Leurs conjonctions et eslognemens. » Selon leurs pas et leurs déplacements, les danseurs découvrent telle ou telle partie de la mosaïque qui décore le sol : ici l'image de l'été (v. 944), là celle de l'hiver (v. 946).

960. « Anagogique et sainte application de la conjonction du Soleil et de la Lune, au mariage de Salomon et de Pharonide, figure du mariage et devis spirituel entre Christ et l'Eglise descrit en ce beau livre mystic, intitulé Cantique des Cantiques. »

Que je t'ayme m'amour, ma blanche colombelle,
Hé ! bon Dieu que je t'ayme, ha ! tu m'as tout ravi,
Pour toy je meurs, m'amour, et pour toy je revi.
Que tu me sembles beau, que je t'aime, mon ame ;
En veillant je me pers, je me fonds, je me pasme
Aux rais de tes beaux yeux, et sens mesme en dormant
Veiller dedans mon sein mon aigre-doux torment.
M'amie quelle odeur de ta perruque douce,
Que d'ambre, que d'encens ta douce haléne pousse
Dans deux filets de pourpre, et que de myrrhe encor [61]
Degoutte incessamment de tes doigts cerclez d'or.
Mon ami, que l'odeur de ta louange est douce,
Que d'airs doux, ton doux air insensiblement pousse
Dans ma poitrine ardente, et que de miel encor
Coule de ton gosier, gosier clair-torrent d'or !
Ma fleur, entre les fleurs est un lis, une rose,
Est une rose, un lis, l'un esclos, l'autre close.
Premier, je veux cueillir ceste fleur de ma main,
La sentir, la baiser, la mettre dans mon sein.
Entre les beaux fruitiers, un beau Pommier tu sem-
[bles,
M'amour en mesme estoc fleur et fruit tu r'assembles,
J'en veux sentir la fleur, j'en veux gouster le fruit,
A ton ombre je veux coucher et jour et nuict.
Tandis du beau Vesper la carosse azuree
Traine de petits feux une troupe doree,
L'exercice faict place au sommeil gracieux,
Et celle de çà-bas suit la Venus des Cieux.
Cest Hymen celebré, le monarque ne songe
Qu'à la maison de Dieu, autre ver ne le ronge,
Son espargne est ouverte, il mesprise le prix,
Et des meilleurs ouvriers occupe les esprits.

---

991. « [4.] Salomon, son mariage accomply, bastit la maison de Dieu. » *Celle de çà-bas* (v. 990) : la Venus d'ici-bas, l'épouse de Salomon.

Cent et cent mille mains suent embesongnees,
On n'oit par tous les bois que masses et coignees,
Et du sacré Liban les chevelus coupeaux
Pour monter sur Sion roulent ès basses eaux ;
On sie les forests en poutres et limandes,
Les grands roches se font de jour en jour moins grandes,
Le quarrier à grands coups de traces et marteaux
Des escueils sourcilleux fouille les durs boyaux,
Fenestre audacieux un mont espouventable,
Et dompte le Porphire aux siecles indomptable.
L'un à force de feu la pierre blanche fond,
Et l'autre ensevelit dans un gouffre profond
Des marbres repolis par un docte artifice,
Marbres dignes du front d'un Royal edifice.
L'un coupe un chapiteau, l'autre taille un bossel,
L'un un Plynthe adoucit, l'autre un contre-bossel ;
L'un appreste une frize, et l'autre une Architrave, [62]
L'un rabote les aiz, l'autre, sçavant, les grave,
Donne ame aux Cedres morts, et des esclats d'un bois
Fait sortir des souspirs, des gestes, et des voix.
Et les autres, haussans des sacrez murs l'enceinte,
Par leur hardi travail font au ciel mesme crainte.
On travaille avec joye, et l'artisan se plaint
Qu'au Solstice d'esté le jour trop tost s'esteint.
C'est ainsi qu'en chantant la vendengeuse troupe
Avec le bec crochu de sa serpette coupe
Les moissons de Bacchus, dans le vaisseau flairant,
Courbee sous l'estrain le transporte en courant :
Et jusqu'aux larges flancs dans le moust enfondree,
Fait couler en dansant une pluye pourpree :
On besongne à l'envi, à veuë d'œil l'œuvre croist,

---

995. « Naifve representation des hommes occupez à un si beau travail. »

1019. « Comparaison représentant leur allegresse. »

Qui la *voit* au matin ravi ne la cognoist
Quand le Soleil se couche, et Dieu tout bon, tout sage,
Semble mesme avoir prins à tasche cest ouvrage,
Et travailler de nuict, tandis qu'un doux repos,
Occupe des massons, et les nerfs et les os.
Grand Roy d'où proceda la Titannique audace,
D'entasser tant de monts en une seule masse ?
Avec quels chariots, avec quels forts rouleaux
Peut on trainer si loin tant d'enormes quarreaux ?
Et quel courbé renfort de voustes suspendues,
Porte un si pesant faiz jusqu'aux bigearres nues ?
Si j'attache mes yeux sur la part de dehors,
Le masson a si bien joint des pierres les bords,
Que si docte, il n'avoit bigearré sa structure
D'albastre Sirien, de Serpentine dure,
De cent façons de marbre autant ferme que beau,
On diroit que le mur est tout fait d'un quarreau.
Si je voy le dedans, le dehors je mesprise,
En toutes parts flamboye une richesse exquise ;
Le pavé, les costez, et le plancher encor
Sont de Cedres plaquez, le Cedre est crespi d'or,
Et tout l'encroustement estoffé de fueillages,
De fleurs, de cherubins, et de courges sauvages.
Je ne veux mettre en jeu les sacrez ornemens [63]
Qui de loin en valeur passent ces bastimens,
L'art respond à l'estoffe, et l'estoffe à l'usage.

1026 *1591* Qui la viot...

1027. « Perfection d'un tel ouvrage. »

1037. « Son excellence au dehors. »

1043. « Et en dedans. »

1049. « Ceste maison represente l'univers distint en trois parties, divine, celeste et terrestre, où la sagesse de Dieu se descouvre. »

O parfait artisan ! tu tiras ton ouvrage
Sur l'Idee du monde, et comme l'Univers
Fut jadis partagé en trois lots tous divers,
Et que de l'Eternel la tout-puissante dextre
En fit un tout divin, un celeste, un terrestre,
Ornant l'un de vertus, l'autre de clairs flambeaux,
Et le dernier de fleurs, de bestes, et d'oiseaux :
Comme Dieu fit du peintre, en azurant les ondes,
Verdissant les beaux champs, dorant les voutes rondes,
Aux cailloux precieux donnant un teinct brillant,
Rayonnant les metaux, et les fleurs esmaillant
Du sculpteur, en formant dans les troncs et fueillages
Des plantes tant de traicts, veines, filets, images,
Du fondeur en moulant tant et tant de façons
De postes emplumez, d'animaux, de poissons.
Tu divises en trois ceste maison sacree,
L'un est le sainct des saincts, où nul n'a point d'entree,
Que Dieu, les Cherubins, et cil qui tient le lieu
Du vray Melchisedec eternel fils de Dieu :
L'intérieur parvis n'est ouvert qu'aux Levites,
Qui jettent, clairs soleils, sur les Israëlites
Les raiz de leur doctrine, et se paissans du miel
Qui coule de la Loy sont jà bourgeois du Ciel :
Tu destines encor les porches au vulgaire,
Au peuple cole-bas, au monde elementaire :
Et fais, ouvrier meslé, fleurir en toutes parts
De Miron, de Phidie, et d'Apelle les arts.
Ce patron te plaist tant que sur luy tu modeles
De ton divin esprit les veilles eternelles :

1067. « La divine, est le lieu tres saint. »

1071. « La celeste, le parvis interieur des Sacrificateurs et Levites. »

1075. « La terrestre est le parvis du peuple. »

1079. « Salomon és Proverbes depeint la terrestre. »

Ton livre d'aigus mots richement marqueté,
Peut estre richement au porche r'apporté :
D'autant qu'il nous fournit de loix Economiques,
D'enseignemens privez, de regles politiques,
Et que les traicts qu'à tous pesle-mesle il depart,
Aux affaires humains visent pour la pluspart.
Au parvis de dedans, l'Ecclesiaste semble ; [64]
Il pestrit sous les pieds tout ce que l'homme assemble,
D'agreable, de beau, de bon, de precieux,
Nous retire d'ici, pour nous loger aux cieux,
Et criant vanité, vanité tout le monde,
Sur la crainte de Dieu tout l'heur de l'homme fonde.
L'oratoire est ce chant où d'un mystique vers,
Tu maries Jacob au Roy de l'Univers,
Où tu fais retentir le doux Epithalame
De l'Eglise et de Christ : où des fidelles l'ame
Devise avec son Dieu, oit l'air de ses accens,
Se quintessence au feu de ses yeux doux perçans,
Joüit de ses amours, et dans sa chaste couche
Baise amoureusement d'amour mesme la bouche.
O Dieu ! (dit Solomon apres qu'il a parfaict
La maison du Seigneur) ô grand Dieu, qui m'as faict
Masson de ton Palais, las ! fay m'en pierre vive,
Et l'heur de ton David en sa race r'avive :
Roy qui de nul compris comprens l'infinité,
Monarque qui te tiens au Ciel par majesté,
Par Justice en enfer, en tous lieux par puissance,

1081. *Ton livre* : les livres de la Bible traditionnellement attribués à Salomon, les *Proverbes, L'Ecclésiaste* (v. 1087), le *Cantique des Cantiques* (v. 1093).

1087. « En l'Ecclesiaste, la celeste. »

1093. « Au Cantique des Cantiques le lieu tres saint. »

1101. « Dedicace du temple, et priere de Salomon à Dieu prise du 1. Livre des Rois ch. 8. »

Loge ô Pere divin icy pour assistance.
S'il faut en cas douteux recourre au jurement,
Destortille ce neud, puni severement
L'audacieux parjure, et fay qu'on ne te puisse
Accuser desormais d'ignorance ou malice.
Si l'arbre perd sa fleur, si nos champs sont greslez,
Si nos vuides espics, si nos fromens nielez,
Pronosticquent la faim, si de cent chaisnes fortes
Des grands sources du Ciel ta main ferme les portes :
Et qu'humbles nous jectons l'œil sur ceste maison,
Enten ô Tout-puissant, enten nostre oraison.
Si nous pleurons captifs en estrangere terre,
Si l'heur, le bras, le cœur nous manquent à la guerre,
Et qu'humbles nous tournons l'œil vers ceste maison,
Enten ô Tout-puissant, enten nostre oraison.
Si l'estranger esmeu du bruit de tes miracles,
Vient offrir ses presens, consulter tes oracles,
Et courber ses genoux dedans ceste maison, [65]
Enten ô Tout-puissant, enten son oraison.
Exauce la du Ciel, et par bien-faicts attire
Dans ton temple le Nort, l'Est, le Su, le Zephire,
Du sage roy d'Isac le sçavoir plus qu'humain,
Est un si clair brandon que l'on le cache en vain
Sous le mui d'ignorance. Il flambe en toute place,
Et son esclair trenchant donne contre la face
De celle qui conduit d'une prudente main,
Des Arabes douillets le politique frein,
Qui regne en la Sabee, où la prime eternelle
Produit l'encens, le Myrrhe, et la rouge Canelle,
Où le thresor privé semble un royal thresor,
Où les pots sont d'argent, et les chalits sont d'or,
Où les murs sont enduits des pierres plus exquises,

1129. « [5.] La sapience de Salomon renommee par tout, attire la Roine de Saba, pour venir le voir, et ouyr. »

Rangees en lacets, emblemes et devises,
Et toutesfois quittant tant d'heurs, tant de grandeurs,
Elle vient contempler de Solomon les mœurs,
Escouter sa doctrine et visiter sa ville,
Eschole de la foy, et des vertus l'Asyle.
Vous qui fermez les yeux à ceste grand clarté
Qui luit en nostre temps, dont l'esprit aheurté
A des rances erreurs, la verité rebute,
Qui de jour qui de nuict à vos portes tabute,
Et qui ne voulez pas ouvrir tant seulement,
Pour parler avec Dieu son double Testament :
Et ne craignez-vous pas que ceste grand'Princesse
Condamne au dernier jour vostre ingrate paresse ?
Qui femme, qui Monarque, et qui Payenne encor,
Desdaigne le repos, les delices, et l'or,
Traverse avec grand's peines, à grands frais, à grand'
[traites,
Un chemin assiegé de voleurs et de bestes,
Et genereuse va soubs autre Ciel courir,
Pour oüir bouche à bouche un homme discourir.
Elle n'y perd le temps, ravie elle y contemple
Les superbes beautez d'un magnifique temple :
De cent et cent citez les rampars sourcilleux,
Un throsne nompareil, un palais orgueilleux,
Precieux sont ses murs, plus ses meubles encore, [66]
Le nombre de valets sa riche cour honore,
Mais plus leur ordre exquis, là nul bruit ne s'entend,
Seulement chacun d'eux à sa charge s'attend :
Et comme à mesme temps le mouvement d'un pouce
Donne ame aux nerfs divers d'une guiterne douce,
Et pour plus enrichir sa charmeuse chanson,

1145. « Ceste Roine fait le procez aux faux Chretiens. »

1159. « Le fruit qu'elle recueille de ce sien voyage en Jerusalem. »

Cause un son mediocre, un son bas, un haut son,
Solomon, d'un seul mot, d'un geste, d'une œillade,
Accort fait remuer l'attentive brigade
De ses propres valets, chacun a sa leçon,
Et chacun est vestu de diverse façon.

Avant que desloger de ses flairantes Isles,
La Princesse s'arma d'enigmes difficiles,
Pour attaquer le Roy, convoiteuse de voir
Par maint dire embrouillé l'effect de son sçavoir :
Quel Œdipe voici ! l'advocat docte et sage,
Qui presque a consumé dans le barreau son aage,
Ne decide si tost un doute familier,
Jugé par l'ordonnance, ou par le coustumier,
Que ces plis Gordiens dextrement il desnoüe,
Qu'il voit clair dans ces nuicts, que gaillard il se jouë
Des doutes qui pourroient faire suer d'ahan
Un grand Gymnosophiste, un Druide, un Brachman :
Et sçachant que tant plus un bien se communique,
Tant plus il se faict grand, plein de zele il s'applique
A l'instruire en la foy, et ne cache envieux,
De son riche cerveau les biens plus pretieux.

Que je te plain (dit-il) pauvre peuple idolatre,
Qui fol adores l'or, l'argent, le bois le plastre,
Et qui par le discours des Mages abusé,
Tant de sur-intendans as au monde imposé :
Madame il n'est qu'un Dieu, non-engendré, supréme,
Roy de l'Eternité, ains l'eternité mesmes,
Infini tout en tout, mais separé de tout,
Des principes principe, et de tout bout le bout,
Des lumieres lumiere, essence passe-essence,

1175. « Elle sonde la sapience de Salomon par questions difficiles, que il resoud. »

1191. « Outre plus il instruit la Roine en la connaissance du vray Dieu. »

Des puissances pur acte, et des actes puissance,
De toutes causes cause, Ocean de bonté, [67]
La vie de la vie, et la mer de beauté,
Qui void tout invincible, et des astres le maistre,
Va donnant, uniforme, à tant de formes estre.
Un et Dieu c'est tout un, qui nie l'unité,
Atheïste abolit toute divinité.
L'unité gist en Dieu, en Satan le binaire,
Le grand monde n'a point qu'un Soleil qui l'esclaire,
Le petit n'a qu'une ame, et les deux Univers
Qu'un Dieu fait en essence, en personne divers.
De ce grand bastiment les parts si bien parties,
Ce corps rempli d'accords, mesures, sympathies :
Ce temple de tant d'ordre et richesse assorti,
Cest art par tout espars ne peut estre parti
Que d'un dessein unique, et luy que d'un seul maistre,
Ainsi qu'un maistre seul peut maintenir son estre,
Autrement on verroit en batailles rangez
Cent mille partisans se choquer enragez :
L'Univers nourriroit une guerre intestine,
Et ce tout factieux brasseroit sa ruine.
Puis Dieu est infiny de toute eternité,
Et qui peut concevoir plus d'une infinité,
Veu que l'un ne restraint de l'autre la puissance,
Ou plustost abolit son nom et son essence.
Payens, he ! pourquoy donc mettez-vous en prison
L'infini dans les murs d'une estroite maison ?
Pourquoy le serrez-vous dans un tronc contemptible ?

1205. « Qu'il y a et n'y peut avoir qu'un seul Dieu. »

1208. *N'a point qu'un* : n'a qu'un (cf. G. Gougenheim, *Grammaire de la langue française du XVIe siècle,* Paris, Picard, 1974, p. 246).

1221. « Que Dieu seul est infiny, eternel et invisible. »

1225. « Aveuglement des Payens. »

Temeraires pourquoy peignez-vous l'Invisible,
Pourquoy presentez-vous au trois fois Eternel,
Bien qu'il soit pur esprit, un service charnel ?
Mais dit-elle pourquoy fondez sur nostre exemple,
Osez-vous confiner l'Immortel dans ce temple ?
L'enclorre dans une Arche ? et plus que nous brutaux,
Le nourrir non de Myrrhe, ains de chair d'animaux ?
Ceste maison (dit-il) non moins saincte que belle,
N'est pour contenir Dieu, ains la troupe fidelle
Qui devote l'adore, et nous ne pensons pas
Que celuy qui comprend terre et ciel dans ses bras,
Soit dans un coffre enclos, ains le pacte authentique, [68]
Le contrat solennel qui la race Hebraïque
Confedere avec Dieu, le croiant au croiant,
Et va d'un sainct lien Ciel et terre noüant :
Au reste nos parfums, lavemens, sacrifices,
Ne sont point, comme on croid, des fantasques servi-
[ces :
Dieu mesme en est l'autheur qui par ses Elemens
De l'espoir de son fils paist nos entendemens :
Et propose à nos yeux l'unique sacrifice
Qui dans le sang de Christ doit noyer nostre vice.
Vien, vien donc ô Seigneur ! vien ô fin de la Loy,
Evesque souverain, grand Prophete, grand Roy,
Vien, vien, ô trois fois grand ! vien, ô nostre refuge !
Des hommes la Rançon, l'Advocat et le Juge,
Salutaire Serpent, fier Lion, Agneau doux,
Arbitre irrecusable entre le Ciel et nous :
Vien, ô la verité ! le but et l'assistance
De nos oblations, ô Messie ! commence
De regner en Sion, et d'esprit adoré,

1231. « Replique de la Roine, resolue par Salomon. »

1235. « Briéve exposition de la vraye religion avant et apres la venue du Messie. »

Recondui sur la terre un siecle tout doré :
Accepte ceste Roine ainsi que les premices
Des Roys de l'Univers, charge toy de nos vices,
Si bien que despoüillez de l'Adam vicieux,
Avec les Anges saints nous flambions sur les cieux
La Princesse à peu pres d'estonnement pasmee,
Luy parle en la façon : Sire, la renommee
Croist tousjours en volant, et babillarde fait
Plus grandes les vertus qu'elles ne sont de fait,
Et les rares esprits sont aux pourtraits semblables,
Pourtraits qui bien tirez sont plus esmerveillables
Veus de loin que de pres : Mais autant qu'en bon bruit
Tu luis sur tous les Rois, sur luy ta vertu luit,
Ton los bien que sans pair ta doctrine r'abaisse,
Et l'envieux renom fait tort à ta sagesse.
Je puis dire de mesme, ô Roy des Escossois :
De ton renom aislé la loin-brulante voix
M'a fait passer la mer, et des confins d'Espagne,
Hazardeux visiter le bout de ta Bretagne.
Hé ! qu'ay-je veu, bon Dieu ! mais, las ! que n'ay je [69]
[veu ?
O miracle du monde ! ô Roy du Ciel esleu !
Pour faire un grand chef d'œuvre, ô des Princes la
[gloire !
J'ay veu tant que mon ame à mon œil ne peut croire,
Un cerveau tout chenu au chef d'un jouvenceau,
Un courage de Mars soubs un teint damoiseau,
Un jugement rassis avec une ame agile,
Un discours tout ensemble et profond et facile.
Virgile et Ciceron en un esprit fondus,

1263. « Esbahissement de la Roine à cause de la sagesse de Salomon. »

1273. « [6.] Et du Poete, considerant les excellentes vertus de Jacques VI. Roy d'Escosse. »

Bref tous les dons du ciel en un chef respandus.
  Continue, o bon Roy ! gloire sur gloire entasse,
Et comme la vertu ton propre los surpasse,
Fay que tes devanciers soient par toy devancez,
Que tes gestes futurs surmontent les passez,
Triomphe de toy mesme, et devot brave et sage,
Confirme de mes vers l'eternel tesmoignage.*

* Le texte de « La Magnificence » est suivi, dans l'édition Haultin de 1591, de celui de la « Lepanthe » traduit par Du Bartas. Le volume s'achève sur le privilège « octroyé à Haultin d'imprimer *La Sepmaine* avec *Les Trophees,* ou premiere partie du quatrieme jour de *La Sepmaine, La Magnificence,* ou seconde partie du quatrieme jour de ladite *Seconde Sepmaine,* plus la *Lepanthe* de Jacques VI. Roy d'Escosse, qui sont toutes choses nouvelles, et non encore veuës ni imprimees. Lettres données, à Tours le 12. jour de May, 1590 ». L'achevé d'imprimer est du 30 novembre 1590.

Troisième partie

LE SCHISME
et
HISTOIRE DE JONAS

L'« Histoire de Jonas » a été publiée à part en 1588.

En 1603, dans les deuxièmes *Suittes,* paraissait pour la première fois « Le Schisme », auquel l'éditeur accolait le texte de « Jonas ».

On trouvera ici les deux poèmes (« Le Schisme » puis « Jonas »), précédés des deux Sommaires que Goulart avait rédigés pour chacun d'eux.

SOMMAIRE DU « SCHISME »

Es quatre premiers vers de ce livre le Poëte comprend le sommaire d'iceluy, descrivant en huict cens vers l'histoire sainte depuis la mort de Salomon jusques à la delivrance miraculeuse de Samarie, assiegée par les Syriens du temps de Joram Roy d'Israel. Ce qu'on peut voir dés le douxiesme chapitre du premier livre des Rois, jusques vers la fin du 7. chap. du deuxiesme livre. C'est une espace de temps d'environ 88. ans. Tout ce poeme donc est distingué en cinq parties. La *premiere* traite du regne de Roboam, lequel pour avoir creu le conseil des jeunes, et mesprisé celuy des vieux, perd dix lignées qui font un royaume à part sous Jeroboam execrable apostat, chastié de Dieu, mais qui s'endurcit et s'endort en sa rebellion. En la *deuxiesme* est descrit le regne d'Abjia, d'Asa, de Josaphat : et la miraculeuse victoire de ce dernier est elegamment representée. Nous voyons en la *troisiesme* un tableau des Rois apostats en Israel, successeurs de Jeroboam, jusques à Achab et Jesabel fauteurs de l'idolatrie : puis en peu de vers la fin de sa posterité. Sur ce le Poëte entrant en la *quatriesme* partie, descrit les faits du grand Prophete Elie, sa censure faite à Achab, sa predication touchant la seicheresse exactement depeinte : la fuite du Prophete, et les miracles que Dieu fait par luy en Sarephta : son retour en Samarie : sa dispute contre les prestres de Baal convaincus, mocquez, confondus, condamnez et mis à mort : Les autres miracles d'Elie, clos par son enlevement au ciel en un chariot ardant. La *cinquiesme* et derniere partie contient les faits du Prophete Elisée, les miracles duquel sont tracez en peu de vers, reservé celuy de l'adoucissement des eaux de Jerico, que le Poëte amplifie. Quoy fait il touche quelques propheties ou saintes predictions de ce grand serviteur de Dieu, particulierement il s'estend sur la delivrance de Joram et de Samarie assiegée par les Syriens, et pressée de famine extréme, representée notamment au pitoyable recit des femmes qui mangerent un petit enfant : ce qu'entendu par Joram il conspire contre Elisée, lequel rendant bien pour mal, declare que le lendemain la ville seroit delivrée et accommodée de vivres : ce qui est miraculeusement accomply, contre toute apparence et esperance humaine. A ce poeme estoit adjoustée l'histoire de Jonas, laquelle nous n'avons remise maintenant, pource que ci devant elle a esté publiée à part* : au commencement de laquelle se void la punition du Courtisan Samaritain, lequel s'estant mocqué du Prophete, sentit le lendemain qu'on luy avoit dit verité le menaçant qu'il verroit la delivrance de l'Eternel, mais à sa confusion ayant esté escrasé de la foule du peuple sortant de Samarie pour courir és pavillons des Syriens qui s'en estoient fuis, chassez d'une espouvante extraordinaire et celeste.

* Texte des éditions Chouet où « Jonas » était placé à la fin de la première *Suitte*. Dans l'édition Houzé de 1603, « Jonas » constituait la fin du « Schisme ».

SOMMAIRE DE L'« HISTOIRE DE JONAS »

Nous lisons au septiéme chapitre du second livre des Rois que Samarie ayant esté miraculeusement delivrée au siege des Syriens, comme le Prophete Elisée l'avoit predit, le peuple sortit, pilla le camp ennemy, et eut des vivres à foison, ayant esté paravant pressé d'une tres-griefve famine. Et quant au Courtisan qui s'estoit moqué de la parole de Dieu en la bouche d'Elisée, l'histoire adjouste qu'il fut foulé aux pieds du peuple à la porte, dont il mourut, comme il en avoit esté menacé par le Prophete. C'est ce que nostre Poëte touche pour preface à l'histoire de Jonas, sorti de l'escole d'Elisée, et envoyé par le Seigneur aux Ninivites, pour leur denoncer destruction. Au lieu d'obeir, il s'embarque pour s'enfuir ailleurs. Sur ce Dieu envoye un vent qui esmeut tellement la mer, que le vaisseau où Jonas estant prest de perir : les mariniers jettent le sort, pour descouvrir qui estoit specialement coulpable de cest accident extraordinaire. Le sort tombé sur Jonas, il se reconnoit digne de mort, et est jetté dedans les vagues, où un grand poisson l'engloutit, le garde et le desgorge puis apres sur le sec, d'où il s'en va en Ninive, et execute hardiment sa commission. Les Ninivites esmeus à sa predication, se repentent, s'humilient et crient à Dieu, qui les exauce et espargne. C'est ce que le Poëte deduit en ce fragment, où il expose en peu de vers les principaux point du 1. 2. ch. du liv. de Jonas le Prophete.*

---

* Texte rédigé avant la publication du « Schisme » – puisque, dans l'ensemble formé par ces deux textes, la fin parut avant le début.

LE SCHISME, [51]

ou troisiesme partie du
quatriesme jour de la seconde
Sepmaine du Sieur du Bartas

Je chante icy d'Isaac les batailles civilles,
De Jacob la revolte, et le sac de ses villes,
Ses execrables bris, ses veaux changez en Dieux,
Et le deschirement du peuple des Hebrieux.
Las ! vois-tu pas qu'on veut faire en France de mes-
[me,
Qu'on tasche partager le Gaulois diademe ?
Effleurer le beau Lys ? et comme cantonner
L'Empire qui souloit ses sainctes loix donner
A l'Ebre, au Rhin, au Po, et dessouz qui captives
Les ondes du Jordain choquoient leurs vertes rives.
Seigneur ne le permets, ne permets, ô bon Dieu,
Qu'esclaves nous servions cent Roitelets au lieu
D'un Monarque puissant : ne permets point qu'on
[chasse
Du Throsne sacré-sainct la legitime race, [51v°]
Que ce sceptre honoré change de main chaque an,
Et que chaque cité soit le nid d'un tyran.
Maintien-le tout entier, restably sa police,
Remets le fer trenchant au poing de la justice,

---

* Texte de 1603, Paris, J. Houzé, Exemplaire de la Bibl. de l'Arsenal, à Paris (cote 8° BL 8905). Troisième pièce de la deuxième *Suitte* : placée après *Les Capitaines*.

1. « Sommaire de ce livre. »

5. « France menacée de mesme division. »

11. « Invocation de Dieu. »

Et fay que jouyssant les douceurs du repos,
Je celebre en mes vers de plus en plus ton los.
Les estats generaux du peuple Israelite
S'assemblent par milliers dans le fort Sichemite,
Et nommant d'un accord Roboam pour leur Roy,
Limitent sa puissance, et durs luy font la loy.
Commande (disent-ils) dans le parc Abramide,
En Pasteur, non en Loup : relasche un peu la bride
De nostre servitude : Allege des impos
(Par ton pere inventez) nostre descharné dos :
De tes fins gabelleurs reprime l'avarice,
Si tu fais autrement nous quittons ton service.
Estonné de ces mots le Prince fait venir
Les vieillards qui souloient les premiers rangs tenir
Au conseil de son pere, et sur chose si grande,
Par maniere d'acquit, conseil il leur demande.
Dieu n'a fait (disent-ils d'une commune voix)
Pour les Rois les vassaulx, ainçois pour eux les Rois.
Ne permets donc qu'Isac jà deffait, have et blesme,
Soit mangé par autruy, moins encor par toy-mesme[.]
Et dequoy sert le chef qui n'a ny pied ny main ?
Le sceptre sans sujet n'est rien qu'un lustre vain,
Plus la ratelle croist plus le corps diminue, [52]
Et le fisc s'engraissant le peuple s'extenue,
Le tresor des privez est du Roy le tresor,
Le vray coffre d'espargne où l'or engendre l'or,
Où jamais, qu'au besoin, le bon Prince ne puise.
Sire, ne vois-tu point qu'un bon Pasteur se prise
Quand son troupeau est gras, et qu'il foule d'un pré

35 *1603* … (disent-ils) d'une commune voix
38 *1603* … toy-mesme ?

---

21. « I. Premiere partie traitant du regne de Roboam fils de Salomon. »

31. « Requis de supporter son peuple il en demande avis aux anciens conseillers qui luy disent verité. »

Avec cent bonds gaillards le tapis diapré ?
Entre les animaux pleins de fiel et de rage
Ce peuple est le plus fier, plus mutin, plus sauvage,
Hidre à cent mille chefs, monstre à cent mille voix,
Mais qui s'accordent bien pour faire guerre aux Rois.

Veux-tu faire cesser leurs abois et leur rage ?
Fais-leur present d'un os, par un rabais soulage
Le murmurant Jacob, aye d'Isac pitié,
Et fonde ta grandeur dessus son amitié.

Que si tu veux, cruel, paistre dessus leur glace
Ne le*s* rebute point, n'use point de menace
Ainçois pour establir ce throsne encore nouveau,
Donne luy quelque espoir, tien-luy le bec en l'eau,
Et prudent, souvien-toy du dire de ton pere,
Qu'une douce response appaise la cholere.

Roboam se mocquant de ces vieux Senateurs
S'arreste aux jeunes fols, aux mignons, aux flatteurs,
Crians tous d'un accord, que simple il ne se laisse
Brider si sottement, qu'il presse, qu'il oppresse
Ce peuple, qui refait ne peut vivre en repos :
Que d'une dent de fer il luy brise les os
Pour succer sa mouëlle, et qu'il tienne contrainte [52v°]
Sa rebelle fierté dans les ceps de sa crainte,
Qu'i*l* fuy*e* d'autre part ces vieillards qui resveurs,
Qui Censeurs importuns tyrannisent ses mœurs,
Enjambent sur sa charge, et trop sottement rogues
Sur un plus sage qu'eux font des fiers pedagogues,
Qu'il sçache qu'il est Roy, qu'en la matrice il prit

56 *Editions ultérieures (notamment Chouet), peut-être préférables :* … ton amitié.
58 *1603* Ne le rebute point,…
71 *1603* Qu'ils fuyent…

63. « Ce prince malavisé se mocque du conseil des vieux et suit celuy des jeunes mignons et flatteurs de cour. »

Avec les traits du corps les beautez de l'esprit
Du sage Salomon, et que dans la boutique
De nature il apprint le mestier politique.
La sagesse, ô Roy vain, fait son sacré sejour
Dans le cerveau chenu, le jour apprend le jour,
Le vieillard void de loing, et cent mille avantures
Qu'il a passé le font plus prudent aux futures.
Le jeune homme au rebours, comme homme frais-venu,
N'a ce monde pipeur qu'en passant recognu,
Et doué beaucoup moins de conseil que de force,
Contemple seulement les choses par l'escorce :
Mais tu suis le dernier, et fronçant le sourcy
L'illustre sang d'Isaac tu rabroues ainsi,
Ha ! vilains, vous voulez regner sur vostre Prince,
Luy tailler les morceaux ? saisir de sa province
Le sacré gouvernail ? tout sainct ordre chasser,
Et sans-dessus-dessouz son estat renverser ?
Mais à qui pensez-vous que vous avez à faire ?
Ce mien doigt est plus grand que les reins de mon pere,
Il vous a chatouillez, je vous escorcheray,
Il a courbé vos dos, je vous accableray,
Il vous a menacez de ses flouettes gaules,
Et moy j'enfonceray dans voz maigres espaules [53]
Mes fouëts garniz de cloux : et mon nom seulement
Vous causera terrible un glacé tremblement.
Comme un flot ravineux, qui sur son chemin treuve
Les paux entreglissez de quelque dique neuve,
Ou les fermes piliers d'un pont bien charpenté,
Pont qui n'avoit cognu le precedent Esté,
Jappe, murmure, bruit, plus fort que de coustume,

---

79. « Censure de l'impudence de Roboam. »

89. « Invective de Roboam contre son peuple. »

101. « Le peuple despité de la menace du Prince le quitte et se revolte de son obeissance. »

Et soüille despité le ciel de son escume :
Isac fasché jadis ore desesperé,
D'un effroyable cry fend l'azur ætheré,
Qu'avons-nous de commun avec le sang avare
Du Bozite Isay ? impose ta Thiare
O superbe Juda sur quel que tu voudras :
Mais n'esten plus sur nous ton tyrannique bras,
Cruel vat'en ailleurs employer tes entraves,
Nous sommes tes germains, et non pas tes Esclaves.
Ainsi crie le peuple et d'un cœur peu royal,
Ce grand monarque cedde au peuple desloyal,
Et s'enfuit assisté de quelques Benjamites,
Des enfans de Juda, et des zelez Levites.
Le reste se revolte et choisit pour son Roy
Un des fils d'Ephraim, homme sans front sans foy,
Hazardeux, remuant, et qui doublement traistre,
Tourne le dos à Dieu aussi bien qu'à son maistre :
Car il void bien qu'Isac, s'il est contraint d'aller
Comme la loy le veut dans Sion immoler
Sera soudain esmeu des beautez de son Temple,
Par le front de son Roy, par la voix et l'exemple
Des Levites sacrez : et changeant de party,
Regaignera l'esquif duquel il est sorty.
C'est pourquoy, tant qu'il peut, il desmembre l'Eglise [53v°]
Et l'Espouse de Dieu en paillarde desguise,
Il veult qu'à l'avenir lon serve l'immortel,
Or dans l'arctique Dan, or dans l'austral Bethel,
Soubz la forme d'un veau, forge un nouveau service,
Et profane saisit du sainct Aron l'office.
Ingrat que tu rends bien la pareille à ton Dieu,

115. « Roboam s'enfuit en Jerusalem faisant place à Jeroboam lequel par un tresmeschant avis veut affermer son usurpation tyrannique par establissement d'idolatrie et de nouveau service divin. »

135. « Censure de l'ingratitude de ce miserable apostat. »

Il t'a faict de valet Prince du peuple Hebrieu,
Et de Dieu tu le fais une beste cornuë,
Mets autel contre autel : et voilant de la nuë
De ton ambition l'astre de verité,
Fais du grand Israël choir la posterité
Dans l'abisme de mort, sans que tant de miracles
Regravent dans son cœur les celestes oracles.
Un jour ce Prestre-Roy encensoit dans Bethel
A son Dieu pied-fourchu, quand de par l'Immortel,
Un Prophete s'advance : et d'un hardy langage,
S'oppose plein de zele, à sa brutale rage,

  Execrable maison (dit-il tout despité,)
Boutique de Sathan, loge d'impieté,
Autel maudit autel, tu braves, tu fais teste
A l'Autel sacré-sainct du Dieu darde-tempeste,
Sçache que de David je voy sortir un Roy,
Qui respandra les os de tes Prestres sur toy,
Et qu'il soit vray, je veux que ton marbre se fende,
Et que la cendre en l'air, prophane se respande,
Que ce soit à cette heure, il plaist au Roy des Rois
Par un prodige estrange authoriser ma voix.

  Prenez, prenez ce fol (dit le Prince infidelle,
En estendant son bras), mais sa dextre cruelle,
Se roidit quand et quand, Dieu rouille ses ressors, [54]
Et son bras ne se meut qu'en mouvant tout le corps,
La pierre sacrilege en deux parts se divise,
Et la cendre volant par l'idolatre Eglise
Les Pontifes aveugle ainsi qu'en temps d'esté
D'un souflant tourbillon le poussier soufleté
Blesse, piroüetteur des clairs yeux les prunelles
Et fait pleurer sans dueil aux champs les pastou-
[relles.

---

143. « Mais nommement par un S. Prophete. »

157. « Injustice et impieté de Jeroboam, reprimée tout sur pied. »

O sainct homme de Dieu (dit ce loup inhumain)
Redonne ô clair-voyant son office à ma main.
Soudain sa dextre jouë, ô malice execrable,
Il ne laisse pourtant sa routte miserable,
Il court apres les bœufs, il va de mal en pis,
Et faict de sa fureur heritiers tous ses fils.
Le Prince de Juda n'a gueres plus de zele,
Abias suit de pres la rage paternelle,
Et le peuple oubliant du Tout puissant les loix,
Accommode ses meurs à l'exemple des Rois.
Mais nonobstant cela la divine clemence,
Eternise le sceptre és mains de la semence
De David son mignon, ombrage de Lauriers
Le front victorieux de ses enfans guerriers,
Et veut que dans Sion à tousjourmais reluise,
En despit des Tyrans, quelque forme d'Eglise.
Aza fils d'Abias, Josaphat filz d'Aza,
Armez du zelle ardant qui leurs cœurs embraza,
S'oposent aux Dieux vains : sont heureux en leurs
[guerres,
Et des corps Estrangers fument d'Isac les terres.
A la solde d'Aza, combat victorieux
Le bras brise-rochers, croule-monts, roule-cieux,
Contre le vain orgueil du bazané Zaree,
Qui couvroit tout Jacob d'une horrible maree [54v°]
De bataillons brillans : et mettant tout à sac,
L'Africque transportoit dans le terroir d'Isac.
Il combat pour son filz, qui voyant l'Ammonite,

---

167. « Son hypocrisie supportee de la patience de Dieu. »

173. « II. Seconde partie, en laquelle sont descrits quelques Rois de Juda, successeurs de Roboam comme Abia, Aza et Josaphat. »

187. « Plus ample consideration de la delivrance de Josaphat en la miraculeuse deffaite de ses ennemis, qui s'entretiennent [*se combattent*]. Ce qui est depeint de toutes couleurs poetiques. »

Le peuple de Seïr, et le fier Moabite,
En bataille rangez, faict que tout à la fois,
Pour entonner ce chant, son ost haulse la voix.
Sus allons à la charge, ayant pour Capitaine,
Ce Prince à qui la mer baveusement hautaine,
A faict largue autresfois : Qui d'un petit souspir
Pesle-mesle le Nort, le Su, l'*E*st, le Zephir,
Qui d'un clin d'œil commande à mille et mille bandes
De champions volans : qui les forces plus grandes
Dissipe du seul vent, qui de sa bouche part,
Et qui porte en sa main le Tonnerre pour dard.
Tandis qu'il chante encor dans la Payenne armee
La *D*iscorde au long bras se ruë envenimee,
A travers son *j*upin volant à gros lambeaux
Paroist son estomach rongé de vipereaux,
Son cuir est balafré ; ses dents grincent de rage,
Et l'œil du Basilic foudroye en son visage,
Poil à poil elle arrache avec ses doigts sanglans
Ses cheveux, non cheveux, ains dragons loin-sifflans,
En fourre un dans le sein de chaque Capitaine,
Forcene dans le camp, souffle dans chasque veine
Du soldat ennemy l'ardente soif du sang.
Et de ce mesme espieu, qui fut tainct dans le flanc
Des fils de Gedeon, pousse au combat le frere
Contre son cher germain, le fils contre le pere.
Jà desjà les estocs contre Jacob tirez,
Chamaillent desloyaux sur les confederez, [55]
Et Mars qui tempesteux ravage l'ost ethnique

200 *1603* ..., l'est...
205 *1603* La discorde...
206 *1603* ... son Jupin...

202. *Champions volans* : les anges.

210. *L'œil du Basilic* : il était réputé pétrifier ses proies.

D'Estranger vient civil, de civil domestique,
Edom charge inhumain Moab avec Amon,
Amon, Edom, Moab : Moab, Amon, Edom.
Puis Amon contre Amon le meurtrier glaive saque,
Moab deffaict Moab : Edom, Edom attaque.
  L'aveugle desespoir s'esgaye d'ost en ost,
Ceux qui n'ont qu'un drapeau, qu'une marque, qu'un [mot,
Se choquent obstinez, la rage en Chef commande
Icy le Lieutenant contre son chef se bande,
Le mutin caporal attaque le sergeant,
Et l'infame valet va le soldat chargeant,
  La barbare Ennion plus oultre encore passe,
L'oncle son cher nepveu blesse, assomme, terrasse,
Le nepveu faict couler de son oncle le sang,
Le cousin perce à jour de son cousin le flanc,
Le fier pere faict mordre à son enfant la terre,
Et d'un seul ventre, par une execrable guerre,
Le besson va cruel, le besson assaillant,
Et lors qu'au sang germain il se soüille boüillant
Ne sent perdre le sien, ils tombent sur la place,
Leur fureur est semblable aussi bien que leur face,
La vigueur leur default, non le cœur endurcy,
Et comme ensemble nais, meurent ensemble aussi.
  Le camp fidelle approche, et joyeux se promeine
Tout le jour à travers le peuple sans haleine,
Dromadaires, chevaux, sellez et non sellez,
Carquois, picques, soldats, gisent pesle-meslez,
Par la plaine pourpree, et sur les proches croupes
On oit jà des corbeaux les gra-graillantes troupes.
Icy le bras coupé d'un geant inhumain [55v°]

---

222. D'étrangère, la guerre devient fratricide.

245. « Josaphat et son armée voyant les exploits merveilleux du souverain. »

Semble se vouloir joindre à l'espaule d'un Nain,
La main d'un Prince au bras d'un gars porte-bagage,
Et le chef d'un vieillard au col d'un jeune page,
Là d'un corps divisé justement en deux parts,
On voit les intestins confusement espars,
Là les cinq doigts vermeils d'une main abattue,
Serrent encor le bois d'une picque pointue,
Là par le long sapin d'une lance enfilez,
Gisent trois chevaliers : les chars desatelez
Au sang jusqu'aux boutons leurs reis ensevelissent,
Les neiges d'Engaddi, doux-coulantes rougissent,
Les flots de Jaruel chaulds commencent fumer
Et bouchez de corps morts ne verroient plus la Mer,
Si les nouveaux torrens des ondes cramoisines,
Bouillonnans ne donnoient secours aux cristalines.
  Loué soit [!] dit Juda, le Monarque des cieux,
Le Dieu fauche-ennemis qui tient si precieux,
Le sang de ses enfans : qui nous a fait combatre,
Et vaincre et triompher de la force idolatre,
Et qui juste punit les tyrans inhumains,
Avec le mesme fer qui brille dans leurs mains.
  Mais le tiers successeur ne porte la Thiare
Du fin Jeroboam, une fureur barbare
Regne dans sa maison, son sceptre ensanglanté
De famille en famille est en bref transporté,
Et son cher filz Nadab avec toute sa race,
Sent du cruel Baza la parricide audace,
Sa posterité sent la fureur de Zamri, [56]
Zamri sa propre rage, apres eux regne Omri,
Maudit pour ses forfaicts et plus maudit encore

267 *1603* Loué soit ? dit…

---

267. « Ils luy chantent louange. »

273. « III. Troisiéme partie representant les successeurs de Jeroboam descrits au I. liv. des Rois jusques à Achab. »

Pour avoir mis au monde Achab qui fol adore
Les Demons de Sidon : bastist un temple à Bal,
Et comme par despit adjouste mal sur mal.
La superstition semble une tache d'huile
Qui suit tout le manteau : une foible scintille
Qui perse en quelque coing d'un cabinet naté,
Enflame la maison, la maison, la cité,
Et dames, et tresors, maisons hault-tourelees,
Gisent soubz le tombeau de leurs cendres meslees.
Depuis que tant soit peu on se va destournant
Du sentier peu frayé des loix du haut-tonnant
On tombe malheureux dans le nuitteux abisme
Des plus lourdes erreurs, toute espece de crime
Prent un masque sacré et Tigres inhumains
Nous pensons plaire à Dieu en massacrant les saincts,
Ainsi que faict Achab, qui vaincu par la ruse,
Le discours affeté, le talc et la ceruse
De Jezabel sa femme ose mettre la main
Sur les Prestres huillez du trois-fois Souverain,
Despeuple d'hommes droicts ses captives provinces
Et fier amoindrissant le nombre de ses Princes,
Pour accroistre en terroir, du sang de ses subjects
Escrit les instrumens de ses riches acquests.
Tué par l'ost vainqueur d'Achab Roy de Syrie,
Son filz Ochozias regne dans Samarie,
Mais il se rompt le col et son frere Joran
De la maison d'Achab est le dernier Tyran.
Detestable maison : qui par son aliance,
Du devot Josaphat desbauche la semence,
Faisant or que son filz d'Atalie charmé, [56v°]

286. « Les forfaits horribles de l'idolatre Achab et de sa femme Jezabel. »

305. « Sa fin et celle de sa postérité. »

310-311. Josaphat, bon roi de Juda (les rois de Juda représen-

Dans le corps fraternel trempe son bras armé,
Or plante de Somer la damnable heresie
Dans le cerveau leger du meschant Ochosie.
Mais encor que ces Roys feissent ouvertement
Une guerre obstinee au Roy du firmament,
Que du devot Abram la sacrilege race
Ne suyvist que par trop ses Princes à la trace,
Et qu'un Chaos de maux, d'horreur, d'impieté,
Une avernale nuict croupit sur leur cité,
Dieu ne laisse pourtant ce siecle sans oracles,
Cent Prophetes puissans en discours et miracles
Font teste à leur fureur, et gardent d'abismer
Les tableaux du naufrage en l'idolatre mer.
Le clair jour n'a besoing de brandon jette-flammes,
Le sain, de Medecin, et tant plus qu'en nos ames,
Se desborde orgueilleux le flot d'iniquité
L'Eternel enfle plus la mer de sa bonté.
Es tristes jours d'*Achab*, le Tout-puissant suscite
Pour son ambassadeur, Elie le Thesbite,
Qui libre parle ainsi : Achab, ne crains tu pas
Le fouldre qui desjà grommele dans le bras

329 *1603* … d'Hacab,…

---

tent la postérité légitime de Salomon, fidèle au vrai Dieu), eut le tort de s'allier avec Achab, le mauvais roi d'Israël (tous par définition, mais certains plus que d'autres, et plus que tous Achab). De plus, Josaphat commit l'erreur de faire épouser à son fils Joram la perfide Athalie, fille d'Achab, héroïne de la tragédie de Racine. Princesse d'Israël donc et reine de Juda, elle fut mère d'Ochosias et d'un autre Joram, fils du précédent, et elle provoqua les catastrophes que l'on sait (toujours grâce à Racine). A cause d'elle, notamment, son mari fut l'assassin de ses frères (v. 312).

315. « [IV] En ceste quatriéme partie le poete descrit les faits du grand prophete Elie. »

329. « 1. Iceluy reprend l'idolatre Achab, et luy predit la secheresse de trois ans et demy. »

Du Dieu dompte-tyrans ? sçais tu pas qu'il menace
Jacob d'un ciel d'airain s'il s'oppose à sa grace,
Fait divorce avec luy, et, despitant ses loix,
Avec les dieux forains paillarde dans les bois ?
L'Eternel n'est menteur, ses menaces terribles,
Trainent tousjours sur nous des supplices horribles :
Aussi vray que Dieu vit, les fentes de ces champs
Ne boiront goutte d'eau, de six mois et trois ans.
Il n'a pas prononcé la derniere parole, [57]
Qu'on voit changer de teint aux retubes du Pole,
L'air mortement espais, soudain s'esvanouit,
Au jour triste succede une plus triste nuit,
Une vapeur sanglante, un flamboiant nuage,
Le jour ceint du Soleil le macheuré visage.
Et la Lune de nuict refuse aux palles fleurs,
Le rosoiant tresor de ses argentez pleurs.
Le ciel est chamarré d'estoilles chevelues,
De traicts flamme-dardants, et de chevres velues,
De funestes rayons : il semble que tousjour
Chez le cancre bouillant Phebus face sejour.
Des mons, jadis neigeux, la croupe est embrasee,
Le Febvrier est sans pluye, et le May sans rosee,
Les niepces d'Atlas et l'estoille veneur
Produisent mesme effect que le chien forceneur.
Zephire ne dit mot, on voit la seule halaine
De l'autan seiche-fleurs qui porte dans la plaine
De l'injuste Somer l'haleine des serpens
Par les pesteux sablons de Nubie rempans.
Dejà l'herbe languit : les roses se flestrissent,

341. « Les effects de ces presages en l'extreme seicheresse de la terre, des fleuves et des torrens. »

352. Le soleil dans le Cancer indique le plein été.

355-356. *L'estoille veneur* : Orion (voir Index). *Le chien forceneur* : la canicule.

Les mirthes et lauriers, vuides d'humeur palissent,
La terre à bouche ouverte invoque le secours
Des nuages bleu-noirs, le temeraire cours
De Cison ne fait plus aux ponts voutez la guerre,
Sorec musse honteux ses cornes sous la terre,
Le Mocmur qui troubloit, par ses flottans abois,
Le sommeil des pasteurs, est sans eau et sans voix,
Le canal du Jordain fume seichement triste,
Cedron n'est plus Cedron, ains de Cedron la piste,
Le Cerf porte-cymier, et le Toreau couché
Sur les bors blesmissans d'Arnon jà tout seiché, [57v°
Ne boit plus, ne voit plus l'onde que couroucee
Il a cent et cent fois à nage traversee.
Le courcerot jadis si vif, si gay, si prompt,
Abaisse extenué son orgueil et son front,
Son aspre langue sort de sa bouche enchaisnee,
Son flanc grief pantelant d'une ardante haleinee
Roulle son mors plié, il n'a force ne cœur,
Et foible il veut suer : mais il n'a point d'humeur,
Le Chameau qui portoit sur son eschine forte
Presque tout un hostel soymesme ne se porte,
Et jeunes et veillards logent desesperez
Un consommant vesuve en leurs seins alterez.
Pour temperer le chaud à leur dam ils respirent,
Car au lieu d'un air frais languissans ils atirent
Une espaisse vapeur, un vent chaud et pesteux,
Qui ferme le canal de leurs esprits venteux,
On ne trouve bourbier si sale qu'on n'espui*s*e,
La mer moite leur est une boisson exquise
Et dans des boucs puants on conduit d'outremer,

389 *1603* … n'espuisse,

371. « La misere de divers animaux. »

383. « La misere des personnes de divers sexes et aages. »

Pour la bouche du Roy le *N*il dedans Somer,
Car bien que Dieu frapast sur toute la Sirye,
L'ardeur de sa colere ataque Samarie
Avec plus grand effort, et son prince cruel
Atribue au voyant tout le mal d'Israel.
  Ce sainct homme de Dieu, craignant d'Achab la rage,
Gaigne du bas Cherib le caverneux rivage,
Où pour les vivandiers, cuisiniers et servans,
Les peuples emplumez viennent des quatre vents.
  De là passe en Serapthe, et trouvant une femme
Avec un peu de pain, Soustien (dit-il) mon ame.
Las ? je le voudroy bien, mais, pauvre je n'ay pas [58]
(Respond-elle) du pain que pour un seul repas.
  Donne le moy (dit-il) ma sœur çà donne donne,
Qui seme escharsement, escharsement moisonne,
Un bienfait n'est jamais fraudé de son guerdon,
Le don fait aux chetifs est un prest non un don,
C'est un surgeon de biens, qui perennel distile,
C'est un terroir fecond qui pour un en rend mile.
  Le voyant ne passe oultre, et la vefve soudain
Luy baille librement tout ce qu'elle a de pain,
Mais elle n'y perd rien, car tant que la famine
Dure és marchez de Tyr, l'huille ne la farine
Ne manque point chez elle : ains tous biens à foison,
Sans qu'on y porte rien croissent dans sa maison.
Au bout de quelque temps la mort cruelle envoye
Souz un mesme tombeau et son filz et sa joye.
Elle invoque son hoste : et luy le tout-Puissant,

392 *1603* … le nil…

397. « 2. Elie s'en fuit de devant Achab et Jesabel. »

401. « Est nourri par les corbeaux puis par la vefve de Serep-tha. »

419. « Dieu ressuscite pour Elie le fils de la vefve. »

Puis couché de son long sur le corps blesmissant
Il crie en ceste sorte : ô Seigneur rend la vie
A cest Enfantelet, à qui tu l'as ravie
Hors de temps comme il semble, ô Dieu ne permetz pas
Qu'en vain on m'ait-icy donné tant de repas,
Qu'on deteste en tous lieux ma funeste presence,
Et que la charité reste sans recompense.
Comme le grain menu du vermisseau fertil,
Qui vomit un fillet luisantement subtil
Par la tiede chaleur de la vierge poitrine,
Bouillonne ranimé, sur le ventre chemine,
Refile de nouveau, et faict, ingenieux,
De son corps à son corps un tombeau precieux.
Ce fils qui n'est plus homme ains d'un homme [l'image, [58v°
Qui porte au sein la mort, l'horreur sur le visage,
Jà curee des vers, et butin du Cercueil,
Au son des mots sacrez commence ouvrir son œil
Nouant dedans la mort : ses forces se rassemblent,
Les esprits rechauffez dans ses arteres tremblent,
Il jette un long souspir, et gaillard se levant,
Parle mange chemine aussi bien que devant.
La mere voudroit bien que ce grand personnage
Passast dans sa maison le reste de son aage,
Mais par l'esprit de Dieu dans Somer ramené,
Il se presente aux yeux du tyran forcené
Qui le tance en la sorte, *O* basilic, ô peste,
Et n'est ce pas ta voix qui va semant funeste
L'yvroye au champ d'Isac ? mutin n'est-ce pas toy

445 *1603* …, ô basilic…

---

427. « Comparaison elegante. » On l'a compris : cette comparaison porte sur le cocon du ver à soie.

441. « 3. Elie retourne en Samarie où il est injurié par Achab auquel il respond courageusement. »

Qui de noz bisaieulx extermines la loy ?
Va renversant tout ordre ? et denonces la guerre
Aux saincts autels des dieux patrons de cette terre ?
Depuis que ta parole en ces lieux retentit
Tousjours de plus en plus sur nous s'apesantit
De la celeste Cour la dextre vengeresse,
Bel par toy blasphemé depuis ce temps ne laisse
Ce Royaume en repos, Jacob est un enfer,
Nostre ciel est d'airain, nostre terre est de fer.
Non non ce n'est pas moy, c'est vous-mesmes ô sire
Qui troublez le repos de l'Abramide Empire,
C'est vous pardonnez-moy, c'est vous et vos ayeuls,
Qui courans enragez apres vos nouveaux Dieux,
Avez fait banqueroutte au Dieu donne-victoire, [59]
Dieu vray, Dieu grand, Dieu sainct, Dieu juste, Dieu de
[gloire,
Vous le jugerez tel si vous me confrontez
A vos prestres non moins imposteurs qu'effrontez.
Je le veux dit Achab, et sur l'herbeuse croupe
De Carmel fait venir la scismatique troupe,
Qui dresse à ses Dæmons un sacrilege autel.
Le Prophete en consacre un autre à l'Immortel,
Et le peuple attentif tient droictes les oreilles,
L'entendement bandé, l'œil ferme à ces merveilles,
Merveilles qui pourront servir de jugement
Au proces qui pendoit au croc si longuement
Entre Israel et Jude, et monstrer à la terre
Comment il faut servir le descoche-tonnerre,

---

463. « Il desfie les prestres et sacrificateurs de Baal, que Achab fait rassembler au Carmel où le peuple se trouve. »

472-473. Allusion au « schisme » qui fait le sujet du poème, c.-à-d. la séparation de la postérité de David (après le règne de Salomon) en deux tribus, celle de Juda et celle d'Israël.

474. *Le descoche-tonnerre* : Dieu.

Comme quand deux Taureaux fierement animez
Se choquent de leurs fronts d'un double estoc armez,
L'imbecile troupeau des genices timides
Laisse croistre l'herbage és rivages humides,
Branle entre joye et peur, muet, juge des coups,
Desireux de sçavoir quel sera son espoux.
La prestraille de Bel mugit forcene escume,
Deschire tout son corps à coups de tranche-plume,
Cruelle en faict filer un sang en la façon
Qu'un vin rouge jallit hors du percé poinçoin,
Et folle secouant *t*este, corps, bras et jambes,
Prononce ou bien plustost hurle ces dithirambes :
  A l'aide à l'aide ô Bel, ô Jupin roule-cieux,
Enten noz cris devots : tourne vers nous les yeux,
Evohé ô grand Bel, Evohé : meragette, [59v°
Panomphee invaincu, porte-ardante-sagette,
Dagon invente-soc, prudent milichien,
Eleuthere, Apomye, Exacestirien,
Assabyne, Evaneme, Epidore, Thalasse,
Epistatirien foudroyeur nu-amasse.
  Elie detestant ce cruel sacrifice,
Et sachant en quoy gist de Dieu le pur service,
Pour apaiser le ciel ne decoupe sa peau,
Il n'est point de soy-mesme un impiteux bourreau
Par coups il ne se rend inutile à l'Eglise :

485 *1603* … Teste, corps…

---

475. « Comparaison. »

481. « Les Baalites descrits avec leurs cruelles ceremonies. »

487. « Leurs cris furieux à l'idole. »

489. *Meragette* : maître du destin (cf. Holmes, III, p. 425, n.).

492-494. Enumération d'épithètes appliquées à Jupiter ou à d'autres dieux païens (cf. Holmes, *ibid.*).

495. « Elie invoque le vray Dieu. »

Le tan de sa fureur par playes il n'ayguise,
Et de poinçons aigus haut et bas outragé
Pour mieux prophetiser ne fait de l'enragé,
Ains il offre au Seigneur pour du sang son courage,
Sa fureur est bonnasse, et rassis son langage.
Criez (dit-il) plus haut : peut-estre est-il encor
En son premier sommeil pres du sec Bel-Phegor,
Contre les dieux du Nil dresse des escarmouches,
Ou consulte comment il faut chasser les mouches,
D'autour de son autel : mais las ! ô peuple Hebrieu,
Pourquoy sous mesme joug couples-tu Bel et *D*ieu ?
Cloches-tu des deux pars ? et semes pesle-mesle,
L'yvroye, et le froment dans le terroir fidelle ?
Si Bel est vrayment Dieu, crain-le seul hardiment
Mais si la perse mer, l'empenné firmament,
La terre porte-tout, et l'air engendre-orages
Des mains du Dieu d'Isac sont les moindres ouvrages :
Si du bout de son doigt il soustient l'univers,
S'il a jadis fauché les peuples qui pervers,
Souilloient cette province aussi belle que grasse
Pour t'y faire germer et fleurir en leur place,
Que ne le sers-tu seul de bon cœur, et tou-jour [?]
Dieu ne veut point avoir compagnon en l'amour, [60]
Le cable s'afoiblit quand on le desasssemble,
Et qui suit deux seigneurs les perd tous deux ensemble.
Cognois-tu pas que Bel, de ces prestres deceus,
Mort ne les peut ouir, moins accomplir les vœus ?
Mais le Dieu de Jacob Dieu d'eternelle essence,

510 *1603* … Bel et dieu ?
521 *1603* … et tou-jour,

505. « Se mocque des Baalites. »

510. « Tance le peuple. »

513. « Fait comparaison du faux au vray Dieu. »

Jamais de ses enfans ne trompe d'esperance.
Oy-moy donc ô Seigneur, et d'un feu rougissant
Poudroye ce bouveau, monstre-toy tout-puissant,
D'un prodige du ciel vien seeler ma prestrise :
Et r'apelle Israel au giron de l'Eglise.
Le feu soudain descend comme un astre crineux,
De la beste immolee, et de l'autel saigneux,
Ne reste que la cendre : et tout ce populaire
Sur le clergé de Bel, descharge sa colere,
Par l'oraison d'Elie obtenant tout soudain
La pluye si long-temps par eux requise en vain.
Hé ! que ne peut Elye ? A-il faim ? les saincts Anges
Sont ses maistres-d'hostel, craint-il point les phalan-
[ges
D'un couroucé Tyran ? de son foudre esclattant,
Le ciel son allié les broye en un instant,
Veut il passer une eau qui bruiante ravage,
Et chaussees et ponts ? l'eau luy donne passage,
Se fache-il de vivre[?]il s'enfuit d'icy bas
Et seul d'entre les siens ne gouste le trespas.
Ce ministre de Dieu tandis qu'avec Elise
Du saint regne de Dieu exstatique il devise,
Un vent qui pirouette, un feu s'entortillant,
Un coche jette-esclairs ravit son corps brillant,
Le purge et ne l'ard point, et d'une sorte estrange
Par une mort sans mort, en corps divin le change,
Une longue fusee, un enflammé sillon, [60v°

545 *1603* … de vivre, il…

---

529. « Appelle l'Eternel au besoin. »

533. « Est exaucé, les prestres de Baal sont tuez et la pluye est donnée. »

539. « Elie fait et obtient merveilles. »

547. « Jusques à estre emporté au ciel par un tourbillon de feu. »

Reste un temps pour orniere apres ce tourbillon.
Ce grand ravissement ravit presque Elisee
Qui releve l'habit de la chair embrasee,
Et de l'œil tant qu'il peut, par les airs scintillants,
Suit le trac tempesteux des coursiers feu-souflants,
Criant, Pere à dieu pere, à dieu chevalerie,
A dieu le fort rempart de Jude et Samarie.
Le prophete Thesbite en l'air n'arreste pas
Pour estre tourmenté, de graisles, de frimas,
De pluies, de glaçons, de foudroyantes flammes :
Sathan heberge en l'air non les heureuses ames.
A quelque ciel luisant son corps n'est point cloué
Pour estre nuict et jour comme Ixion roué,
Car de nostre sauveur la chair faite divine
S'en vola par dessus la voute cristaline,
Et Christ veut que les siens francs de peine et d'ennuy
N'ayent apres leur mort autre logis que luy.
Elye monte donc sur le ciel empiree
Où paisible il se paist d'une joye asseuree,
Mesprise ce bas monde, est faict Ange nouveau,
Et d'un ferme mastic s'unit au trois-fois-beau,
Mais comment auroit-il sur Christ cet avantage,
Christ premice des morts ? ô doux, ô sainct passage,
O bienheureux transport ? tu troubles tellement
Par ces difficultez mon foible entendement,
Tu fais à mon esprit tant de vols divers prendre
Qu'admirer je te puis, et non pas te comprendre.
A faute de cerceaux demeurant donc çà bas, [61]
Avec son heritier je diray qu'il n'a pas

561. « En quel ciel Elie est enlevé. »

575. « Comment et pourquoy il a obtenu ce privilege. »

581. « [V] Cinquiesme et derniere partie, contenant les faits du Prophete Eli[se]e, les miracles duquel sont trassez en peu de vers. »

Du prophete enlevé sitost la robe prise,
Que d'Elie l'esprit reluit dedans Elise.
Par ce divin esprit il se faict tout soudain
Un chemin non battu à travers le Jordain,
Puis contre tout espoir donne à la Sunamite
Un filz, et contre espoir, mort il le resuscite,
Frape d'aveuglement les bataillons d'Aram,
Qui le tenoient cerné dans les murs de Dotham,
Multiplie les pains, et d'une livre d'huile,
Remplit tous les vaisseaux d'une assés grande ville.
Son chef jà blanchissant, en Bethel outragé,
Est sur quarante enfans par deux ourses vengé,
De l'avare Jesi l'infame symonie
Est de lepre par luy honteusement punye,
Il purge un ladre sale, et fait aussi leger
Que le liege poreux, le fer sur l'eau nager.
Jadis de Jerico la terre salpetreuse,
Pour ne s'aboissonner que d'une humeur nitreuse
Avortoit de ses fruicts, et ses mal-saines eaux
Vuidoient d'hommes la ville, et les champs des trou-[peaux.
Rens disent les bourgeois, rens plus douces noz undes
Nos costaux plus herbeux, noz plaines plus fecundes.
O trois et quatre fois merveilleuse façon !
Le Prophette adoucit la cuisante boisson
Avec le sel mordant : et touchant une source
Guerit tous les ruisseaux qui d'une lente course
Puantement espais serpentoient à l'entour,
Et le fait pour jamais, non pas pour un seul jour.
Leur valon qui, muré de tant de chauves croupes

599. « Particulierement le Poete amplifie celuy de l'adoucissement des eaux de Jerico. »

611. « Commodité des bonnes eaux moyennant que le tout procede de la benediction du Seigneur. »

Faisoit adonc horreur aux passageres troupes, [61v°]
Est or un autre Eden et le rouant Soleil
En fertille beauté n'en voit point de pareil.
Là sans art monte en haut la palme vainqueresse,
Là le Mirobolan fruict recule-vieillesse,
Donne-teint, porte-joye heureusement meurit,
Et là tant seullement le verd baume fleurit.
Cultivez ô fermiers, voz usurieres plaines
De cinq ou six façons : destournez cent fontaines
Dans voz champs alterez : arousez-leur les os,
Et de marne et fumier couvrez leur playé dos.
Si l'eternel n'a point vostre peine agreable
Vous labourez la mer, et semez sur du sable.
La Judee le sçait : terroir qui fut jadis
Du superbe Orient l'unique Paradis,
Et qui n'est maintenant qu'une lande infeconde,
La maudisson de Dieu, et la honte du monde.
Et toy Grece, sur qui le ciel, jadis si doux
Ravineux ore pleut le fiel de son couroux.
La grace du Seigneur est une grand maree
De biens non perissans, une rente asseuree,
Un fonds inespuisable où jamais ne defaut
Ny la graisse d'embas, ny la manne d'enhaut.
Qu'adjousteray-je encor ? ce divin personnage
Ne respand seullement ses biensfaits sur son age,
Ains cache apres sa vie une vie en son corps,
Et mort va retirant du sepulchre les morts.
Elise ne se rend plus fameux par miracles
Que par la verité de ses frequents oracles,
Il predit les lauriers et routes d'Israel,
La mort de Benhadad, le sceptre d'Hazael,

625. « Judée et Grece en sont tesmoins. »

635. « Autre miracle en Elisée. » Vertu de sa relique.

639. « Ses propheties. »

Et si promet encor contre toute aparence
A l'abatu Joram sa proche delivrance.
   Car le prophane camp du prince Sirien,
Tient bouclé de si pres le mur Samarien [62]
Que jà par tous les coins de la ville assiegee,
La faim conseille-mal, seiche-corps, enragee,
Hurle effroyablement : que les decharnez os,
Comme couteaux tranchans paroissent sur les dos
Des bourgeois mieux nourris, et que les palles hommes
Ne sont hommes vrayment, ains des affreux phantos-
[mes.
   Qui fier ravit le pain à ses filz affamez,
Qui mange le relief des pourceaux assommez,
Qui se souille en la chair des bestes plus souillees,
Qui tond l'herbe naissante avec ses dents rouillees,
Qui achepte à poids d'or le fient des oiseaux,
Qui fait un doux repas du cuir de ses houseaux,
Qui la graine du foing dans la pesle fricasse,
Qui l'escaille des noix et des amendes casse,
Qui hache un testament escrit dans une peau,
Et tout son patrimoine avalle en un morceau.
   Le Roy lors qu'en dormant il prend quelque relache
Des festins de la paix les delices remasche,
Exerce son gosier, use dent contre dent,
Et son ventre trompé n'atire que du vent,
Puis esveillé desrobe à sa beante pance,
Pour contenter ses chefs, son escharse despence,
L'un l'importune là, l'autre le presse icy,
Une dame entre tous luy fait sa plainte ainsi,
Criant eschevelee, et portant au visage,
Peints l'ennuy, le despit, le desespoir, la rage,

---

645. « Amplification et recit de la famine de Samarie. »

651. « Description des effets de la famine. »

663. « Misere du Roy mesme. »

Sire helas ! où fuis tu ? mon Prince escoute-moy,
Justice ô grand Joram, justice ô mon bon Roy,
Ha ! sotte qu'ay-je dit ? non je ne veux justice,
La justice ne peut m'apporter qu'un suplice
Digne des noirs esprits qui sont gesnez là bas,
Mesme ce seul plaider m'est pire qu'un trespas, [62v°]
Je la veux toutesfois : car las ? quelle potance
Brideroit le desir de si juste vengeance,
Sire j'ay pactisé j'ay solennellement
Renforcé le contract par un sainct jurement
Contract vrayment cruel : mais qu'on ne peut enfrain-
[dre
Qu'avecques cruauté : bouche que peux-tu craindre,
Ayant ozé tel acte ? Acheve : et n'aye pas,
N'ayant eu peur de Dieu, peur des Rois de çà bas.
Moy di-je, et ma voisine avons desesperees,
Comploté d'enfoncer noz dents des-naturees,
Dans la chair de noz fils, ô malice du sort [!]
Le mien est destiné le premier à la mort,
Je l'empoigne aussi-tost, je l'enleve de terre,
Luy de ses petits bras le gresle col me serre,
Ses jambettes esgraille autour du corps aymé,
Mignarde un rire doux, crie mé a mé mé,
Begaye mollement, et mesle les delices
D'un baiser tout sucrin, à mille autres blandices.
Je luy tourne les yeux, mais cependant ma main,
Felonne ensevelit le couteau dans son sein,
Et comme en cent lopins la tigresse cruelle

689 *1603* ... du sort,

---

673. « Une femme luy demande justice, et expose au long ses raisons. »

687. « Complot estrange. »

697. « Parricide horrible. »

D'une biche le fan dans le bois escartelle
Je le deschire vif, je le cuy, je le mets
Sur la table commune, hé ! qu'est-il desormais
Temps de dissimuler ? premiere je le gouste,
Au long de mon menton le sang parent degoutte,
Mon fils rentre en mon corps : je conçoy de nouveau,
Et ma chair de ma chair est l'infame tombeau.
Une horreur me saisit, je n'en puis guere prendre,
Et ce peu que j'ay pris je tasche encor à rendre,
Mais las ! elle le baufre : enfonce au corps son bras,
Et du soir au matin alonge son repas,
Non tant pour se souler en si barbare table, [63]
Que pour plus longuement me rendre miserable.
O Dieu que ce morceau (disoit-elle en riant)
Que ce morceau est bon ! que cest autre est friand,
Heureux tetin qui m'as chair si douce alaitee,
Et plus heureux encor ventre qui l'as portee,
Bref mon filz est mangé : et le sien cependant
Mignardement folastre, à ses bras va pendant.
Faut-il que sa pitié, mais plustost sa malice,
Porte autant à sa foy qu'à mon filz prejudice,
Ha ! c'est par gourmandise, et non point pour l'amour
Qu'elle porte à son filz qu'elle m'a fait ce tour,
Elle m'a fait ce tour non pour sauver sa race,
Ains pour la manger seulle ô bon prince, hé ! de grace,
Dites droict là dessus, non non je ne veux pas,
Qu'humain vous m'exemptiez du merité trespas,
Car jamais le tyran de l'infernal abysme,
Renfrongné ne jugea d'un tant enorme crime,
Puis pauvrette hé ! comment vivroy-je dans ce fort,

703. « Repas execrable. »

713. « Appetit furieux. »

717. « Envie damnable. »

721. « Desespoir miserable. »

N'ayant point d'autre enfant pour vivre de sa mort ?
Je requier seulement qu'avant mourir je puisse
Entamer de son fils la delicate cuisse.
Ou bien qu'au moins mon œil plus juste qu'inhumain,
Voye son sang versé par sa marastre main.
Que si tu n'as esgard à mes larmes non feintes,
De vray j'en suis indigne, escoutte au moins les plain-
[tes
De mon filz qui bruiant dans ces boiaux icy,
D'un murmure confus te remonstre cecy :
Sire permettras-tu que l'humaine malice,
Foule la loy, la foy, le serment, la justice ?
Hé descendray-je donc sans compagnon là bas ?
Mouray-je non vangé ? seray-je le repas
De ma fiere ennemye ? et faict excrement sale, [63v°]
J'infecteray les airs, tandis qu'en une salle,
Sur un foible roseau son filz chevauchera,
Que les gestes des grands Singes il contrefera,
Et que ses tendres mains se verront ocuppees,
A bastir des chasteaux ou faire des poupees ?
Sire qu'il meure doncq' qu'il soit desciqueté,
Qu'il soit comme je suis dans deux ventres jetté,
Donne force au contract : et fay que les deux meres
Soient egalles en coulpe aussi bien qu'en miseres.
Le Roy non tant saisy de pitié que d'horreur,
Met en avant ces mots tesmoins de sa fureur,
Que cecy, que cela m'avienne si la teste
Ce soir tient sur le col d'Elise le prophete.
Comme il eut dit ces mots, il s'en va de ce pas
Cholere executer le desseigné trespas.

---

731. « Affection vehemente. »

735. « Conclusion de harangue totalement pathetique et vrayement poetique. »

753. « Injustice du Roy conspirant contre Elisée. »

Sire (dit le voyant) sens-tu point quel ravage
Fait icy de la faim la devorante rage,
J'atteste l'eternel qu'en mesme heure demain
On donra pour neant dans noz portes le pain.
Quand Dieu (dit un mignon superbe en mots et ges-
[tes),
Quand Dieu mesme ouvriroit les magazins celestes,
Cela ne pourroit estre. Ha ! moqueur effronté,
Tu verras bien demain les fruicts de sa bonté,
Mais tu n'en gousteras, et l'abondance extreme
M'absoudra de mensonge, et non toy de blaspheme.
Ainsi parle Elisee et du ciel le secours,
Ratifie puissant tost apres son discours.
Car l'Aube encor n'a pris sa robe d'Escarlatte,
Ses rais n'alument point encor les flots d'Eufrate
D'une lueur tremblant, et Phebus au crin d'or,
Pour puis courre plus frais dort chez Neree encor,
Lors que la blesme peur dans l'ost Payen se lance, [64]
Monstre au geste esgaré tremblant plain d'inconstance,
Qui triste a cent façons de visage et de voix :
Qui fait hau*t* presider dans le conseil des Roys
Le trouble irresolu : qui tremble sous les armes :
Qui dans le camp de paix fait meurtre de gensd'armes :
Qui croit tout, qui void tout : fait voir, fait croire tout.
Dit-elle que du ciel le cristal se dissout ?
Que le Soleil est triple, et que les blanches cymes

778 *1603* … haud…
780 *1603* *Vers omis.*

---

759. « Charité d'Elisée rendant bien pour mal. »

765. « Courtisan mocqueur censuré. »

771. « Delivrance miraculeuse de Samarie suivant la prediction d'Elisee. »

775. « Description des effets estranges de la peur. »

Du Caucase venteux s'enfoncent és abysmes [?]
On le croit on le voit, et par elle occupez,
Les autres sens encor ne sont pas moins trompez.
   Un roulement de chars, un dru craquetis d'armes,
Une orageuse voix de cent mille gendarmes,
Un fier hennissement de courageux chevaux,
Un grand bruit de tabours s'oit par les proches vaux.
   Le camp Assirien qui croit que les *H*ithees,
Les Ethiopes noirs, les larrons Nabathees,
Soldoyez par Isac viennent de toutes parts,
Pour mettre en liberté les assiegez rempars,
S'en fuit à vaude-routte, et par les hautes croupes
Faict d'un ost bien rangé mille confuses troupes.
   Tel n'a temps, ne loisir de brider son genet
Tel oublie son or dans son porte-bonnet,
Tel qui languit de fain laisse sur l'herbe verte
Paniquement troublé, la nape bien couverte.
Tel en croit estre loing qui rode autour d'un mont,
Tel pense cheminer à plain pied qu'il se rompt
Le col dans un abysme, et tel encor oit bruire
Les rameaux d'un peuplier soufleté par Zephire,
Qu'il tient que c'est le bras de l'ennemy vainqueur,
Et miserable meurt du seul coup de la peur.

784 *1603* … és abysmes,
791 *1603* … les hithees,

791. « Desroute impetueuse des assiegeans. »

797. « Vif tableau d'icelle. »

HISTOIRE DE JONAS*

[177

Comme apres la longueur d'une pluye ennuyeuse
Le peuple succe-fleurs part de la loge creuse :
Par cy par là picore : et serre menager
Les flairantes moissons d'un fleurissant verger,
Tout ainsi les bourgeois de la ville affamee
Courant aux pavillons de la fuyante armee
Pillent et bleds et vins en si grand quantité,
Qu'ils en font en un jour regorger leur Cité.
Et le peuple qui sort, foule, pestrist, ecrase,
Le courtisan moqueur parmy la noire vase.
Si bien qu'en mesme temps l'un et l'autre succez
S'acorde aux saincts propos par Elise advancez.
De cest eschole part le prophete Amethite :
Le prescheur deux-fois-né : le docteur Ninivite.
Va, lui dit l'Eternel, va t'en d'un aislé pas
A Ninive aux-longs-murs. Hardy ne cesse pas
De crier nuict et jour, que la fureur divine
D'un bras precipitant travaille à sa ruyne.
Jonas, qui fait le sourd au Roy de l'Univers,
Entreprend sur la mer un chemin tout divers
Dont l'Immortel s'esmeut : et non loin du rivage,

---

* Texte de 1588, La Rochelle, Haultin. Exemplaire de la BU d'Edimbourg (*S. 33. 45.). A la suite des « Peres ». Dans l'édition Houzé de 1603, imprimé à la suite du « Schisme », dont il constitue la fin.

1. « Comparaison monstrant l'occupation de ceux de Samarie, apres leur delivrance, recitee au 7. chap. du 2. Livre des Rois. »

2. *Le peuple succe-fleurs* : les abeilles.

13. « Jonas, disciple d'Elisée envoyé en Ninive, s'enfuit arriere de la presence de l'Eternel. Jon. 1. chap. »

Menace, despité, son vaisseau de naufrage.
L'eau commence à blanchir. Et le sel ondoyant
Par la bize siflante, et par l'Autan bruyant,
Bouleversé, se bosse. Au flot le Ciel fait guerre
Et le flot couvre-rive entreprend sur la terre.
Un air tristement noir, s'espandant à l'entour [178]
Emble aux tristes nochers et le ciel et le jour :
Ou si quelque rayon fend leur nuict miserable,
C'est des esclairs trenchants la flamme espouventable.
Calez, dit le patron, calez voile : baissez
Et misane, et beaupré. Mais les vents courroucez
Deslachent sur sa face une bourasque forte,
Qui son jargon de mer, bou-bourdonnante emporte.
Des hommes esperdus le confus hurlement,
Le murmure des eaux, des vents le muglement,
Le tonnerre du Ciel, le sifflement des chables,
Font, chantres merveilleux, des concerts effroyables.
L'Est meine devant soy le troupeau mugissant
Des flots persement blancs. Les nues vont croissant
De douces mers la mere : Et l'onde emmoncelee
Luy jette en contr'eschange une pluye salee.
On diroit que le Ciel tombe dedans la mer :
Que la mer monte au Ciel. L'Eternel semble armer
Ce Tout contre une nef : qui or' basse, ores haute,
Comme un venteux balon de vague en vague saute.
Le Pilote pendant sur l'escume d'un mont
Pense du Pole avant voir l'enfer plus profond.
Et puis precipité jusqu'à l'areine molle
Du plus bas de l'enfer pense voir le haut pole.
Et sentant l'ennemi et dedans et dehors,
Autant qu'il voit de flots croit voir autant de morts.
Les courbes de la nef cent fois marmotonnees

---

23. « Dieu esmeut une grande tourmente sur la mer, laquelle est icy exactement descrite. »

Par le choq abboyant des ondes obstinees
Perdent leur gouderon : et plus vont en avant,
Plus le mortel hyver, baillantes, vont beuvant.
Pour deux ou trois tonneaux que la pompe en attire,
Un fleuve entre dedans. Le maistre qui souspire,
Confessant que son art est vaincu du danger,
Miserable ne sçait que dire, où se ranger :
Quelle vague il doit craindre, à quelle faire teste :
Ains cede, infortuné, sa charge à la tempeste.
Comme plusieurs canons braquez contre une tour [179
Faisant un rang de trous rez-terre tout autour,
Esbranlent bien le mur. Mais le dernier tonnerre
D'un fer aislé de feu le renverse par terre.
Une suite de monts l'un sur l'autre entassez
Contre le mast toilé se rouënt, courroucez.
Mais le dernier de tous gros d'escume et de rage,
Et porté par l'effort d'un effroyable orage,
Groumelant abat l'arbre : et puis l'arbre brisé
Fracasse les barreaux du tillac pertuisé.
L'un en croisant ses bras semble une idole blesme,
L'autre pour son fils pleure : et l'autre pour soy mesme.
L'un craint plus que la mort la forme du trespas.
L'autre implore, devot, le ciel qu'il ne voit pas.
L'autre a devant ses yeux de sa dame l'image,
L'autre accablé d'ennuis use d'un tel langage :
Maudite faim de l'or, que tu causes de maux [!]
Je change mon lict mol au dur sejour des naus :
Je prefere au repos une orageuse guerre :

79 *1588* … de maux ?

---

58. « Peur du maistre pilote. »

63. « Comparaison. »

73. « Frayeur des mariniers et passagers. »

79. « Invective contre l'avarice. »

Pour agrandir mes champs je pers du tout la terre.
Tournant comme un festu devant l'Est et le Nort,
Avec tant de drapeaux je convie la mort,
Et frappant or' l'abysme, or' contre les estoiles,
Pour ne la perdre point je lui ten tant de toiles.
L'autre avance ces mots : La rage de cest eau
N'est un effect des vents, c'est un chaos nouveau.
Nature est à bon droit contre nous irritee.
Quelque despouille-autels, quelque chien, quelque [Athee
Est dans ce creux batteau. Enfans, jettons le sort :
Sauvons toute la chourme aux despens de sa mort.
  C'est moy, crie Jonas, c'est moy, je le confesse,
Qui cause ceste nuict ireusement espaisse,
Cest hyver orageux. C'est moy qui dois calmer
Par un juste trespas la naufrageuse mer.
  On le prend aussi tost. Et d'une aspre secousse
Du haut tillac avant dans la mer on le pousse.
Trois fois il se rehausse : et trois fois recouvert [180]
Par le cours montaigneux du flot persement vert,
En fin il tombe au fonds : et roulé miserable,
Parmi les troubles flots, les cailloux, et le sable,
Devot, il parle ainsi des levres de la foy,
Aye, ô Dieu, las ! mon Dieu, aye pitié de moy.
Le Tout-puissant l'exauce, et sur le champ desbande
D'entre mille poissons la Lamie gourmande :
Qui beante le fait couler dedans ses flancs,
Sans tant peu l'offenser de sa dent à six rangs.
Tout ainsi que l'Apron, le Chabot, l'Able blanche,

---

91. « Ils s'avisent de tenter le sort. »

93. « Le sort tombe sur Jonas, qui se confesse coulpable, et est jetté dedans la mer. »

104. « Il prie Dieu, et est englouty par un poisson, au ventre duquel il demeura trois jours et trois nuicts. Jon. cha. 2. »

Que le courant du fleuve emporte dans la manche,
Va, vient, suit et resuit le tramail haut et bas
Sous un espoir trompeur de trouver quelque pas,
Le Prophete de mesme estonné se promeine
Dedans cest animal, qui cede à la baleine
En grandeur de corsage, et non en ventre creux,
Comme estant sans artere, et sans poulmon venteux.
Où suis-je, ô Roy du ciel ? Dy moy dans quels abys-
[mes,
Dans quels nouveaux enfers vien tu punir mes crimes ?
O supplice inouy ! Tu forbanis mon corps
De la terre, element qu'on laisse mesme aux morts.
Certes je ne sçay point où me pousse ton ire,
Je suis privé de l'air, toutesfois je respire :
J'ay l'œil bon, et ne voy le ciel clairement beau :
Pauvre, helas ! je ne suis hors de l'eau, ni dans l'eau.
Sans me bouger, je cours. Ma maison est mouvante,
Et vif je suis couvert d'une tombe vivante.
Tandis qu'il dit ces mots, par le poisson amy
Il est et sain et sauf, sur la rive vomy.
Et comme s'il avoit jà durant trois journees
Dans quelque bon logis ses jambes sejournees,
Ne chemine, ains il vole. Et dans Ninive entré :
Vos pechez ont (dit-il) jusqu'au ciel penetré :
Malheur, malheur sur vous : jà des-jà sur vos testes
L'Eternel le grand Dieu decoche ses tempestes.
Ainsi presche Jonas. Lors les bourgeois touchez [181
Du sentiment non-feint de leurs sales pechez,
Despéchent vers le ciel la triste Repentance,
L'Oraison charmeresse, et la pasle abstinence.

---

117. « Sa pensee en ceste prison. »

127. « Estant sorti de prison il execute sa commission vers ceux de Ninive. Jon. cha. 3. »

135. « Les Ninivites croyent à Dieu, et se repentent. »

La REPENTANCE fait deux torrents de ses yeux :
Son front n'ose à demy s'eslever vers les cieux,
D'une couleur de plomb est teincte sa poictrine :
La haire nuict et jour pointele son eschine :
Et son poil, que l'ennuy avoit fait jà chenu
Est saupoudré de cendre et de sable menu.

L'ORAISON a ses pieds, son chapeau, ses aisselles,
Comme l'Arcadien garnis de peinctes aisles.
Son corps est tout en flamme. Et de sa bouche part
La vapeur de l'encens, de l'amome et du Nard.

Le JUSNE est maigrelet, mais riant de visage :
Gaillard en sa foiblesse : et jeune en son vieil age :
Vif, conserve-santé, sacré frein de Cypris,
Vigilant, purge-humeurs, et subtilize-esprits.

La FOY qui tient la clef de la voute Empiree,
Les conduit vis à vis de la chaire doree
Du Monarque du Monde : où d'une saincte voix
L'Oraison parle ainsin au nom de toutes trois.

Dieu, tardif à courroux, Pere enclin à clemence,
Las ! remets au fourreau l'estoc de la vengeance.
Si tu veux balançer les œuvres des humains
Au juste trebuschet qui pend dedans tes mains :
Esprouver leur alloy à la pierre de touche,
Qui resonante sort de ta severe bouche :
Et prendre les jettons pour leur crime comter :
Seigneur, he ! qui pourra devant toy subsister ?
Ninive seulement ne sera foudroyee.
On verra tout à coup la terre cendroyee.
Et ce jour mesme, helas ! ton courroux vehement,
Juste, anticipera le jour du jugement.
Ce Tout sera reduict en son premier abysme.

---

139. « Demandent pardon à Dieu, auquel ils crient. Ce cri de repentance est elegamment representé. »

158. « Priere des ames repentantes. »

Tu seras sans autel, sans encens, sans victime.
Donques imprime au cœur de ce peuple ta Loy. [182
Bon Dieu, ne le per pas, ains l'acquier tout à toy.
Ne jette point ton œil sur la malice extreme :
Ainçois regarde à nous, ou plustost à toy mesme.
Lors Dieu leur tend la main : va son front deridant,
Desarme son fort bras d'un tonnerre grondant.
Et baissant l'honneur sainct de sa flammeuse teste,
Interine, benin, sur le champ, leur requeste.

FIN

175. « Dieu pardonne aux Ninivites. »

Quatrième partie

LA DECADENCE

SOMMAIRE

Le Poëte ayant detesté l'ambition tyrannique des hommes propose la patience et justice de Dieu, lequel il invoque, entre en matiere et pour la *premiere partie* de ce livre monstre l'execution de la vengeance divine sur la maison d'Achab, par la main de Jehu, lequel tuë Joram, Roy d'Israel. En la *seconde* est representée la punition de Jesabel, où le Poëte fait ample description des dissolutions ridicules et meschantes des femmes impudiques. La *troisiesme* monstre la fin malheureuse de la race d'Achab, des autres Rois qui luy ont succedé, le transport des lignées d'Israel en Assyrie, le pays ayant esté possedé puis apres par des profanes, ancestres des Samaritains. Nous avons en la *quatriesme* partie un recit de l'horrible confusion du royaume de Juda sous Athalia, qui extermine les Princes du sang de David, reservé Joas fort petit enfant, lequel garanti, eslevé, devenu grandet, est presenté au peuple, qui l'accepte pour Roy, dont s'ensuit la mort d'Athalia. La *cinquiesme* propose Joas, Amasias, Azarias, Joathan, Achas, puis Ezechias, des vertus et dangers duquel il est parlé, notamment des beaux effets de sa foy. En la *sixiesme* se void l'excellente delivrance d'Ezechias, et du Royaume de Juda, de l'invasion tyrannique de Sennacherib Roy des Assyriens, l'armée puissante duquel est exterminée en une nuict par l'Ange du Seigneur, et Sennacherib est apres tué par ses propres fils. La *septiesme* partie fait mention de la maladie d'Ezechias, du message d'Elie, de l'humble repentance et priere de ce Prince, du benin support de Dieu, tesmoigné par un miracle tres-notable. Au commencement de la *huitiesme* sont proposez en peu de lignes les descendans d'un si grand Roy, jusques à Sedecias, au temps duquel Jerusalem fut assiégé par les Chaldeens, qui l'assaillent, pressent en diverses sortes, par maintes ruses et machines de guerre exactement descrites, ensemble les resistances des assiegez. La *neufiesme* et derniere partie du livre depeint la prise et ruine pitoyable de Jerusalem, les massacres des grands et petits, la miserable condition de Sedecias et des siens, les lamentables cris de ses filles et femmes, le meurtre de ses fils tuez en sa presence, sans aucun respect de ses remonstrances et prieres. Finalement on luy creve les yeux : dont s'ensuivent ses plaintes, et ses advertissemens notables aux Princes ambitieux et cruels. Le tout traité à la façon accoustumée de nostre Poëte, c'[est-à-dire] enrichi de descriptions vives, comparaisons elegantes, affections vehementes, et de tous ornemens requis en un Poëme fait pour vivre maugré la rigueur de l'envie et du temps. Au reste, l'histoire descrite en ce livre de la Decadence : assavoir depuis Jehu, exterminant la maison d'Achab, jusques à la ruine de Jerusalem, contient 306 ans ou environ : ce qui recommande et descouvre tant plus la patience et justice de Dieu sur ces Rois et peuples, selon aussi que l'histoire sainte declare le tout par le menu, pour l'instruction et consolation des grands et des petits affectionnez à la gloire de leur Seigneur souverain, et à leur salut.

LA DECADENCE, [67v°]

ou quatriesme partie
du quatriesme jour de la
seconde Sepmaine.

Venteuse ambition, chaud fuzil de la guerre :
Helas ! combien de sang tu verses sur la terre.
O sceptres, ô bandeaux, ô throsnes haut montez,
Combien de trahisons, cruels vous enfantez !
Hé ! que n'ose celuy qui bouillonnant aspire
Au tymon dangereux d'un redoutable empire ?
Il se plaist à tromper par sermens les humains,
Aux Dieux qu'il ne croit point eslevant ses deux mains.
Son espee est son tiltre, et qui son fer evite
N'eschappe, malheureux, son mortel aconite.
Craint de tous il craint tout, il rompt tout à la fois
Les chaines de nature, et les chaines des loix.
Pour luy la proche mort de son pere est boiteuse,
Sa race qu'au berceau on brandille, pleureuse,
Marche sur ses tallons : il passe à l'heur promis
Sur un pont fait du corps de ses plus grands amis,
Et monte au Throsne d'or par dessus les masures
De son propre pays, cependant tu l'endures, [68]
O pere foudroyeur ? et de ton fort pavois

---

* Texte de 1603, Paris, J. Houzé. Exemplaire de la Bibl. de l'Arsenal, à Paris, (cote 8° BL 8905). Quatrième et dernière pièce de la deuxième *Suitte* : placée après *Le Schisme* dans ce volume.

1. « Preface en laquelle le poete deteste l'ambition des tyrans qu'il depeint de leurs couleurs. »

13-15. Il souhaite la mort de son père, pour s'emparer du pouvoir. Il redoute ses enfants, qui le lui prendront trop tôt.

19. « En apres il propose la patience et justice de Dieu en tels accidens. »

Couvre ces tyranneaux qui font honte aux bons Rois.
Mais quoy ? tu ne permets sans cause leur audace,
Une cruelle fin leurs chefs cruels menace :
Tes traits en temps et lieu tu vas sur eux dardant,
Et ta justice en fin luit comme un phare ardant.
La grandeur des tyrans croulle, mal-asseuree,
Le sceptre acquis par sang n'est de longue duree :
Le clou chasse le clou, et par tragiques morts
Ces cœurs ambitieux jouent au boutte hors.
Jusqu'icy de Jacob les deux maisons Royalles
N'en font que trop de foy, n'en feront desloyalles
Que trop és vers suyvans : si de grace tu veux
Faire escorte à ma Muse et parfaire mes vœuz.
Jà Dieu ne pouvoit plus supporter la malice
De la maison d'Achab, jà de son injustice
La mesure estoit comble, et desjà les mastins
Beoyent apres les corps promis par les destins.
Le ciel haste son œuvre, et fait prendre les armes
Contre le fils d'Achab à ses propres gensdarmes,
Ayans Jehu pour chef, qui discourt sagement
Combien en fait de guerre importe un seul moment,
Et rusé fait doubler le pas à son armee
Pour gaigner le devant, mesme à la renommee.
Le Roy Joram surpris dans des foibles rampars,
De vivres despourveus, desnuez de soudars,
Lasche se dementant de la grandeur Royalle,
Se jette entre les bras de la troupe vassalle :
Brave fils de Namsi, mon Jehu dictes-moy [68v°
Quels apprests sont-ce-cy ? que voulez-vous du Roy ?

---

29. *Les deux maisons royales* : celle de Juda et celle d'Israël.

31. « Il invoque Dieu. »

33. « Premiere partie monstrant l'execution des jugemens de Dieu contre la maison d'Achab par la main de Jehu. »

43. « Joram essaye de l'adoucir. »

Où se doit descharger l'effort de ce tonnerre ?
M'apportez vous la paix ? m'apportez vous la guerre ?
Ainsi crie le Roy, Jehu crie plus fort :
Je t'appreste, ô meschant, non la paix, ains la mort.
Lors Joram tourne bride, et comme une galere
Qui du ciel oyt gronder la bruyante cholere,
Et qu'à son dam l'hyver les astres loing-volans,
Et les flots montaigneux se liguent, violens,
Contre l'orage noir en plaine mer n'estrive,
Ains à coups d'avirons gaigne la proche rive,
A coups de fouëts sanglans il haste ses moreaux
Courant tout à travers les monts, les vaulx, les eaux.
Jehu saisit son arc, un long chevron encoche,
Sa dextre du tetin, du fer sa gauche approche,
Se courbe en courbant l'arc, lasche le nerf tendu,
Le garrot empenné siffle dans l'air fendu
Ainsi qu'une fusee, et donnant dans l'eschigne
Du Roy Samaritain, perce à jour sa poitrine :
Fumant de sang il fuit, et le Prince blessé
Tombe mort, et tombant est de son char froissé.
Puis comme avoit predict le tout-sçavant Thesbite,
Empourpre de son sang le terroir Nabothite :
Et le Roy de Solime est justement puny
D'avoir son camp au camp des profanes uny :
Le superbe vainqueur vers la maison Royalle
Fait marcher de ce pas son armee loyalle :
Et plus pour s'establir que pour restablir Dieu,
Desire d'assommer Jesabel sur le lieu.
La Royne en sent le vent, et soudain retortille [69]

51. « Mais en vain, car Jehu le menace tellement qu'il s'enfuit. »

61. « Jehu l'atteint et le tue. »

71. « Le Roy de Juda est tué aussi. »

77. « II. Seconde partie, representant la punition de Jesabel. »

Sa perruque acheptee, en forme de coquille.
Le grenat, le ballay, l'onix, le diamant,
A des chainettes d'or pendus subtilement,
Autour de ses cheveux, avec chaisnes brandillent
Ainsi qu'au mois vineux jaunes-rouges pendillent
Les pommes dessus l'arbre : et meures vont suyvant
Le bransle des rameaux agitez par le vent.
La superbe Princesse est à grands plis couverte
D'un drap entretissu d'or et de soye verte
Où la navette avoit imité d'un docte art
Le plumage changeant du beau col d'un Canar.
Le corps est figuré de fueillages moresques,
D'oysillons, de lezardz, et d'estranges grotesques
Faictes d'orfeverie, une grand'frise d'or,
De rubis esgayee, et de perles encor,
Borde toute sa robe : et la brave asseurance
De l'art combat par tout avecques la despence.
Ses justes brodequins sont faicts d'un beau veloux,
Historiez d'argent, lunez soubz les genoux,
Et boutonnez encor du haut jusqu'aux chevilles,
De perles d'Orient, grandes comme no*i*silles.
Mais oultre tant d'habits richement esclattans,
Dignes de sa grandeur, indignes de ses ans,
Dans son beau cabinet elle amende les tares
De son seillonné front avec des fards plus rares, [69v
Falsifie son teint, paint ses yeux ternissans,
Et sotte contrefaict la fille de quinze ans,
Soit pour navrer d'amour, de Jehu le courage,
Ou soit pour esblouïr par si riche equipage,

98 *1603* … Comme nosilles.

---

78. *Sa perruque acheptee* : sa chevelure artificielle, sa « perruque » au sens moderne du mot.

85. « Pour se garantir elle se farde, attife et pare à l'avantage. »

L'œil du Prince rebelle, ou soit pour ne mourir,
Que comme ensevelie és delices de Tyr.
Icy je parle à vous ô chastes Damoyselles,
Qui gastez par vos fards vos beautez naturelles,
Non pour d'un feu lascif brusler les jeunes cœurs :
Ains pour trop imiter de cest age les mœurs,
Tel estant desjà pris és rets de vostre grace,
Invoque nuict et jour Hymenee et Thalasse,
Qui voyant peints voz yeux, vos jouës, vostre sein,
Son espingle du jeu retire tout soudain.
Qu'ay-je à faire (dit-il) d'une mignarde Espouze,
Qui chasque jour enfonce une espine jalouse
Dans mes esprits gesnez ? tende de tous costez
Pour prendre les passans des filets empruntez ?
Des perruques des morts, non de ses chevelures
Ouvre l'huis aux souhaits des cœurs plains de soüil-
[leures,
Et folle adulterant par drogues le dehors,
L'adultere secret procure de son corps.
Mais fait Censeur plus doux, supposons que Madame
Soit pudique en son corps, soit pudique en son ame,
Et certes je le croy, seray-je respecté
De celle dont le doigt salement empasté
Faict honte à l'Eternel par son oultrecuidance ? [70]
Qui l'ouvrier tout parfait accuse d'ignorance ?
Qui les couleurs corrige et reforme les traicts
Dont le pinceau divin enrichit ses portraicts ?
Prendray-je celle-là qui despendra mal-sage,

---

109. « Digression contre les fards et parures indecentes des femmes. »

112. *Cest age* : ce siècle, notre époque.

117. « Censure de ce profane excez. »

125. « Autre censure de celles qui pensent que fard, somptuosité desmesuree, et pudicité puissent s'accorder ensemble. »

En desguisant son front, mes rentes et son ages ?
Pourquoy l'aymé-je tant ? de sa perruque l'or,
Les lis de sa poictrine, et les roses encor
De son visage clair, et tant d'autres richesses
Qui mes yeux esblouys pipent enchanteresses,
Ne sont point de son creu, tout ce qu'elle a d'exquis
Estoit par mauvais arts, ou par emprunts acquis.
Ceste beauté par moy si fort idolatree,
Et qu'est-ce qu'un vray masque, une idole plastree
D'antimoine, crachats, chaudes exhalaisons :
Pourray-je sans horreur, baiser tant de poisons ?
Les nopces me donront une Nimphe agreable,
Mais en deux ans apres je verray miserable,
Une Megere au flanc, ses jouës luy pendront,
Ses tremblottantes dents pourries jauniront,
L'haleine luy pura, et vers terre accroupie,
Fera tousjours couler de son nez la roupie.
La Royne ayant ainsi son corps sale paré,
Triste monte au plus haut de son palais doré,
Et descouvrant Jehu, crie de la fenestre,
Tu viens donc ô Zamri, ô meurtrier de ton maistre,
Jouër à toute reste ? Et quoy ne crains-tu pas
Semblable en parricide un semblable trespas [?]
Mastine dit le Duc hé ! tu japes encore,
Ha ! monstre c'est par toy que Samarie adore
Les puissances d'Enfer, le fard et la poison [70v°
Ont eu par toy l'entree en l'auguste maison,
Par toy nous cognoissons mille execrables vices,
Par toy la sale mer des Syriens delices

157-158 *1603* … ne crains-tu pas ? / … trespas.

143. Image pessimiste de la cosmétique !

151. « Ruse de l'impudique Jesabel. »

157. « Jehu la desdaigne et luy fait un sommaire proces. »

S'est icy desbordee, et par toy les voyans
Ont pourpré de leur sang les ruisseaux ondoyans.
O peste d'Israël, vif souflet de nos guerres,
Sang-sue de Jacob, et gresle de nos terres,
Tu mourras à ce coup, vallets jettez l'embas,
S'elle s'acroche à vous, coupez luy mains et bras.
  O foy Courtisanesque ! ô loyauté fragile,
Ces souris de Palais, cette troupe inutile
D'hommes effeminez, n'agueres promettoit
Le monde à Jezabel, bavoit, rodomontoit,
Juroit qu'en sa faveur, brave elle feroit teste
A la Terre, à l'Averne, au Ciel darde-tempeste.
Or un glaçon craintif discourant dans ses os,
Luy faict avec le sort soudain tourner le dos.
Elle saisit la Royne, et d'une main traistresse,
Precipite le corps de sa chere maistresse,
Le cheval de Jehu ronflant paistrit trois fois,
De ses souliers de fer, le corps enfante-rois,
Et pour de poinct en poinct accomplir la parole
D'Elie ambassadeur du Monarque du Pole,
Tous les chiens d'alentour se jettent affamez,
Sur la tremblante chair des membres parfumez,
Et le peuple qui sort à millions par la porte,
Voyant un tel spectacle, aise parle en la sorte,
  O chiens à cette chienne, ô fiers dogues mangez
Celle qui jusqu'aux os a ses subjects rongez,
Sus lyces deschirez celle qui vous a faictes
Et bourrelles des saincts et tombeaux des Prophetes, [71]
Hachez moy si menu la paillarde de Bel,

---

167. *Jettez l'embas* : jetez-la en bas.

170. « La fait precipiter du faiste de son Palais en bas par ses propres courtisans et les chiens la devorent. »

175. Cf. l'expression : « mettre froid aux os », faire peur.

Que nul ne puisse dire, *I*cy gist Jezabel.
Jehu respand plus loing les flots de sa vengeance,
De l'infidelle Achab il fauche la semence,
Extermine de Bel l'idolatre Clergé,
Et son Temple superbe, en latrines changé,
Nous tesmoigne son zele ; et toutefois encore,
Le desir de regner ne permet qu'il adore
Sur le mont de Sion, ains fait que dans Bethel,
Soubz la forme d'un veau, on serve l'Eternel.
Son filz et ses nepveux le suyvent à la trace,
Et c'est pourquoy Sellem desarçonne sa race,
Que Manahem meurtrit l'homicide Sellem,
Phacee sur le filz du traistre Manahem
Jette ses traistres mains, et que de mesme Osee
Vange bien tost apres Pecuzé sur Phacee,
Osee Roy perfide, ingrat, brouillon, haultain,
Et soubz qui trebucha l'honneur Samaritain.
La ville est faicte un bourg, les deux fois cinq lignees
Sont en climats lointains pour jamais confinees,
Elles font leur sejour en l'estrange maison,
Chobar est leur Jordain, et Basan leur Chison,
D'Assur la balieure, et d'Euphrate l'escume
Dance dans leur Palais, et de leur vigne il hume
Le Nectar doux-picquant : Ancre en leurs riches ports,
Et se loge profane, au milieu de leurs forts.

192 *1603* … dire icy…

---

193. « III. Troisiesme partie de l'extermination de la maison d'Achab. »

201. « Des suivans Rois d'Israel. »

209. « Des dix lignees d'Israel finalement transportees en Assyrie. »

214-215. *Il hume, leurs riches ports* : renvoie toujours au vainqueur, singulier collectif ou pluriel selon les moments.

Ce peuple en changeant d'air, ne change de courage,
Car bien que des Lions l'homicide ravage [71v°]
Le face retirer soubz les aisles de Dieu,
Il meslange ses Dieux avec le Dieu du lieu,
Bigarre son service, habille son Eglise
D'un drap tissue d'estoupe, et d'une soye exquise,
Confond en un lingot le fer avecques l'or :
Ny Juif, ny Payen, ains tous les deux encor.
On compte que de l'air les troupes grivelees,
Et les hostes des champs, des monts et des valees,
Dessus le poinct d'honneur s'estans entr'agassez,
Eurent devant la terre, un chatouilleux procez.
Or tandis que leur faict se plaide en l'audience,
Et que chacun encor s'eschauffe en la deffence
De son droict querellé dans le barreau criard,
La volante souris se tient tousjours à part.
Mais elle n'oit si tost prononcer la sentence,
En faveur des derniers, que fine elle commence
Cheminer vers leur troupe : et se fourrant dedans
Monstre son large front, ses oreilles, ses dents.
La cause par apel puis apres devoluë
En la cour de Nature, et sentence obtenuë
Au proffit des oyseaux, l'impudente souris
Se range avecques eux : veut par ses fascheux cris
Imiter leur doux chant, s'orgueillit de ses aisles,
Et cauteleuse fait mille voltes isnelles.
Fuy-t'en Oyseau sans bec (dit l'une et l'autre part)
O beste au dos aislé, à part, vilaine à part,
A part aisles sans plume, ainsi dans ta tanniere
Le jour honteusement te tienne prisonniere, [72]

---

217. « Un peuple prophane est envoyé posseder le pays des dix lignees. »

225. « Narration poetique servant à representer ce miserable meslange dont avec succession de temps se forma la secte des Samaritains. »

Ainsi jamais Phœbus ne te luise alme-doux,
O Monstre ainsi sois-tu tousjours hay de tous.
Tel est ce peuple icy quand le grand Alexandre
La pluye de ses biens faict sur Isac descendre
Il se dit filz d'Isac, et quand l'ire de Dieu
D'un tonnerre esclattant renverse l'arbre Hebrieu,
Traistre il court aux rameaux, s'orne de sa despouïlle,
Et dans le sang d'Abram infidelle se souïlle.
Israël je te plains, la mer de tes malheurs
Noye d'ennuis mon ame et mes jouës de pleurs,
Mon cœur est tout oultré du dard de tes miseres,
Quand ce ne seroit point qu'en faveur de tes peres :
Mais je meurs quand je ly qu'en ta saincte maison,
L'ambitieux discord va soufflant sa poison,
Que Sion nage en sang, et que d'Achab la fille,
Moissonne de David l'innocente famille.
L'execrable Athalie, on la nommoit ainsi,
Sachant bien que son fils par le fils de Namsi
Avoit perdu le jour, usurpe desloyalle,
Dessus le mont sacré la puissance Royalle,
Et craignant d'estre un jour par les Princes du sang
Contraincte de tenir son legitime rang,
Les massacre, les pend, les esgorge, les noye,
N'espargne l'enfançon qui dans le bers larmoye
Son mal sans le congnoistre, et ne pardonne à ceux,
O barbare fierté ! que son ventre a conceuz.
Ainsi que le Lion qui d'une ongle asseree, [72v°
A dans ce coin de bois la vache deschiree,
Là le bœuf mugissant, là le brave taureau,

---

249. *Ce peuple icy* : les Samaritains.

255. « [IV.] Quatriesme partie descrivant l'horrible confusion du royaume de Juda sous la tirannie cruelle de l'execrable Athalia. »

273. « Comparaison propre à ce propos. »

Là la belle genisse et là le tendre veau,
Piafe rugissant, se baigne en sa victoire,
Et contemple orgueilleux les tesmoings de sa gloire,
Toute l'herbe est en pourpre, et le pauvre pasteur,
Sur un arbre sauvé, tout frissonne de peur,
Elle s'enfle de mesme, augmente sa malice,
Et n'a devant ses yeux foy, ny loy, ny justice.
  Ses villes sont autant de forests de brigands,
Sa Cour un bordeau sale, et ses milords plus grands
Tiennent dans leurs Palais des escoles publiques
De meurtres, de poisons, d'exorcismes magiques.
  Tandis qu'elle bastit son ruineux Empire,
Sur les os de ses filz Isabee retire
Joas enfant Royal de la pile des morts,
Comme quand un grand feu ravage dans le corps
D'un logis magnificque, on va d'un bras avare
Du meilleu du brasier recourre un meuble rare,
Le cache, le nourrit et le soleil ayant
Jà six fois refrayé son sentier flamboyant,
Joiade son mary, produit ce jeune Prince,
Devant ceux dont les mœurs avoient dans la province,
Acquis quelque credit, et puis il dict ainsi,
  Voicy vostre vray Roy ô chefs d'Isac, voicy
Voicy du grand David la legitime race,
Si vous ne m'en croyez, croyez à ceste face,
Vif portraict d'Ochosie, au moins adjoustez foy
A ces prestres qui l'ont veu transporter chez moy,
Croistre, eslever, nourir : employez saincts gensdar-
[mes, [73]
En si juste querelle, et vostre ire et vos armes,
Plantez ce rejetton dans le Royal verger,
Vengez le sang d'Obed sur le sang estranger,

---

287. « Joas petit enfant est sauvé du massacre d'Athalia. »

298. « Eslevé et devenu grandet est presenté au peuple. »

Et secouez par cris, par flammes, par tueries,
Non le joug d'une femme, ains de mille furies.
Le peuple quand et quand crie tout d'une voix,
Vive le roy Joas : vive de nos vrays Rois
Le sainct, l'illustre sang, qu'il vive, et que sa race
Tienne eternellement de pere en filz la place.
Ce grand bruit parvenu jusqu'à l'infame Court,
La Royne tout soudain vers le peuple s'en court,
Et voyant au milieu d'une bande robuste,
Le jeune Prince assis dessus la chaire auguste,
S'escrie à plein gosier, Trahison trahison,
Joiade tu mourras, ô prophane maison,
Je te mettray par terre, et toy jeune folastre,
Non, tu ne jouëras plus sur si riche Theatre,
De Roy le personnage ; ains degradé suyvras
Tes freres qui d'Enfer jà te tendent les bras.
Elle est tout aussitost des gensdarmes chargee,
Qui la trainent ainsi qu'une chienne enragee,
Hors du temple devot on l'assomme de coups,
Et son corps miserable est tabutté de tous.
Le Prestre souverain poussé d'un sacré zele,
Colle authentiquement d'une ligue nouvelle, [73v°
Avecques son bon Roy le peuple obeïssant,
Et renouë les deux avec le Tout-puissant.
Or tout ainsi qu'un Ours ravy de la mammelle,
Adoucit peu à peu sa rage naturelle
Dessous un maistre accord : Mais, s'il gaigne une fois
Le dos aspre d'un mont ou l'espoisseur d'un bois,

---

309. « Et accepté pour Roy. »

313. « Athalia en oit le vent, y acourt, s'oppose, crie, menasse. »

323. « Mais elle est tirée hors du temple et mise à mort. »

331. « [V.] Cinquiesme partie où sont representez, Joas bon au commencement meschant à la fin. »

Il rompt, il tue tout, il faict mille ravages,
Et tristement cruel reprend ses mœurs sauvages,
Ainsi Joas tandis que Joïade vit,
Combat en pieté avec le sainct David,
Mais luy mort il succede à son pere en furie,
Et traistrement ingrat fait mourir Zacharie.
Par ses propres valets ce tyran inhumain
Est tost apres tué, ses valets par la main
D'Amasie son filz : par son peuple Amasie,
Azarie le suit et Jothan Azarie.
Comme un mesme terroir produit confusement
L'yvroie trouble-esprit, le nourricier froment,
L'yors chasse-venin, la mortelle ciguë,
La rose doux-flairante et la puante ruë,
Les plus grandes maisons nous portent quelques fois
Des Princes monstrueux quelquesfois de bons Rois,
Et le Dieu loin-voyant en une mesme race,
Et justes et pervers pesle-mesle entre-lasse,
Pour donner lustre aux saincts et contre les tyrans
Produire en jugement les meurs de leurs parens.
Achas entre Ezechie et Joathan encore,
(Luy prophane, eux devots) semble un horrible More
Peint entre deux Adons : Comme Ezechie assis
Entre son pere Achas et Manasse son fils, [74]
Fleurit comme le lis au milieu des espines,
Et par vertu s'esgale aux ames plus divines.
Il semble qu'en ce Prince heureusement reluit
Le juste, l'invaincu, le grand, le fort David,

345. « Pourquoy en une mesme race y a des bons et mauvais. »

355. « Joathan, Achas, Ezechias. » Suite de bons et de mauvais rois, les bons (Joathan, Ezechias) alternant avec les mauvais (Achas, Manassé).

361. « Consideration speciale des vertus d'Ezechias vray fils de David. »

Et comme on voit courir de la grand Tartarie,
Armenie, Cillam, Sarmachaste, Iberie,
Dans la Mer du Baccu, fleuves, torrens, ruisseaux,
Et qu'un Lac s'orgueillit de mille sorte*s* d'eaux,
Des Patriarches saincts les vertus signalees
Se sont dans l'estomach de ce Prince escoulees;
Il est pur en la foy, sage en entreprenant,
En exploictant hardy, equitable en regnant,
L'heur ne le rend haultain, le malheur ne l'acable,
Le danger ne l'estonne : ains s'opose indomptable
Aux Monarques plus grands et pour le Tout-puissant
Hazarde courageux son sceptre florissant :
Car bien qu'il feust cerné de maint peuple idolatre,
Qu'à chasque pied de chesne un dieutelet de plastre,
Un Dieutelet de bois l'attirast à l'entour
Des cierges qui flammeux faisoient un aultre jour,
Que du Prince d'Assur les Escadres cruelles,
Foulassent en Sommer les foibles estincelles
De la foy d'Israel, et qu'il eust transporté
Les neuf parts et demy de sa posterité,
Si loin qu'il n'a depuis sur les notables croupes
Veu des Cedres bransler les verdissantes houpes,
Ezechie ne craint du Tyran le courroux,
Ne s'accommode au temps, ne hurle avec les loups,
Ne tergiverse point, ains devotement sage, [74v°
Sçachant que tous delais aportent grand dommage
En matiere si saincte, il faict en premier lieu
Regner le trois-fois-grand, puis il regne soubz Dieu,
Et l'establissement de la loy, seule juste,
Est comme l'avant-jeu de son Empire auguste,

366 *1603* … mille sorte d'eaux,

375. « Les dangers dont ce Prince fut environné. »

385. « Sa constante foy. »

Il repurge le Temple, il abat les haults lieux,
Coupe les bois sacrez, cendroye tous les Dieux
Adorez par son pere, et plain de zele brise
Le couleuvre de bronze eslevé par Moyse.
  Car encore qu'il soit le vray portraict de Christ,
Qu'il ayt pour fondateur le sacré-sainct Esprit,
Non l'humain jugement qui temeraire gaste
Le service divin, qui se perd, qui se flatte
En ses inventions, et faisant la leçon
A la voix du Seigneur, le sert à sa façon :
Que la prescription de tant d'ans le deffende,
Qu'il ait tant d'advocats, et qu'il se recommande,
Envers tout Israel, par miracles non feints,
Le Roy jette sur luy ses destruisantes mains,
Devotieux ne laisse en toute sa patrie,
Trace d'impieté, marque d'idolatrie,
Et pour le fol abus d'un peuple desbauché,
Oste ce qui n'est point de soy mesme peché.
  Cest acte genereux n'est point sans recompense,
Car Dieu qui ses biens-faits par mesure dispence,
Faisant honneur à ceux dont il est honnoré,
N'est tant son deffenseur que son confederé,
Il s'arme en sa faveur, espouse ses querelles,
Et porte son renom sur les bruyantes aisles [75]
De l'immortalité, c'est luy qui faict monter
En Geth son ost vainqueur : c'est luy qui fait flotter
Ses estendars bouffans sur les rempars de Gaze,
Qui la forte Ascalon de fonds en comble raze,
Et chastiant un peuple idolatre et mutin,

393. « Il reforme l'Eglise. »

396. « Brise le serpent d'airain. » Sur le culte du serpent d'airain, cf. *Nombres,* 21, 7-9.

406. « Racle toutes marques d'idolatrie. »

411. « Fait honneur à Dieu qui l'honore. »

Adjouste à son terroüer le terroüer Philistin,
Et que diray-je encor ? c'est luy qui le retire
Des pattes de ce Roy, dont le puissant Empire
Est en largeur sans borne, est en longueur sans bout,
Et de qui le seul nom faict trembler tout ce Tout,
Jà desjà les rempars de la Cæle Syrie,
Avoient esté forcez par le camp d'Assyrie,
Et de tant de citez où Jacob habitoit,
La grand Jerusalem debout seule restoit,
Quand du fertil Heber la bienheureuse race
Oit des creneaux avant ainsi parler Rabsace,
  Le fort Sennacherib mon grand Roy dit ces mots,
Roytelet de Salem, que veux-tu faire enclos
Dedans si foibles murs ? mets-tu ton esperance
Sur le secours du Nil ? O fragile asseurance,
O trompeuse ressource [!] ô mal fondé dessein
L'Egipte est un roseau qui rompu fend la main
Qui s'apuye sur luy, peult-estre tu te fies
En l'Eternel ton Dieu : quoy ! cil que tu deffies,
Que tu prives d'autels, qu'orgueilleux tu bannis
De tant de saincts Bosquels par ta dextre honnis,
Que tu vas furieux chasser de marche en marche
Pour le mettre en prison dans je ne sçay quel Arche,
Combattra pour Sion, ta cause en main prendra
Et ses plus grands haineux injuste deffendra ? [75v
  Puis suis-je sans adveu ? non non j'ay charge [expresse
Du Dieu roule univers, ma dextre vengeresse

437 *1603* … ressource ?

423. « [VI.] Sixiéme partie, contenant l'excellente delivrance d'Ezechias et de tout son Royaume, de la puissance tyrannique de Sennacherib. »

432. « Menaces horribles de Rabsace en sa harangue contre Ezechias. » L'armée de Sennachérib assiège alors Jérusalem.

Est le fleau de son ire, on me resiste en vain,
Je suis l'executeur des loix du souverain,
De ses Temples rompus j'entrepren la vengeance,
Il m'a faict (s'il peut rien) transport de sa puissance,
Ren-toy donc Ezechie et considere un peu
Qui tu es, qui je suis, n'attise plus le feu
Qui te doibt embrazer, et fol ne precipite
Dans un goufre de maux le peuple Israelite.
   O peuple ô pauvre peuple helas ! que je vous plain,
Ce meschant imposteur vous paist d'un espoir vain,
Et pour donner le fil à vostre mousse audace,
Se targue à tous propos du Dieu de ceste place.
   Qu'est ores devenu ce brave Dieu d'Emath,
Cil de Sepharaain, d'He*n*e, d'Ive, d'Arphat [?]
Je les ay tous vaincus : et patrons inutiles,
Ils n'ont peu garentir de ma dextre leurs villes :
Je veux traicter de mesme, et vous et vostre Dieu,
Je veux que le doux Man, l'Arche du peuple Hebrieu,
Et la verge d'Aron richement estoffees,
Se brandillent parmy cent autres miens trophees,
Je veux que le grand nom du Dieu de vostre Roy,
Soit leu parmy les noms des Dieux vaincus par moy,
Je le veux, je l'ay dit, je veux qu'ainsi se face,
Si vous ne vous mettez à l'abry de ma grace.
A peine a il finy, qu'Ezechie irrité,
Des blasphemes vomis contre l'Eternité, [76]
Vient au Temple et rompant sa soutane pourpree,
Recourt à l'oraison : comme à l'anchre sacree.
   O Roy de l'univers, et surtout des Hebrieux,

462 *1603* ..., d'Heve,..., d'Arphat.

---

453. « Les impietez de ce harangueur. »

461. « Ses blasphemes contre le vray Dieu. »

473. « Pieté d'Ezechias. »

477. « Sa priere à l'Eternel fondée sur la consideration de l'impieté de l'ennemy qui estime le vray Dieu une Idole. »

Lethargique dors-tu ? dequoy sert que tes yeux
Penetrent les enfers, et que de nos courages
Tu vois du ciel avant les plus muetz langages,
Si de ce fier Tyran les crimes tu ne vois ?
Si de ce chien impur tu n'entens les abois ?
Ce n'est tant contre nous que superbe il s'attaque,
Que contre ta grandeur : c'est contre toy qu'il braque
Sa blasphemante rage, et se vante effronté,
De t'accoupler aux Dieux que son bras a domté.
Je ne contredis pas qu'il ne soit un grand Prince,
Qu'il n'ayt noyé de sang mainte large Province,
Qu'il n'ait bruslé maint Temple, et que son ost vain-
[queur
N'ayt faict aux Dieux voisins plus de mal que de peur.
Mais quels Dieux sont-ce là ? des Dieux qui n'ont
[essence
Que par les mains de ceux qui craignent leur puissance,
Des dieux qui depuis hier posez sur les autels,
Doivent leurs deitez aux suffrages mortels,
Dieux au cizeau taillez, dieux sans voix, dieux sans
[ame,
Dieux subjectz au marteau, à la rouille, à la flamme.
Mais tu es invincible Eternel, Tout-voyant,
Et qui se prend à toy semble un nort qui bruyant
Pense desraciner les Alpes hault-cornuës,
Ou jetter dans la mer Athos le porte-nue,
Et qui mesdit de toy crache contre les cieux, [76v
Mais en vain le crachat retombe sur ses yeux.
Monstre-toy donques tel ô Dieu prens la deffence
Et de ta propre gloire, et de nostre innocence,
Purge ton nom de blasme : empesche que ce Roy,

491. « Vanité des Idoles. »

497. « Majesté Saincte du vray Dieu. »

503. « Invocation ardente au besoin. »

En triomphant de nous, ne triomphe de toy,
Et donne ô tout-puissant à ton Eglise saincte
Quelque argument de joye, à tes haineux de craincte.
L'immortel oyt son cry et du pole Estoilé,
Cholere faict descendre un champion aislé,
Qui, paré richement de plus qu'humaines armes,
Deffait en une nuict deux cens mille gensdarmes.
Icy les deux soleils dans son front allumez
Bruslent en un moment deux escadrons armez,
Non autrement qu'un feu qui se prend à l'estouble,
Le mal gaigne pays, la flamme se redouble,
Et par le prompt renfort des moites chauds Autans,
Craquetante elle suit le champ en peu de temps.
Icy, l'air tempesteux qui vole de sa bouche,
Mille et mille soldats l'un dessus l'autre couche,
Comme un vent un rocher, une ravine d'eaux
Abbat d'un haut pendant les arbres les plus beaux,
L'if renverse le pin, le pin chet sur le chesne,
Le chesne sur l'ormeau, et l'ormeau sur le fresne,
Du feste on voit alleur jusqu'au val plus profond,
Et le grand abbatis deshonnore le mont.
Icy d'un glaive tel que la lame sacree, [77]
Qui brillante deffend du bel Eden l'entree,
Il taille, il estocade, et d'un coup seulement
Va fauchant quelquesfois tout un grand regiment,
Et comme d'un canon la tonnereuse boule
Battant un pan de mur, le proche pan escroule,
Et donnant dans un ost renverse bien souvent
Les soldats acharnez par l'effort du seul vent,

---

509. « Dieu exauce Ezechias et par son ange desfait en peu de temps l'armee de Sennacherib. »

512. Cf. *La Sepmaine,* I, 715 sq.

513. *Les deux soleils...* : les yeux de l'ange.

519. « Description de ceste terrible deffaite. »

Les esclairs vont sifflans de cette large espee,
Blessent d'un coup mortel la bande non frapee.
Icy de ses deux mains il estrangle à la fois
Une entiere phalange : ô bras desthrone-Rois,
O main rase-citez : ô faux moissonn-armees,
Fay que quelque autre ayant ses veines alumees
D'un plus sainct feu que moy me face la leçon,
Et de si grand deffaicte exprime la façon,
Seigneur je n'y voy goutte, ains seulement j'admire
Ce que lour je ne puis concevoir et moins dire.
Vien çà Sennacherib qu'as-tu faict de ton ost ?
Où sont tes champions, tu piafois tantost,
Pour voir tant de soldats sous tes ondantes toilles
Que l'eau n'a de poissons, que le ciel n'a d'estoilles,
Ores te voicy seul : mais non car les fureurs,
Le pale desespoir, les paniques terreurs
Acompagnent ta fuite, atten ô noire peste,
Alte ô cruel boureau, ne crain l'acier celeste,
Ton flanc plein de venin, ton detestable sein
Merite d'estre ouvert d'une execrable main.
Ha ! tu fuis dans ton nid : ô cruel, la coustume
Ne veut que les tyrans trespassent sur la plume,
Comme alterez du sang, ils sont au sang noyez,
Et d'un cruel trespas leurs forfaits sont paiez.
Ha ! je voy bien desjà comme ta propre engeance
Sur l'autel de Nesroc faict d'Isac la vengeance, [77v°
Que tes fils mauvais œufs d'un corbeau si mechant,
Deffont cil qui les fit : que leur glaive trenchant
Ils fourrent dans ta gorge, et comme hoi*r*s de tes crimes

563 *1603* … comme hors de tes crimes [*Corr. d'ap. Holmes.*]

545. « Censure au tyran Sennacherib. »

555. « Il s'enfuit. »

559. « Est tué pres de son Idole par ses propres fils. »

Felons meslent ton sang au sang de tes victimes.
Cest estrange miracle est suivy tout soudain
D'un qui n'est moins fameux, le doigt du souverain
Frape sur Ezechie, et son corps miserable
Est geiné dans le lict d'un ulcere incurable.
L'art manque au medecin, les remedes à l'art,
Chacun des courtisans forcené pleure à part
Sa perte et son Seigneur : la mort tristement pale
De chambre en chambre court parmi la cour Roiale,
Et semble que la parque ait en chasque maison
De la ville allumé un funebre tison.
Tandis le filz d'Amos, aprochant de sa couche,
Verse les fleuves d'or de sa diserte bouche :
Si vous n'avez si bien fueilleté nostre Loy,
Si partout ne flamboit l'astre de vostre foy,
Si je n'avoy congnu vostre invaincu courage,
Mon Roy je n'useroy d'un si libre langage,
Je ne vous diroy pas qu'il faut que promptement
Vostre prudente main trace son testament
Que le courant du mal à vau-*l'*eau vous emporte
Et que desjà la mort tabute à vostre porte.
Que craignez-vous mon Prince hé ! ne sçavez-vous [pas,
Que nous cinglons tousjours droit au port du trepas,
Où les premiers anchrez sont les premiers en gloire,
Que la necessité nous contrainct tous de boire
En ce gobeau broyé par les mains du destin ? [78]

583 *1603* … à vau-leau…

565. « VII. Septiéme partie en laquelle est parlé de la maladie d'Ezechias. »

575. « Esaye [Isaïe] l'exhorte à disposer des afaires de la maison. »

577. *Si vous n'avez pas* pour : si vous n'aviez pas…

585. « Le console et fortifie par raisons divines. »

Que la mort n'est point peine, ains des peines la fin,
L'huis du palais de Dieu, du haut pole l'eschelle
Et le commencement de la vie eternelle ?
Par une seule mort nous tuons mille morts[,]
Par elle nous sortons du tombeau de ce corps.
Nous soulons à souhait nostre ame d'Ambrosie,
Nous obtenons au ciel le droit de bourgeoisie,
Nous sommes transformez en Anges de clarté,
Et de Dieu front à front contemplons la beauté
Il acheve, soudain l'Isacide monarque
Jà, triste apprehendant les horreurs de la parque
Tourne son œil larmeux vers la painte paroy,
Et rompu de douleurs parle ainsi à part soy.
J'en appelle ô Seigneur : j'appelle du Dieu juste
Au Dieu bon et clement, et quoy ? ton bras robuste
Fait gloire de jetter dans la tombe un hommeau
Qui n'a rien que les os, les tendons et la peau ?
Veut perdre celuy-là qui te sert sans feintise ?
Le Roy chasse-dæmons, le tuteur de l'Eglise ?
Que les saincts reglemens qu'en ton peuple il a faicts
Demeurent ô pitié ! par sa mort imparfaits ?
Qu'un successeur Payen tapisse des images,
Que ma dextre a cassez, les monts baise-nuages ?
Que sans enfans je meure ? et que Jacob encor
Soit privé de l'espoir de ce bel age d'or
Qui luyra sous ton Christ ? ô Dieu misericorde,
O pere de douceur à ton cher filz acorde
Encore un peu de temps : Seigneur, ne permets pas
Que tes plus grands haineux rient de son trespas. [78v°
Repren, dit le voyant, mon Roy repren courage,

593 *1603* … mille morts ?

---

599. « Ezechias estonné s'humilie devant Dieu et demande pour la gloire d'iceluy, prolongation de vie au monde. »

619. « Il obtient sa requeste. »

Tes larmes, tes souspirs et ton devot langage
Ont monté jusqu'au ciel, l'Eternelle bonté
Rapelle en ta faveur la riante santé,
Veut que dans le tiers jour dans le temple tu montes,
Retracte son arrest, et, corrigeant ses comptes
Faict reculer la mort de quinze ans, tout ainsi
Que l'ombre tourne arriere en cest horloge icy.
D'un effect merveilleux sa parole est suivye,
Car voicy le quadran marqu'heures, reigle-vie,
Acompagne-soleil, change-d'ombre, aulne-jours,
Qui rebrousse forcé son ordinaire cours,
La nuict est un midy, et le jour mesme encore
Semble estre ralumé par une triple aurore,
Phebus va et revient, et plustost que là bas,
Il s'en aille coucher sous les ombres d'Atlas,
Son char aux rayons d'or aislé porte-lumiere,
Passe trois fois de rang par une mesme orniere.
Seigneur, que sommes-nous ? qu'avons-nous faict [pour toy ?
Que pour estançonner nostre bruslante foy,
Il te plaist d'esbranler du ciel la voute ronde,
Desreigler tout-puissant la reigle de ce monde ?
Et faire manier d'un cours lentement prompt,
Titan à reculons, non comme il doit en rond,
Que pour chasser la nuict ignorantement sombre,
Qui sille noz esprits, tu fais reculer l'ombre
En la monstre d'Achas ? et comme tout changé,
Remets sur le bureau le procez jà jugé,
Casses tes jugemens, flottes en ton courage,
Et pour nous reformer, reformes ton langage ?
Tu te demens toy-mesme, et remets acoisé, [79]

---

627. « Cet octroy est confermé par un miracle notable du Soleil. »

637. « Rien n'est impossible au Voyant. »

649. « Charité indicible de Dieu envers ses enfans. »

Au foureau ton estoc contre nous aguisé ?
Tu fais ô trois-fois grand, tout ainsi qu'un bon pere
Qui branlant le baton en sa dextre severe,
Et de geste et de voix menace son filz cher,
Bien qu'il ne veuille pas tant soit peu le toucher,
Ains plustost sous le frein de cette rigueur feinte,
Il pretend homme acort de le tenir en crainte.

Ce Roy n'a regaingné le natal firmament,
Que son peuple retourne à son vomissement,
Se retoulle lavé dans sa premiere fange,
Et fol reprend le train d'une revolte estrange.

Et bien que Josias Prince cheri des cieux,
Qui sage vieillit tost pour long temps estre vieux,
Eust remis sus la loy du grand Dieu des batailles,
Estayé de son dos les penchantes murailles
De l'Eglise de Dieu : et que la verité,
Sous son sceptre eust repris l'antique authorité,
Jacob tache imiter la boule qui bruiante,
Trouve sur le chemin d'une roide descente
Un tronc qui faict semblant de luy fermer le pas,
La boule ne court plus, ainsi d'un sault tombe en bas.
Nabuchodonosor de sa puissante armee
Couvre le dos monteux de l'herbeuse Idumee,
Campe attaque le fort de Solyme, et son ost
Le clos de la cité d'un autre mur enclost.

Le diligent masson de l'enceinte nouvelle,
En l'un poing tient le glaive en l'autre la truelle,
Ne donne plus de coups de marteau que d'estoc,

659 *1603* Se retoulle [= *retouille*]. *Ed. ultér.* : Se resouille…

---

657. « VIII. Huictieme partie proposant en 12. lignees des descendans de ce bon Roy jusques à Sedecias. »

671. « Du temps de ce dernier Roy de Juda Jerusalem est assiegee pour la derniere fois par les Chaldeens. »

Et pied-ferme soustient des assiegez le choc,
Qui semblent des tavans dont l'ireuse ruchee
Autour des ennemis bou-bordonne espanchee,
Et fiere vomissant ses traits envenimez, [79v°]
Les enfonce en leurs fronts en leurs yeux en leurs nez.
Le Capricorne froid de platine de terre
A pavé fier deux fois la jacobite terre,
Collé le clair Jordain et la seve des bois,
Vive leur a fourny de perruque deux fois,
Depuis le fascheux siege : et quoy ? dit la jeunesse,
Nous vieillirons au tour de ceste forteresse ?
Nous nous amuserons plus maçons que soldars
Non à rompre, ains bastir de sourcilleux rempars ?
Et tandis que l'Hebrieu dans une belle chambre,
S'esbatra parfumé de binjouin et d'ambre,
Loin loin de noz maisons sur un bastillon hault
Nous tremblerons de froid ou suerons de chaud ?
Le temps seul nous vaincra, et d'Isac la prouesse
Ne nous nuira pas tant que fait nostre paresse.
  Sire ne refroidy nos courages ardans
Par la longueur d'un siege, allons, donnons dedans,
Emportons par assault l'asile de Judee,
Rien rien n'est impossible à la vertu chaldee.
  Il me plaist dict le Roy, guerriers despechez-vous,
Cherchez nom à travers le trespas et les coups.
L'honneur boult en leurs cœurs, je voy comme il me [semble

683-687. Le siège dure donc depuis deux ans (le Capricorne marque le début de l'hiver et le moment où le Jourdain déborde en laissant une fine couche de terre sur ses rives : *deux fois*, donc deux années successives).

687. « Plaintes des Capitaines et soldats assiegans. »

697. « Leur harangue au Roy. »

701. « Sa response. »

Que jà Nabusardan les plus gaillards assemble,
Chacun prend son eschelle et vaillamment dispos, [80]
Porte vers les rempars son chemin sur le dos,
Mais le prince sur tous qui brandit tourne vire
Comme un rozeau fend*u* ses deux masts de navire.
Jà tous égallement montent droict à la mort,
Mais non egaux en force, et moins encore en sort,
Cest arbre en lieu grillant dessous le pied s'ecoule,
L'autre ayant trop long cours s'esclate soubs la foule,
L'un soldat tue l'autre ainsi qu'un roc veineux
Desmembré d'un grand mont par le flot ravineux,
Va d'un cours roide à val, en courant s'amenuise,
Et luy mesme se rompt sur les marbres qu'il brise.
  Cestui-cy qui se void d'un temeraire pas,
Dans les nues monter esblouy tombe bas,
Et cest autre, acablé d'une montaigne enorme
Perd avecque l'esprit de tout le corps la forme.
  Le chef monte pourtant : et sur son grand pavois
Soustenant un olimpe, et sur son dos un bois
De tragules et darts, grince les dents, menace,
Ne marche point moins seur que sur une terrace,
Et s'opose recreu seul, et dans l'air pendant,
A maint brave escadron pied ferme l'atendant.
Il s'esleve et son chef horriblement bravache,
Dessus le pare-pié brandit non un panache, [80v
Ains un arbre rameux et jà demy vainqueur,
A toute la cité fait de son ombre peur

708 *1603* Comme un roseau, fendit ses deux masts…

---

704. « Nabusardan et les autres presentent l'escalade. »

708. *Ses deux masts de navire* : les deux montants de son échelle.

709. « Leur effort ne succede pas, ains est rendu vain par divers accidens. »

721. « Valeur de Nabusardan. »

Quand son gand escailleux qui comme une tenaille
Serre un creneau miné de l'esclave muraille
En deslie un carreau, le corps et le carreau
Tombent ensemblement dans un fossé plain d'eau.
Toutesfois il se sauve, il gaigne le rivage,
Aidé non par sa force, ains par son grand courage.
Il m'est advis que j'oy le superbe Nergal :
Je ne veux, je ne puis, dit-il, avoir d'egal
Ny de plus grand en guerre : orage esclaire, tonne,
Foudroye ô ciel, iré, tout cela ne m'estonne,
Dieux bravez, tempestez, canonnez de là haut,
Si fier je l'entreprend, je vous prendray d'assault.
Ayant bavé ces mots il grimpe par la pente
D'un effroiable mur, et blasphemant il plante
Es lieux plus raboteux de ses pieds nuds les bouts,
Et dans les plus lissez des poignards et des cloux.
Ainsi qu'un fier serpent qui, du haut d'une roche,
Le pasteur *courageux* à pas ondeux aproche,
Et d'un sifflet, d'un sault, et d'un traict d'œil brillant
Fait tourner furieux le dos à l'assaillant,
Le duc non autrement d'une voix tonnereuse,
Des esclairs de son casque, et de sa face ireuse
Va deslogeant Passur du plus hault du rampart. [81]
Jucal brave au conseil, aux batailles couart,
Cephate boute feu de ceste injuste guerre,
Et Malchy qui retient cent brasses dessouz terre,
Prisonnier Jeremie, orgue animé du vent
Qui part du seul gosier du Dieu tousjours vivant.

748 *1603* Le pasteur jeune-porte à pas…

---

731. « Sa cheute dans le fossé. »

737. « Nergal veut le seconder. »

743. « Il monte hardiment. »

747. « Comparaison. »

751. « Il estonne les chefs assiegez. »

Fuyons, crie Passur, fuyons cet idolatre,
Ou plustost ce Demon, qu'un mont ne peut abatre,
Je ne veux point entrer en un duel sanglant
Contre un Faucon armé, contre un homme volant.
Cependant que Nergal haste trop sa victoire,
Son poignard espointé le prive, non de gloire,
Ains de chesne promis, que doit-il attenter ?
Il ne veut point descendre, il ne peut pas monter.
O valeur desastree, il demeure en la sorte
Que fait le basteleur, qu'un chable tendu porte :
Ses pieds sont comme en l'air, il cherroit mille fois
Si son corps de son corps n'estoit le contrepois,
Et si mesme le plomb que sa main double embrasse,
Ne le rendoit leger : le beant populace
Pour luy tremble de peur, et s'estonne que l'ar*t*
Triomphe de nature, et le gain du hazart.
Nergal à la parfin tout despité se laisse
Couler au long du mur sur une haye espaisse,
Et maugree les Dieux qu'il croit, et qu'il ne croit,
Fasché plus de l'affront que du coup qu'il reçoit.
D'ailleurs Samgarnebo souz la terre fossoye,
De jour marche en la nuit, et couvert se fait voye
Au pied du haut rampart, imitant là dessouz
L'animal habillé de pannes de velous.
Adonc Ebedmelech fait une contre-mine,
Esvente la premiere, et resolu chemine
Tant qu'un clappier estroit, un serpenté terrier,

773 *1603* … que l'arc

---

763. « Mais il demeure suspendu en chemin. »

767. « Comparaison. »

775. « Et est contraint de couler en bas. »

779. « Samgarnebo creuse sous terre et est contreminé. »

782. La taupe.

De deux osts obstinez est fait le champ guerrier. [81v°]
Comme l'enflé Blereau de sa dent vendangere
Combat dans la coulee, et puis dedans la mere,
Contre les blanches dents des limiers plus hardis,
D'un claquement de mains les chiens sont esbaudis,
Et dans les plis poudreux de ces aveugles sentes,
Attentif on n'oit rien que des voix glapissantes :
Ces mineurs font de mesme, et me plain seulement
Que leur claire vertu combat obstinement
Tandis qu'en ce canal s'eschauffe l'escarmouche,
Le juste Ebedmelech fait tout contre sa bouche
Approcher un tonneau de fer blanc tout couvert,
Et de fleutes d'airain, vers la mine entr'ouvert :
Il est plain de duvet, et la plume allumee
Par des charbons soufflez produit une fumee,
Qui puante sortant hors du muy pertuisé
Chasse le camp payen de son rampart creusé,
Comme és plus froides nuicts de la glissante annee
On tire des glapiers la furette acharnee.
Rabsace d'autre part fait un chasteau roulant
A son plus hault estage attache un pont volant
Pour gaigner la courtine, et de cent et cent sortes
De cranequins garnit ses travaisons plus fortes,
L'assiegé contrebat ses assaillans assaults,
Ore contre les flancs de ce donjon si hault,
Or' contre les ressors des machines Persiques
Desbande Scorpions, balistes, Phalariques :
Mais la natte de corde estendue à l'entour
De tant d'armes de jet, va deffendant la tour.

814 *1603* De tant d'armes, de jet va défendant...

---

787. « Comparaison. »

795. « Comment la mine est esventee. »

805. « Rabsace fait un chasteau qui roule et un pont volant. »

811-812. Machines de sièges.

Tandis qu'ils sont aux mains l'obstiné Sephatie
Part du fort à l'emblee, horriblement manie
Un chevron raisineux, et d'ire forcenant [82]
Attache un feu cruel au donjon cheminant :
La flamme monte hault, devore renforcee,
Malgré le sang coulant, malgré l'onde versee,
Plancher apres plancher separe leurs combas,
Et les soldats mi-cuits se ruent tous en bas.
Le Roy pour de plus pres joindre la forteresse
Fait un grand estendis de mainte poutre espaisse,
Talusse son eschigne, et puis d'un toict boueux
Il couvre le marrin de l'ieuse noueux,
Le toict de peaux de bœuf, les peaux de sacs de laine.
Comme l'air alteré par la flammeuse haleine
Du celeste lion dessus un bois touffu,
Verse ensemble la gresle, et la pluye, et le feu,
Isac en mesme temps sur ses machines neuves
Jette des pots ardans, des montaignes des fleuves,
Mais la bouë resiste aux flambeaux devorans,
Aux rocs la laine molle, et le cuir aux torrens.
Là dessouz le mouton à la teste ferree,
Le fourchu pied-de-Chevre et la sape aceree
Ne demeurent oysifs : Icy le mur fendu
Dessus le pilotis demeure suspendu,
Delà le choc tonnant d'une grande machine
Rez-pied, rez-terre abbat la branlante courtine
De la ville sacree. As tu veu quelques fois
Comme à coups de Belier on enfonce un long bois
Au bayonnois boucan, bridant d'une chaussee

815. « Sephatie brusle ce chasteau. »

823. « Le fort royal dressé pour incommoder les assiegez. »

828. « Comparaison. »

835. « Description de diverses machines de guerre appliquez contre les murs de Jerusalem. »

Le cours jette-sablon de la mer courroucee ?
La Chalossoise dru porte à la mer ce bruit :
La nege enfle son eau, ce son redoublé suit
Tous les coins de la ville, et la prochaine terre
Semble trembler de peur au choc de ce tonnerre :
Tu ois, tu vois les coups des guerriers instrumens [82v°]
Qui battent de Sion les pierreux fondemens.
Jerusalem est prise, et la rage Chaldee
Despouille pour jamais de bandeau la Judee,
De ses venteuses tours l'embrasement fumeux
Semble faire pleurer l'œil du Soleil flammeux,
Souz les corps de ses fils Solyme ensevelie
Contraint de souspirer ceux qui l'ont desmolie,
Ses monceaux ruineux tesmoignent sa grandeur,
Ses cendres, sa richesse, une soudaine horreur
Va saisir le passant : et bien qu'il soit un Gete
Quelque cry douloureux sur les masures jette.
On n'oit rien que le chant des funestes hiboux,
Es palais où jadis resonnoit le luth doux.
Le Temple sacré-sainct qui faisoit seul n'aguiere
Rougir tout l'univers, n'est ore rien qu'un' aire :
La maison du Seigneur est la maison des rats,
Fouynes et serpens, sa gloire est cheute à bas :
Les vases destinez aux divins sacrifices
Sont changez en vaisseaux de pompes et delices :
Ceux qui ne meurent point son ballaffrez de coups,
Le fils on oste au pere, et l'espouse à l'espoux :
Jacob est un desert, Juda n'est en Judee,
Miserable il gemit dessouz le joug Chaldee.
Son Roy chargé de fer, et de honte et d'ennuy,

851. « Derniere partie de ce livre où le poete descrit la prise et ruine pitoyable de Jerusalem. »

869. « Les massacres des grands et petits. »

873. « La miserable condition de Sedecias et de sa famille. »

Le sort malencontreux void jecter devant luy :
Las ! il void partager, ainsi qu'un vil bagage,
Ses filles qui doroient par leur beauté son age,
Et ses femmes encor dont les flancs à foison
Ont d'une honneste race enrichy sa maison.
   Nostre pere, ô cher pere (ainsi parlent ses filles
Pendantes à son col :) Las en quelles familles
Nous veut-on transporter ? Donc un tas de faquins [83]
Rompront nostre ceinture ? Ils cueilliront bouquins,
La virginale fleur avec tel soin gardee
Pour quelque illustre Prince ? O coupeaux de Judee,
Valons que cent ruisseaux coupent par le milieu,
Jardins tousjours fleuris nous vous disons adieu,
Nous allons pour Cedron l'esloigné Tygre boire
Pour estre au plus offrant vendues chaque foire :
Pour courre l'esguillette, et voir, ô crevecœur !
Triompher de nos corps l'impudique vainqueur.
   O fer sappe-rampars, ô poudroyantes flammes
Qui ravagez Sion (crient apres les femmes)
Pourquoy nous quittez vous ? Sacrilege brandon
Que tu nous es cruel en nous faisant pardon ?
   O fier glaive, en faignant d'espargner nos entrailles
Tu nous fais voir cent fois nos propres funerailles,
Et survivre à nous mesme. Hé ! nostre bon espoux,
Helas pourrons-nous bien vivre absentes de vous ?
Esclaves de ceux-là qui n'ont point en la bouche
Que vos fers, que vos ceps ? pourrons-nous vostre cou-
[che
Orgueilleuse en estoffe, et plus encor en art,
Changer avec le lict d'un bouffon, d'un pendart ?
Nous (dy-je) devant qui les monteuses provinces

---

879. « Les lamentations de ses filles. »

887. « Les cris des femmes de Sedecias trainees en horrible servitude et captivité. »

Flechissoient le genoil, qui commandions aux Princes,
Que cent Dames d'honneur, cent Eunuques encor,
Paroient chaque matin de drap de soye et d'or,
Attiferons autruy : sur une Gaze infame
Tirerons en pleurant la consumante flamme [83v°]
Qui craquette en Sion ? Le moulin tournerons ?
Et pour un sceptre d'or un ballay porterons.
Mais c'est trop caqueté (crient lors les Ethniques)
Il fault aller gemir sur les bords Chaldaïques,
Filer dedans Babel, tordre le fil au tour,
Nos compagnes la nuict, nos chambrieres le jour.
Tout d'un coup ces bourreaux lascivement infames,
D'entre les bras Royaux vont enlevant ces dames,
Et peu s'en fault qu'aux yeux du pere et du mary
Ils n'attentent, vilains, sur leur honneur chery.
Le Prince accuse en vain sa fortune cruelle,
Il se courrouce en vain, il se plaint, il grommelle,
Ainsi que le Lyon dans la cage attaché,
A qui le prest disner par ruse est arraché,
Rugit horriblement, et son esclave rage
Apporte beaucoup plus d'effroy que de dommage.
Ce Payen orgueilleux passe bien plus avant,
Il esgorge, il deschire, il massacre devant
Le pere mal-heureux, les enfans miserables :
Voulez-vous, dit le Prince, estre moins pitoyables
A ceux qu'à vos genoux vous voyez prosternez,
Que vous estes vaillant contre les obstinez ?

907-909. Nous nous dirigerons vers une ville (une autre Gaza) infidèle, en pleurant l'incendie qui crépite encore à Sion…

911. « L'insolence cruelle des victorieux contre les filles et femmes de Sedecias. »

921. « Comparaison. »

925. « Le comble de ses maux. Ses fils sont tuez en sa presence. »

Hé ! que vous ont-ils fait ? O la belle justice,
Peut-estre les enfans qui succent la nourrice,
Malins, ont conspiré contre vostre grand Roy :
Ceux qui ne parlent point vous ont rompu la foy,
Ceux qui dans le berceau enveloppez de langes
Pleurent leurs maux futurs, ont rompu vos phalanges :
Ceux qui sur quatre pieds cheminent chancelans, [84]
Hazardeux ont bruslé vos bastions roulans,
Et sortans furieux par nos portes cernees,
Ont fait jour à travers vos bandes estonnees.
   O Chaldees, c'est moy, c'est moy seul qui l'ay fait,
J'ay trahy vostre Roy, j'ay vos troupes desfait :
Par mon bras le Jordain *sao*ul de tant de carnage
Regorge vos soldats sur son captif rivage.
Tournez doncques tournez contre moy vos cousteaux,
Espargnez ces petits, et ne souillez, bourreaux,
Dans ce sang innocent vos immortels trophees.
   Ainsi dessouz vos pieds tremblent les monts Riphees,
La Libie vous serve, et de l'est au Ponant,
Vostre ost tousjours vainqueur aille se pourmenant,
Vos femmes au retour se collent à vos bouches,
Et Dieu feconde en brief vos legitimes couches,
D'enfans pareils à vous, de tresors vos maisons,
Et face que chez vous vos chefs viennent grisons.
   Mais comme un hault escueil contre qui le ciel tonne :
L'air siffle, la mer bruit, tant soit peu ne s'estonne,
Ceux cy n'escoutent rien, ains pensent seulement
A rechercher, cruels, quelque insigne tourment.
   Ore ces *L*estrigons d'une lame trenchante

943 *1603* … le Jordain soaul…
959 *1603* … ces lestrigons.

---

931. « Ses remonstrances, prieres, plaintes sont inutiles. »

945. « Il tache d'amolir leurs cœurs et n'obtient rien. »

959. « Car ils hachent en pieces ses fils. »

De son gentil aisné hachent la chair tremblante,
L'un membre tombe icy, l'autre en une autre part,
Et le sang qui jaillit saute aux yeux du vieillard.
Or' prenant par les pieds sa seconde lignee : [84v°]
La rompent inhumains contre la cheminee
La teste volle en esclat : comme un pot ternissé
Qu'on a contre un rocher en cent pieces froissé,
Et l'humide cerveau qui par tout s'escarbouille
Du pere, ô cruauté, l*a* barbe grise souille.
Cela fait sur le pere ils courent furieux,
Et d'affillez poinçons luy pointelent les yeux :
Il perd le doux Soleil : une nuict eternelle
Se respand tout à coup sur sa lampe jumelle,
Ores il ne voit plus, mais il sent ses malheurs,
Et de ses yeux decoule un noir sang pour des pleurs :
Car Dieu veut que celuy par qui la torche sainte
De l'immortelle loy dans Juda fust esteinte,
Eust esteints ses deux yeux, et que son corps ne vist
En la terre plus clair qu'en la foy son esprit.
Bouchers soulez (dit-il) vostre sanglante envie,
Hé, de grace, ostez moy, non la veuë, ains la vie :
Donnez moy, non du jour, ains du doux air des cieux :
Donnez dedans mon cœur, et non point dans mes yeux.
Que n'avez-vous hasté ce supplice barbare
Avant que j'eusse veu trebucher ma thiare,
Mes rampars poudroyez, mes subjets desconfis :
De mes filles la honte, et la mort de mes fils ?
Ou bien que n'avez vous attendu que je visse
Paistre vostre Monarque ainsi qu'une genisse,
Contre vostre grandeur les Medes conspirer ?

968 *1603* ..., lo barbe...

---

969. « Puis il luy courent sus, et luy crevent les yeux. »

972. *Sa lampe jumelle* : ses yeux.

979. « Les plaintes de Sedecias privé de veue. »

Et vostre injuste sceptre en pieces deschirer ?
Mon ame en une mer d'aise se fust plongee,
Et vostre peine encor eust ma peine allegee. [85]
O Tyrans forcenez jettez icy vos yeux,
Contemplez vous en moy, n'irritez point les cieux
Qui canonnent les tours qui leur sont plus voisines,
Clemens vont pardonnant aux plus basses casines,
Qui detestent l'orgueil : et nous montent si hault
Pour rendre à tousjours-mais plus honteux nostre sault.
Des sceptres et de nous le tout-puissant se joue,
Tant nostre heur est fondé sur une foible rouë
Qui desja roule à val : De l'immortel le bras
Nous monstre la couronne, et ne la baille pas.
L'aise, l'honneur, le bien que tant en nous on prise,
Semble un verre qui luit, mais qui bien tost se brise.
Heureux, et trop heureux, cil que le souverain
Contre tous accidens appuye de sa main :
Qui ne despend d'ailleurs que de sa providence,
Et le regne de Dieu plus que le sien avance.

---

993. « Son advertissement aux Princes ambitieux et cruels. »

999. « Sentences notables à ce propos. »

1000. La roue de Fortune, qui nous mène tantôt haut tantôt bas.

ABRÉVIATIONS

C	« Les Capitaines » (III, 4)
D	« La Decadence » (IV, 4)
J	« Histoire de Jonas » (IV, 3, fin)
L	« La Loy » (III, 3)
M	« La Magnificence » (IV, 2)
P	« Les Peres » (III, 2)
S	« Le Schisme » (IV, 3)
T	« Les Trophees » (IV, 1)
V	« La Vocation » (III, 1)
Holmes	U.T. Holmes, J.C. Lyons et R.W. Linker, *The Works of Guillaume de Salluste Sieur du Bartas,* Chapel Hill, Univ. of North Carolina Press, 3 vol., 1935-1940. (*La Seconde Semaine* se trouve au tome III.)
Sec. Sem.	*La Seconde Semaine,* éd. STFM, Paris.
Sepm.	*La Sepmaine,* éd. STFM, Paris.
Dict. hist.	*Dictionnaire historique de la langue française,* dirigé par Alain Rey.

Les autres abréviations sont d'usage courant (PU : Presses universitaires, UP : University Press, STFM : Société des Textes Français Modernes, etc.).

INDEX DES NOMS PROPRES

Achab. Fils d'Omri, roi d'Israël, le pire des infidèles, S 282, 297, 305, 308, 329, 331, 397, 465, D 34, 38, 194, 261.

Achan. Impie qui s'empara du butin consacré à Dieu, fut cause de la défaite d'Israël et fut puni (lapidé) par ordre de Josué, C 231, 295.

Achas. Roi de Juda, fils de Jothan, D 355, 358. *La monstre d'Achas* : le gnomon, le cadran solaire installé par Achas, D 645.

Acheron. Fleuve des enfers, V 1123.

Adam. Le premier homme ; l'homme, la condition humaine, V 1299, P 385, M 1261. — **Adamite.** *La race Adamite* : l'humanité, C 397.

Adama, Adame. Ville de Chanaan consumée par le feu du ciel avec Sodome, V 224, 307, 1183.

Aden. L 634.

Adon. M 752, D 357.

Æole. Dieu du vent. Métonymie pour le vent, V 473.

Africque. S 192.

Alemand. L 913.

Alexandre. La ville fondée par Alexandre (allusion anachronique), L 826, D 249.

Alpes. D 499.

Amalec. Père des Amalécites. Représente ce peuple, T 5, 756. — **Amalecite.** Peuple de l'Arabie, ennemi des Israëlites, L 1122.

Amasie. Roi de Juda, fils de Joas, il périt assassiné par ses sujets, D 343.

Amethite. *Le prophete Amethite* : Elisée, J 13.

Ammonite. Peuple ennemi d'Israël, T 757, S 193. — **Amon.** Fils de Loth, père des Amalécites. Représente ce peuple, V 206, T 6. L'un d'eux tua Urie, le mari de Bethsabée, T 994.

Amor. Ancêtre des Ammorhéens ; pays des Ammorrhéens, V 456, 625. — **Amorrhee.** Amorrhéens, peuple de Judée conquis par Moïse, C 339. — **Amorr(h)ite.** C 502, 554.

Amos. Père du prophète Isaïe, D 575.

Amphion. Prince et musicien légendaire de Thèbes, dont l'art était tel qu'en l'entendant les pierres des murailles de Thèbes se déplaçaient et prenaient toutes seules leur place, T 724.

Amphitrionide. Hercule, fils d'Amphytrion, célèbre par ses douze travaux, T 747.

Amram. Père de Moïse et d'Aaron, L 209. — **Amramide.** *La race Amramide* : les Hébreux, C 862.

Amraphel. Roi de Senar, allié de Chodorlamor contre Sodome, V 228, 321.

Anachin. Ancien habitant (fabuleux) du sud de la Palestine, C 552.

Anchise. Amant de Vénus, son *amie,* T 220.

Aner. Allié d'Abraham contre Sodome, V 456, 641.

Anie. Région au nord-est de l'Asie, L 437.

Aod. Jude d'Israël, qui assassina Eglon, roi des Moabites, C 636.

Aonye. La Béotie, patrie des Muses, V 61.

Apelle. Le plus fameux des peintres grecs, M 1078.

Aquilon(s). Vent(s) du nord, V 1249, T 712.

Arabes. m 1134. — **Arabesque.** L 634, M 280. — **Arabie.** Au sud de la Palestine, L 1123, M 724. *L'oiseau d'Arabie* : le phénix, M 252.

Arad. Au sud de la Palestine, L 1123, C 53.

Aram. Roi de Syrie, ennemi des Hébreux, C 628. La Syrie, T 754. *Les bataillons d'Aram* : les Araméens, S 589. — **Aramee.** Nom collectif donné aux Araméens (les Syriens), T 768.

Arcadien. Cupidon, J 146.

Argos. La ville du Péloponnèse où régnait Agamemmon, T 389. — **Argolique.** D'Argos, M 244.

Arioc. Roi d'Eleazar (Ellassar), allié d'Abraham dans sa guerre contre Sodome, V 227, 433.

Armenie. D 364.

Arnon. Torrent de Judée, S 372.

Aron : voir Aaron.

Arphat. Ville conquise par les Assyriens et que ses dieux n'ont pas protégée, D 462.

Ascalon. Ville des Philistins, tombée au mains des Hébreux (puis reprise plusieurs fois), D 420.

Ascol ou **Escol.** Allié d'Abraham dans sa guerre contre Sodome, V 456.

Asie. Le continent conquis par Alexandre le Grand, T 387.

Asphaltite. De la mer Morte, T 1026. *Le marest Asphaltite* : la mer Morte, V 1190.

Assiriens. S 791. *Champs Assiriens* : l'Assyrie, V 83.

Assur. L'Assyrie, D 213, 370. — **Assyrie.** V 833, D 428.

Astarot. Divinité païenne du pays de Chanaan, P 186.

At(h)alie. Fille d'Achab, roi d'Israël, et de Jézabel, épouse de Joram, roi de Juda, mère d'Ochosias et du second Joram, qui devint lui aussi roi de Juda, S 311, D 263.

Athenien. L 954.

Athos. Le mont Athos, en Grèce, D 500.

Atlas. Géant de la mythologie qui portait la terre sur ses épaules, C 515, D 634. *Les niepces d'Atlas* : les Hyades, S 355. Voir le mot Hiades au Lexique.

Atropos. Celle des trois Parques qui coupait le fil, T 249.

Attique. De la région de Grèce ainsi nommée, L 971.

Austre. Vent du sud, L 797, C 457, T 863, M 591, 722.

Autan(s). Vent(s) du sud, V 663, L 898, C 95, M 408, S 358, D 517.

Averne. Entrée des enfers, l'Enfer, V 462, D 174. — **Avernale.** Infernale, S 320. *Avernale bande* : la bande des démons, T 564.

Aza. Roi de Juda, fils d'Abias, lui-même fils de Roboam, S 183, 187.

Azarie. Roi de Juda, fils d'Amazie, devenu lépreux, D 344.

Azor. Ville de la tribu de Juda, C 807.

Babel. Babylone, D 913.

Bacchus. Dieu de la vigne, M 1021.

Baccu. *Mer de Baccu* : mer Caspienne, D 365.

Bal. Baal, le dieu païen de Phénicie, S 283. Voir aussi Bel.

Barac. Barrac, juge d'Israël qui, avec Déborah, délivra les Hébreux de la servitude où les tenait Jabin, roi des Moabites, C 12, 636, 727, 807, 861, 866.

Basan, Bazan. Ville d'Assyrie (Gozan), D 212. Région de la Palestine, L 1123, C 56. — **Basanois.** De Basan, C 555.

Baza. Roi d'Israël, ennemi de Juda, S 278.

Bayonnois. *Bayonnois boucan* : tapage fait par la mer à Bayonne, D 843.

Bel. Baal, S 456, 481, 487, 489, 510, 513, 525, 536, D 191, 195.

Bellonne. Déesse de la guerre, V 805.

Belpheges ou **Bel-Phegor.** Idole des Moabites, T 600, S 506.

Belzebub. Belzébuth, dieu païen, L 1110, T 552.

Benhadad. Roi des Araméens, qui fit consulter Elisée sur sa mort prochaine, S 642.

Benjamites. Descendants de Benjamin, la plus petite et la plus fidèle des tribus, S 116.

Bersabee. Bethsabée, épouse d'Urie, aimée de David, mère de Salomon, T 895, M 479.

Bethel. Ville de Palestine où Dieu apparut à Abraham en lui promettant la terre de Canaan, C 303, 592, S 132, 143. C'est à Bethel que Jéroboam, trahissant le vrai Dieu,

avait placé un des deux veaux d'or, l'autre étant à Dan, D 199. C'est sur la route de Bethel qu'Elisée, insulté par une troupe de garnements, les maudit et que deux ourses sorties de la forêt en dévorèrent quarante-deux ! (II Rois, 2, 23-24), S 593.

Bethlemite. De Bethléem, ville dont David était originaire et qui vit plus tard la naissance du Christ, T 174.

Bezee. Ville de Palestine, C 594.

Bigauroix. De la Bigorre, région des Pyrénées, M 406.

Birdine. Au nord-est de l'Egypte, L 521.

Boree. Vent du nord, L 897.

Boses. Nom d'un rocher qui surmontait le passage où Jonathan vainquit les Philistins, ennemis de son père Saül, T 128.

Botnie. Scandinavie. L 438.

Botongas. En Afrique, L 438.

Bozite. Descendant de Booz, S 110.

Brachman. Brahmane, M 1186.

Bretagne. Grande-Bretagne, M 1276. — **Breton.** De la Bretagne, c'est-à-dire la Grande-Bretagne, T 713.

Bubaste. Divinité égyptienne. Représente ici le paganisme égyptien, L 173. — **Bubastique.** *Le Prince Bubastique* : Pharaon, L 73.

Cadmean. De Cadmis, légendaire fondateur de Thèbes, en Béotie, L 972.

Cain. Le fils aîné d'Adam, meurtrier de son frère Abel, T 81.

Caire (Le). La ville d'Egypte, où coule le Nil, L 129.

Caleb. Compagnon de Josué, qui reçut la ville d'Ebron en partage, C 362.

Capricorne. D 683.

Cardonne. Ville d'Aragon célèbre pour sa montagne de sel, V 1253.

Carmel. Le mont Carmel, C 81, 673, M 276, S 466.

Carthage. La ville d'Afrique, L 954.

Castille. La Castille d'Or, en Amérique, L 10 (nom donné à l'Amérique espagnole, c'est-à-dire Panama et le nor de la Colombie actuelle).

Castor. Le dieu des marins, ici pour le feu Saint-Elme, signe de chance sur un navire, L 171.

Caton. Caton d'Utique, stoïcien intransigeant, modèle de rigueur, T 560.

Caucase. S 784.

Cedron. Petit fleuve de la vallée de Josaphat, proche de Jérusalem, P 236, T 848, S 370, D 887.

Cephate. Combattant hébreu, D 755.

Cesar. Le très glorieux Jules César, T 770.

Chaldee. Région comprise entre le Tigre et l'Euphrate, la Mésopotamie, V 77. — **Chaldean.** V 171, 711, D 700, 851, 872, 941. — **Chaldaïque.** *Les bords Chaldaïques* : le pays de Chaldée, D 912.

Chalossoise. L'Adour, du nom de la région (la Chalosse) que traverse ce fleuve, D 845.

Chamos. Idole païenne du pays de Canaan, P 187, T 551.

Chanan. Canaan, la terre promise, V 191, 334, 520, 766, 836, 848, C 50,79, 280, 864. Nom du peuple qui habitait cette terre avant l'arrivée des Hébreux, et ennemi de ceux-ci, C 280. — **Chananean.** De Canaan, C 553. — **Cananee.** De Canaan, C 376.

Cherib. Torrent à l'est du Jourdain, S 398.

Cherubins. Anges, C 124.

Chiron. Le centaure qui éduqua Achille, représente l'intelligence, M 777.

Chison. Ville de Palestine (?), D 212.

Chobar. Fleuve affluent de l'Euphrate, D 212.

Chodorlamor. Roi d'Elam, allié d'Abraham contre Sodome, V 221, 418.

Christ. P 459, L 766, 767, 768, 770, 772, 777, 778,

780, 783, 785, 786, 788, 790, 791, 888, 1003, 1016, C 156, 425, 427, 430, 432, T 525, S 569, 575, 576, D 397, 615.

Chus. Père de Nemrod, le chasseur et constructeur de la Tour de Babel, T 82.

Ciceron. Le plus grand des prosateurs latins, M 1285.

Ciclades. Vaut pour archipel, groupe de petites îles (comme il y en a dans le loch Lomon), T 881.

Cillam. Ville sur le rivage sud de la Caspienne (Holmes, III, p. 453), D 364.

Cillan. Lieu où se réfugia David poursuivi par la haine de Saül, T 462, D 364.

Cimmerite. Des Cimmériens, qui étaient réputés vivre dans des lieux où le soleil ne se montrait jamais, T 922.

Cipris : voir Cypris.

Cis. Père de Saul, C 1081.

Cison. Torrent de Palestine, dans la région du mont Thabor, S 365.

Citheree. Cythérée, surnom de Vénus, M 752.

Cleith Dombertanois. La Clyde, où se trouve le rocher de Dombarton, près de Glasgow (note de Holmes, III, p. 362), T 879.

Clitemnestre. Clytemnestre, l'épouse d'Agamennon, roi d'Argos. Elle trompa avec Egisthe son mari parti pour la guerre de Troie, T 391.

Clytie : voir ce mot au Lexique.

Clothon. Celle des trois Parques qui file le fil de la vie, T 541.

Collosse. Désigne le géant Goliath, T 58.

Coré. Hébreu révolté contre Moïse, L 1065, 1109.

Coronean. De Coronée, en Béotie, L 971.

Cupidon. Petit dieu de l'amour, V 950, M 642.

Cyclope. Désigne ici Goliath, T 111.

Cyniphe(e)s. Africaines. *Vapeurs cyniphes,* L 898. — *Un nuage volant de Cyniphes cornus* : nuage en forme de chèvre, L 488.

Cypris, Cipris. L'un des noms de Vénus, V 956, L 124, M 639, J 151. *A Cypris* : pour Cypris, pour Vénus, pour l'amour, M 598.

Dagon. Idole des Philistins, S 491.

Damas. La ville de Syrie, C 814. — **Damassé.** A la façon des étoffes de Damas, c'est-à-dire avec des dessins brillants sur fond mat, T 973.

Dan. La ville la plus au nord de la Palestine, V 814, S 132.

Dathan. Un des alliés de Coré contre Moïse, L 1066.

David. *L'escossois David* : Jacques VI d'Ecosse, V 69. Prophète et roi d'Israël, T 13, 14, 17, 23, 25, 47, 55, 150, 207, 222, 275, 287, 311, 352, 405, 417, 420, 435, 446, 459, 473, 481, 507, 509, 531, 673, 706, 718, 762, 765, 773, 797, 878, 889, 892, 954, 1071, M 5, 141, 221, 464, 536, 1104, S 151, 179, D 262, 299, 338, 362.

Debore. Déborah, prophétesse et « juge » d'Israël, C 12, 712, 811, 861.

Delien. Apollon (né à Délos). Qualificatif ici attribué à Jacques VI d'Ecosse pour ses dons de poète, V 53.

Diane. Déesse de la chasse, fort belle, M 774.

Donald. Premier roi d'Ecosse chrétien, V 68.

Dorique. Le mode dorique en musique était celui de la plainte, T 388.

Dotham. Ville de Samarie, S 590.

Ebedmelec. Serviteur éthiopien de Sédécias, qui délivra Jérémie emprisonné par les Hébreux et détruisit la mine creusée par les Babyloniens pendant le siège de Jérusalem, D 783, 796.

Ebre. Le fleuve d'Espagne, S 9.

Ebron. Ville de Palestine, C 444.

Ecclesiaste. M 1087.

Eden. Le paradis terrestre, P 457, M 263, S 613, D 528.

Genevois. Habitants de Genève, cité non monarchique, C 1096.

Gete. Gète, Scythe ; ici pour barbare, D 859.

Geth. Ville philistine que conquit David, D 418.

Gilgal. Mont Guilgal, proche du Jourdain, sanctuaire cananéen devenu sanctuaire israëlite après l'arrivée des Hébreux, C 133.

Gizare. Sisara (ou Sisare), général de Jabin, roi des Moabites, ennemi des Hébreux, C 868. Voir aussi Sisare.

Gob. Lieu d'une bataille livrée par David contre lesPhilistins, T 789.

Goliath. Nom du géant champion des Philistins, que David vainquit armé d'une simple fronde, T 157, 343.

Gomorr(h)e. L'une des villes maudites, V 224, 301, 357, 440, 556, 939, 1184. — **Gomorrhite.** De Gomorrhe, L 1333.

Gordiens. *Plis Gordiens* : nœuds gordiens, M 1183.

Grece. La Grèce était alors aux mains des Turcs, S 629.

Grisons. Habitants d'un canton suisse, pays non monarchique, C 1096.

Grunland. Groenland, visité récemment (1578 et 1585) par des explorateurs européens (Frobisher et Davis : voir Holmes, III, p. 213, n.), V 461.

Haï. Ville de Palestine, ennemie des Hébreux, C 236, 294, 304.

Harran. Frère d'Abraham, père de Loth, V 1275.

Hazael. Roi de Syrie (des Araméens), à qui Elisée avait annoncé sa royauté, S 642.

Hebe. Déesse de la jeunesse, M 777.

Heber. Petit-fils de Noé, ancêtre des Hébreux, V 81, D 431.

Hebraïque. C 509, M 1240.

Hebrieu. Désigne parfois un Hébreu bien particulier selon le récit qui est en cours : Abraham dans « La Voca-

tion », Moïse dans « La Loy », etc. Ou les Hébreux en général. V 35, 587, 619, 669, 1016, 1071, 1090, P 254, 383, 435, L 130, 137, 200, 218, 236, 311, 332, 345, 374, 404, 413, 503, 556, 564, 600, 702, 759, 827, 1011, 1023, 1048, 1128, C 77, 149, 213, 225, 339, 375, 440, 449, 464, 487, 656, T 78, 121, 133, 167, 253, 317, S 4, 136, 509, D 252, 466, 477, 691.

Hebride. Ecossaise, T 883.

Helvetiens. Helvètes, habitants d'un pays non monarchique, C 1095.

Hene. Ville conquise par les Assyriens et que ses dieux n'ont pas protégée, D 462.

Hercul. Le héros mythologique, T 761.

Hermes. Nom grec de Mercure, M 782.

Hesebon, Hezebon. Ville de Palestine, ennemie d'Israël, L 1124, C 56.

Hesilins. Mot mystérieux : Holmes (III, p. 305) propose de comprendre « Hesaulins », descendants d'Esau, autrement dit Moabites, C 226.

Hethien. Peuple ennemi d'Israël, C 554.

Hevien. Peuple ennemi des Hébreux, C 553.

Hevile. Pays d'Havila en Arabie, habitat des Ismaëlites, V 898.

Hiade. Hyade, V 192. Voir ce mot au Lexique.

Hithees. Hittites, peuple de Phénicie, S 791.

Hydre, Hidre. Monstre de la mythologie dont les têtes repoussaient après avoir été tranchées, C 413, S 51.

Hyménée. Divinité du mariage, M 759, D 114.

Iberie. Géorgie (Holmes, III, p. 453), D 366.

Idumee. Pays fondé par Edom, au sud de la Palestine, V 69, L 510, 714, C 457, 597, 1062, T 755, M 82, 725, D 672. — **Idumeen.** M 214. — **Idumois.** M 763.

Indois. Des Indes, V 924.

Irlande. T 199.

Isabee. Josabeth, fille de Joram et sœur d'Ochosias,

épouse du grand-prêtre Joad (Joiade). Elle cacha l'enfant Joas, fils d'Ochosias, et le sauva des griffes d'Athalie, D 288.

Isa(a)c. Fils d'Abraham et de Sara. Son nom est aussi employé pour désigner le peuple juif, V 906, P 5, 20, 21, 22, 74, 95, 97, 98, 99, 100, 109, 114, 139, 144, 155, 239, 255, 261, 271, 279, 345, 389, 396, 448, 459, L 27, 75, 99, 119, 180, 208, 211, 236, 392, 506, 568, 713, 764, 807, 885, 891, 949, 1022, 1068, 1155, 1227, 1326, C 32, 53, 139, 154, 233, 257, 273, 456, 625, 723, 729, 876, 958, T 13, 134, 330, 353, 367, 424, 530, 536, 621, 708, 710, 1042, 1048, M 582, 1129, S 1, 55, 107, 123, 186, 192, 447, 516, 532, 793, D 250, 251, 298, 560, 695, 831. — **Isacide.** Descendant d'Isaac, Hébreu, L 629, C 51, 446, 993, T 460, D 599.

Isay. Autre nom de Jessé, le père de David. C'était le petit-fils de Booz, S 110.

Isboset. Fils de Saül qui disputa pendant quelques années la royauté d'Israël à David, T 705, 767.

Isis. La déesse égyptienne, L 67, M 716.

Island. Islande, T 864.

Ismael. Fils d'Abraham et de sa servante Agar, V 868, 870, 873, 900, P 64.

Israel. Nom reçu par Jacob après son combat avec l'Ange. Désigne souvent le peuple juif, L 55, 184, 917, C 100, 113, 395, 717, 871, T 170, 436, 687, M 71, S 396, 473, 641, D 165, 255, 381, 405. — **Israelite(s).** C 235, M 1072, S 21, D 456.

Ive. Ville conquise par les Assyriens et que ses dieux n'ont pas protégée, D 462.

Ixion. L'un des grands coupables de la mythologie antique, supplicié aux enfers : il était attaché à une roue qui tournait éternellement, S 566.

Jabin. Roi des Moabites, C 720.

Jaboc. L 476.

Jacob. Fils d'Isaac et de Rebecca. Désigne souvent le

peuple juif, L 126, 167, 236, 246, 273, 318, 321, 508, 523, 529, 577, 779, 795, 1086, 1165, 1259, 1320, 1344, C 85, 221, 278, 279, 573, 585, 629, 704, 708, 887, 1079, M 66, 219, 1094, S 1, 37, 55, 88, 190, 219, 334, 455, 527, D 29, 166, 429, 613, 668, 871. — **Jacobite.** D 684.

Jahel. Femme chez qui se réfugia Gizare (Sisara) après sa défaite par Barac, et qui le tua pendant son sommeil, C 869.

Japhees. *Ondes Japhées* : eaux de Galilée, T 131.

Jaques (VI d'Ecosse). V 49.

Jarmuth. Ville de Palestine, C 444, 456.

Jaruel. Ruisseau au bord du désert du même nom, S 263.

Jebusee. Habitant de Jébus, ancien nom de Jérusalem avant l'arrivée des Hébreux, C 554, T 759. — **Jebuside.** M 684.

Jehu. Roi d'Israël, d'abord capitaine des gardes de Joram, qu'il assassina, D 39, 47, 51, 61, 105, 153, 179, 193.

Jeremie. L'un des grands prophètes, que les Hébreux enfermèrent dans une citerne lors du siège de Jérusalem parce que ses prédictions catastrophiques les décourageaient, D 757.

Jerico. Ville de Palestine. Les Hébreux s'en emparèrent sous la conduite de Josué, qui fit s'écrouler ses murailles, C 159, 228, S 599.

Jeroboam. Homme de la tribu d'Ephraïm, qui s'empara du pouvoir après la révolte d'Israël contre Roboam, fils de Salomon, S 274. C'est à partir de là que les Hébreux furent séparés en deux royaumes : celui d'Israël (infidèle) et celui de Juda (légitime).

Jerosolyme. Jérusalem, C 593.

Jerusalem. D 430, 851.

Jesi. Ou Giezi : serviteur d'Elisée, qui soutira de l'argent à un lépreux guéri par son maître et qui en fut puni en devenant lépreux à son tour, ainsi que sa descendance jusqu'à la fin des temps, S 595.

Jessé. Fils d'Obed et père de David, V 70, T 47, 448, 468, 919. — **Jesseanne.** *La Jesseanne race* : la race de Jessé, celle de David, T 12.

Jezabel. Epouse d'Achab, mère d'Athalie, païenne enragée, S 299, D 76, 172, 192.

Joab. Général de David, T 775.

Joas. Roi de Juda, fils d'Ochosias, sauvé du massacre ordonné par Athalie et élevé par le grand-prêtre Joad (Joiade) : c'est le personnage de la tragédie de Racine, D 289, 310, 337.

Joathan : voir Jothan.

Jochebed. Mère de Moïse, L 139.

Joiade. Grand-prêtre, époux d'Isabée (Josabeth), D 295, 318, 337.

Jonas. Le prophète qui fut avalé et sauvé par une baleine, J 19, 93, 135.

Jonathan. Fils de Saül, ami loyal de David, désavoué par son père et mort en se battant contre les Philistins, T 127, 449, 688.

Joran, Joram. Nom de plusieurs rois d'Israël ou de Juda. Achab, roi d'Israël, eut pour fils un Joram, devenu à son tour roi d'Israël, qui eut maille à partir avec les Araméens, ou Syriens, sous la conduite de leur roi Hazael, S 644, 676, D 43, 53, 61. La sœur de ce Joram, Athalie, épousa un roi de Juda nommé lui aussi Joram (et fils de Josaphat), dont elle eût deux fils, Ochosias et un troisième Joran qui succéda à son frère sur le trôle de Juda, S 307.

Jo(u)rdain. Fleuve de Palestine, V 116, 183, 335, 557, 1125, L 476, C 1, 86, 90, 281, T 783, 845, 973, M 685, S 10 (allusion aux conquêtes franques des croisades), 369, 586, D 212, 685, 943.

Josaphat. Roi de Juda, fils d'Aza, S 183, 310.

Joseph. Fils de Jacob et de Rachel, avait fait venir le peuple hébreu en Egypte, L 24.

Josias. Roi de Juda, pieux comme son ancêtre Ezéchias, D 661.

Josué. Le prophète qui mena le peuple hébreu en Terre promise après la mort de Moïse, C 17, 363, 494, M 89.

Jothan ou **Joathan.** Roi de Juda, fils d'Azarie, D 344, 355.

Jucal. Combattant hébreu, D 754.

Jucatan. Yucatan, en Amérique centrale, L 437.

Juda. Fils de Jacob, père de la tribu de Juda, qui occupait le sud de la Palestine. David et sa descendance appartenaient à cette tribu. Le mot désigne aussi le peuple de Judée, T 707, 1025. Après le règne de Salomon, Juda désigne l'un des deux royaumes des Hébreux. S 111, 118, 173, 267, D 871, 976. — **Jude.** Juda, S 473, 560.

Judée. Contrée de la Palestine comprise entre la Syrie et l'Arabie. C'est la terre de Canaan, C 639, M 543, 688, S 625, D 699, 852, 871, 884.

Juif. C 418, D 224.

Junon. Epouse de Jupiter, maîtresse de l'Olympe, M 773.

Jupiter. Le maître des dieux olympiens, C 600.

Jup(p)in. Jupiter, dieu païen, T 612 ; désigne un grand prince, M 763 ; mis pour Baal, S 487.

Laconienne. A propos des lois de Lycurgue, à Sparte, L 953.

Lachis. Ville de Palestine, C 444.

Leman. Lac de Genève, V 1040.

Lestrigons. Habitants fabuleux de l'ancienne Sicile, réputés pour leur cruauté, D 959.

Lethe. Fleuve de l'oubli, V 371.

Levant. V 703, 840.

Levi. Les membres de la tribu de Lévi (le 3e fils de Jacob) accomplissaient les fonctions sacerdotales, L 1032. — **Levites.** Membres de la tribu de Lévi, prêtres d'Israël, C 181, M 1071, S 118, 127.

Liban. C 326, T 972, M 995.

C 119. — **Memphite.** De Memphis, L 49. — **Memphitique.** Egyptienne, C 1078.

Meroé. Île du Nil, L 379.

Messie. L 761, C 147.

Milcon. Idole païenne au pays de Chanaan, P 187.

Milichien. Propice : épithète de Bacchus (cf. Holmes, III, p. 425), S 491.

Miron. Myron, illustre sculpteur grec, M 1078.

Misraim ou **Misraym.** Nom hébreu de l'Egypte, L 450, 850.

Moab. Fils de Loth et de sa fille aînée, père des Moabites, T 6, S 223, 224, 226. — **Moabite.** Peuple de Palestine, ennemi des Hébreux. Ils adoraient Chamos et Belphégor, C 628, T 758, S 194.

Mocmur. Torrent de Palestine, S 367.

Moloc. Idole païenne au pays de Chanaan, P 187.

More. Maure, homme au teint bronzé, éminemment douteux, D 356. *Le rivage more* : l'Afrique, P 112.

Moyse. Le prophète qui fit sortir les Juifs d'Egypte pour les ramener en Terre promise, L 140, 240, 267, 602, 855, 1069, 1075, 1101, 1122, D 396.

Muse. V 1, 23, 59, P 439, M 769, 792, 901.

Nabal. Riche personnage de la tribu de Juda, qui avait offensé David et fut pardonné, T 728.

Nabathees. Les Nabatéens, peuple instable de l'Arabie, qui demeuraient dans les déserts et vivaient de brigandages (*les larrons Nabathees*), S 792.

Nabothite. *Le terroir Nabothite* : le champ de Naboth. Naboth fut mis à mort par Jézabel parce qu'il n'avait pas voulu vendre sa vigne à Achab. C'est dans ce champ que Jéhu fait jeter la dépouille du roi Joram, fils d'Achab, qu'il vient de tuer, D 70.

Nabuchodonosor. Roi de Babylone qui vainquit les Hébreux et les réduisit en esclavage : ce fut la captivité de Babylone, D 671. Pour son orgueil, il fut condamné à

vivre pendant sept ans comme une bête (cf. D 988) et à paître aux champs.

Nabusardan. Général de Nabuchodonosor, D 704.

Nadab. Fils de Jéroboam, S 277.

Naïades. C 91.

Namsi. Père de Jéhu, D 47, 264.

Nathan. Prophète qui reprocha à David son adultère avec Bethsabée, T 967, 987.

Nembrot. Nemrod, le chasseur constructeur de la Tour de Babel, T 157.

Neptun. Dieu de la mer ; désigne souvent la mer ; quelquefois la puissance divine, L 681, 696. — Démon, C 970.

Neree. Dieu marin, mis pour le maître du monde, P 410, L 693, C 108, 521, S 774.

Nergal. Guerrier babylonien, D 737, 763, 775.

Nesroc. Dieu babylonien, D 560.

Nil. Le fleuve d'Egypte, désigne souvent le pays qu'il arrose, V 814, 1200, L 271, 318, 377, 391, 479, 486, 502, 665, 808, T 864, M 539, 556, 574, 685, 721, S 392, 507, D 436. — **Nilotique.** *Nilotiques flots* : rivages d'Egypte, M 569.

Ninive. Capitale de l'Assyrie, J 16, 131, 165. — **Ninivite.** *Le docteur Ninivite* : Elisée, J 14.

Nimphe. Divinité de la nature. Hyperbole courante pour désigner une jeune fille, D 145.

Nobe. Lieu de Palestine où se réfugia David menacé par Saül, T 461.

Noé. Le patriarche qui sauva la création au moment du Déluge, P 165.

Not. Notus, vent du sud (cf. Austre), P 209.

Nubie. S 360.

Nun. Père de Josué, C 11, 273, 289, 466, 863.

Obed. Père de Jessé, D 306.

Ochosie, Ochosias. Fils d'Athalie, petit-fils d'Achab,

restaurateur du culte de Baal au royaume de Juda, S 314, D 301.

Odollan. Grotte d'Adoullan où se réfugia David poursuivi par Saül, T 461.

Œdipe. Le héros de la légende ancienne, qui triompha de l'énigme proposée par le Sphynx, M 1179.

Og. Roi de Basan, ennemi des Hébreux, L 1123.

Olimpe. Olympe, D 722.

Olivet. Le mont des Oliviers, près de Jérusalem, M 945.

Omri. Général proclamé roi par le peuple d'Israël révolté contre l'usurpateur Zamri. Omri fonda la dynastie et la capitale de Samarie. Père d'Achab, S 280.

Ophir. Région d'Arabie particulièrement riche en parfums, M 783.

Oram. ? Aram, ville de Syrie (Damas ?), V 668.

Oreades. Nymphes des montagnes, M 783.

Oreb. Horeb, autre nom du Sinai, L 187, 274, 959, C 81.

Orion. Constellation d'automne dont l'apparition annonce les pluies et les orages. Métonymie pour : orage, C 70. Orion est en même temps le chasseur de Béotie et la constellation automnale, située entre celle d'Eridan (voir ci-après Po) et l'étoile polaire (*l'Astre porte-voiles,* v. 191), T 190, S 355.

Osee. Dernier roi d'Israël après avoir tué Phacée, il fut vaincu par le roi d'Assyrie qui mit fin au royaume d'Israël et déporta les Israëlites en Assyrie et en Médie, D 205, 207.

Osire. Osiris, le dieu égyptien, L 329, M 715.

Othoniel. Neveu et gendre de Caleb, C 635.

Pactole. Fleuve d'Asie mineure dont le sable roulait de l'or, M 244.

Palestin. De Palestine, V 285, 772, L 475, C 63, 408, 576, 639, T 768. — **Palestine.** L 244. — **Palestinois.** T 760.

Pheresee. Perizzite, ancien peuple de la Palestine, C 553.

Phidie. Phidias, l'illustre sculpteur grec, M 1078.

Philistins. Peuple de Palestine, ennemi des Hébreux, C 628, 782, 1037, T 4, 84, 136, 285, 315, 347, 690, 788, M 82, D 422.

Philomele. La triste héroïne d'une métamorphose en rossignol, M 20, 867. Voir aussi ce mot au Lexique.

Phlegeton. Fleuve des enfers, T 542.

Phœbus : voir Phebus.

Phœbé. La Lune, T 575, M 345.

Phrygique. Le mode phrygien en musique était martial, T 387.

Piramides. Les Pyramides d'Egypte, M 683.

Pluton. Dieu des enfers, M 240.

Po. Le fleuve italien, S 9. Il avait pour nom mythique et poétique, dans l'antiquité, celui d'Eridan, qui est aussi le nom d'une constellation (voir Orion), T 191.

Pont. *Dompteur du Pont* : Pompée, vainqueur dans la guerre et vaincu dans les luttes civiles, T 767.

Rabsace. Serviteur de Sennachérib, le roi d'Assyrie, D 432, 805.

Ragusins. Habitants de Raguse, ville non monarchique, C 1096.

Rhee. Déesse de la terre, M 240.

Rhin. S 9.

Riphees. Monts Riphées, montagnes des pays du nord, signalent plus ou moins le bout du monde, L 897, D 948.

Roboam. Roi de Juda, fils de Salomon, S 23, 63.

Rome. L 955.

Ruben. L'aîné des fils de Jacob. Ses descendants forment l'une des douze tribus d'Israël, C 61.

Sem. Fils de Noé et père d'Heber, V 81.

Semei. Shimeï, personnage qui offensa et injuria David, lequel l'épargna, T 728.

Senar. Ville de Mésopotamie, V 78, 286.

Sené. Rocher surmontant le passage où Jonathan s'en prit aux Philistins, face au rocher de Boses, T 450.

Sennacherib. Roi d'Assyrie, conquérant d'Israël, D 433, 545.

Sepharaain. Ville conquise par les Assyriens et que ses dieux ne surent pas protéger, D 462.

Sephatie. Combattant hébreu lors de la défense de Jérusalem, D 815.

Serapthe. Sarepta, où le prophète Elie se réfugia sur l'ordre de Dieu, S 401.

Seres. Chinois, M 279 : allusion aux mûriers qui donnent la soie.

Sichemite. Sichem était la ville de Judée (Naplouse) où Roboam, le fils de Salomon, se rendit pour se faire reconnaître comme roi, S 22.

Siddin. Siddim, vallée où se trouve la mer Morte, V 547.

Sidon. Ville de Phénicie, M 539, S 283.

Silo. Montagne proche de la ville où Josué avait placé l'Arche, M 943.

Sina. Sinai, L 201, 560, 879, 894, 943, C 58, 960.

Sion. Un des monts sur lesquels est bâti Jérusalem. Par extension, la ville elle-même, P 445, L 794, M 542, 735, 998, 1257, S 124, 181, D 199, 261, 445, 850, 892, 909. *Sion la celeste* : la Jérusalem céleste, C 441.

Sirien, Syrien. M 1040. *Le Prince Sirien* : Hazael, ennemi de Joram, roi d'Israël, S 645. *Syriens delices* : les voluptés, les plaisirs syriens, c.-à-d. païens, infidèles, D 162.

Sisare. C'est le général de Jabin dont le nom dans « Les Capitaines » est orthographié Gizare. Ici l'exemple du général expérimenté, T 167.

Tartarie. Asie centrale, D 363.

Tein. La Tyne, rivière d'Ecosse, T 880.

Thadal. Roi des païens (les Gentils), allié d'Abraham contre Sodome, V 228, 379.

Tharé. Père d'Abraham, V 190.

Thalasse. Divinité du mariage, D 114.

Thebain. De Thèbes, la ville grecque, L 972. — **Thebes.** La ville d'Egypte, L 281.

Thesbite. Le prophète Elie, S 330, 561, D 69.

Thetis. Divinité de la mer, L 630, M 240, 762.

Thumin. Cuirasse qui couvrait la poitrine du grand prêtre (note de Holmes, III, p. 289).

Tigre, Tygre. Fleuve de Mésopotamie, V 758, 825, T 132, 843, D 887. — **Tigride.** *Rivage Tigride* : région du Tigre, V 182.

Timothee. Musicien de Thèbes, en Grèce, admiré d'Alexandre le Grand, T 384.

Tirtee. Tyrtée, poète athénien qui, désigné comme général des Spartiates, entraîna ses troupes par ses chants, T 383.

Titans. Le Géants, L 109. — **Titan.** Nom poétique du soleil, D 642. — **Titannique.** *La titannique audace* : l'audace semblable à celle des Titans, des Géants, M 1031.

Tyr. Ville de Phénicie, célèbre pour ses teintures de laine, et pour ses tissus en général, M 282, 553. *Les delices de Tyr* : les somptuosités vestimentaires, D 108.

Uranye. La première des Muses, V 62.

Urie. L'infortuné époux de Bethsabée (ou Bersabée), T 993, 1029.

Venitiens. Habitants d'une ville non monarchique, C 1096.

Venus. Déesse de l'amour, L 122. — *La masle Venus* : se rapportant à Sodome, l'expression parle d'elle-même, V 1056, 1068, T 910, M 392, 990.

LEXIQUE

Les mots signalés en italiques se trouvent dans les Sommaires ou dans les notes de Simon Goulart.

Aage, age. Vie. Epoque.

Abayer, abboyer. Aboyer. Aboyant : bruyant, J 42.

Abbatis. Abattage d'arbres, déboisement, D 526.

Abismer. Engloutir, V 345, S 323.

Abjet. De basse condition.

Able. Ablette, J 109.

Aboissonner (s'). Se désaltérer, se mouiller, S 600.

Accord, accort, acord. Avisé, habile ; honnête. — **Accortement.** Habilement, de manière avisée.

Accoustrement. Vêtement, T 522.

Ac(c)ravanté. Brisé, écrasé, L 119, T 1042.

Acharné. *Soldats acharnez* : soldats qui se battent avec fureur, D 534.

Acoisé. Apaisé.

Aconite. Aconit, poison, D 10.

Acquit. *Par maniere d'acquit* : négligemment, faute de pouvoir faire autrement, S 34.

Admirer. S'étonner devant.

Adonc(q). Alors.

Adulterer. Falsifier, D 123.

Adveu. *Sans adveu* : sans seigneur, sans dieu qui me protège, D 447.

Affetté. trompeur, perfide, S 298. Coquet, élégant, délicat, T 247.

Affiquet. Bijou, parure, T 837.

Af(f)(e)ubler. Revêtir, couvrir.

Afronteur. Trompeur, V 1205.

Agencer. Disposer, L 68.

Aguisé. Aiguisé, M 1185. — **Ahanner.** Travailler durement, péniblement, L 241.

Aheurter à. Dresser contre, M 1146.

Aiguillons. Eperons, T 201.

Ainçois. Mais, au contraire, plutôt.

Ains. Mais.

Ainsin. Ainsi.

Ais, aix, aiz. Planches.

Aise. Heureux, D 186.

Aisle. Essieu, C 821.

Alarmeux. Qui sonne l'alarme, qui donne l'alerte, M 1.

Alenter (s'). (Se) ralentir, T 893.

Alleur. Alors, D 525.

Alloy. Bonne qualité, J 161.

Alme. Nourricier. — **Almement.** Profitablement. — **Alme-doux.** Généreux et bienveillant, D 247.

Alte. Halte.

Allumelle. « Fer délié et plat qui fait le tranchant ou la lame des épées, couteaux, poignards, etc. » (Furetière), L 181.

Amome. Plante aromatique, J 148.

Amoureaux. Cupidons ailés, amours, M 614.

Amuser (s'). (S')occuper.

Anatomie. Squelette, L 822. Analyse, L 1001. — **Anatomizer.** Pénétrer, analyser, M 420. — **Anatomique.** *La carte anatomique* : l'image disséquée, T 857.

Aneler. Onduler, M 662.

Anglets. Recoins, T 1048.

Anime. « Corps de cuirasse formé de lames d'acier imbriquées en queue d'écrevisse » (Greimas), V 402.

Antique. Ancien.

Antre. Grotte, caverne.

Aposté. Evoqué, revenu, T 620.

Apris. Enseigné, instruit, L 335.

Apron. Goujon, J 109.

Arbre. Mât, J 71.

Arches. Voûtes, T 463.

Ardre. Brûler.

Areine, arene. Sable, fond marin, sol sablonneux. — **Areneux.** Sablonneux.

Argument. Sujet, V 20.

Armet. Casque, heaume, T 68.

Arondelle. Hirondelle.

Arres. Arrhes, acompte, gages, T 172. *Arres du ciel* : promesses du ciel, C 10.

Arroi. Equipement, M 237.

Art. Artifice, D 140. Piège, V 1239. — *Sans art* : naturellement, sans effort, S 615, M 333. — **Artifice.** *Sans artifice* : sans effort, M 663. — **Artiste.** *L'artiste mespris* : le mépris de l'art, de l'effort, M 664.

Asperges. Goupillon. *Noir asperges* : goupillon diabolique parce qu'utilisé à contre-emploi dans des cérémonies de sorcellerie, T 597.

Asserener. Arborer un visage serein, M 407.

Astré. Rempli d'astres, orné d'astres, de taches colorées comme un ciel couvert d'étoiles.

Attendre à (s'). S'occuper à, M 1166.

Attifer. Habiller.

Attremper. Tempérer, M 885.

Aulner. Mesurer.

Aure. Brise, vent léger, M 731.

Auronne. Bois du Midi, sorte d'arbousier, L 70.

Avaller. Descendre, abaisser.

Avancer. Mettre en avant, D 1008.

Avarice. Cupidité.

Avette. Abeille. Le *roitelet* des avettes (C 1039) est évidemment leur reine.

Aviver. Donner la vie, L 133.

Avoyer (s'). Retrouver sa route, son chemin, C 571.

Bacharre. Plante aromatique, V 488.

Badin. Personnage de farce. *Badins enfarinez* : parce que les acteurs des farces jouaient la visage couvert de farine, tout blanc, C 177.

Baillant. Ouvert, J 56.

Bailler. Donner.

Balancer. Peser, J 159. *Balancee* : en équilibre, P 311.

Baler. Danser.

Balieure. Balayure, rebut, D 213.

Ballay. Rubis balais, de couleur rouge violacé ou rose, D 79. — Balai, D 910.

Balliveaux. Baliveau, jeune arbre réservé lors de la coupe d'un bois, V 420.

Balottes. Boules avec lesquelles on votait (notamment à Venise), C 999.

Bande. Troupe.

Bandé. Tendu, T 308, 466, 946, S 470.

Bandeau. Diadème, couronne, T 534, 1076, M 538, D 3, 852.

Bander. Revêtir d'un bandeau, T 466.

Banqueroutte. *Faire banqueroutte à* : fausser compagnie à, abandonner, S 461.

Barboter. Marmonner, T 637.

Barde. Armure du cheval, V 706. — **Barder.** Couvrir un cheval de son armure, C 813.

Baricave. Fondrière, L 428.

Basteleur. Batteleur, jongleur de foire, D 768.

Bastillon. Bastion, D 693.

Bastiment. *Ce bas bastiment* : ce bas monde, M 173.

Bataille. Armée, L 626.

Baufrer. Manger goulument (cf. pop. baffrer), S 709.

Baver. Bavarder, causer d'abondance.

Baveux. Liquide, ruisselant, humide, aquatique. — **Baveusement.** En rapport avec l'eau, la mer : *baveusement flottans,* V 103.

Bavoler. Voler bas, voltiger, V 490.

Beer apres. Aspirer à, convoiter, D 36.

Begue. *Begues propos* : propos balbutiants, maladroits, comme ceux qu'on adresse aux bébés, M 441.

Benin, benigne. Bienveillant, bon, bénéfique.

Berluant. Ebloui, T 921. — **Berluer.** (S')éblouir.

Berlan. Brelan, tripot, C 907.

Bers. Berceau.

Besson. Jumeau.

Biaiser. Garnir en biais, en oblique, M 942.

Bienheurer. Annoncer l'avenir heureux, favoriser, rendre bon augure de, V 784.

Bigarrer (se). Se mêler d'éléments disparates, colorer.

Bigearre. Extravagant, irrégulier, C 1085, M 875, 1036. — **Bigearrer.** Différencier, varier, M 1039.

Bigle. Louche (en parlant du regard).

Billebarrer. Tisser en marquant de raies variées, contraster, M 17.

Bisongne. Recrue, nouveau soldat, « bleu », C 335.

Bisse. De couleur gris brun, C 521. Etoffe de couleur bise, M 827.

Bitumeux. « Bitume » désigne la substance noire, huileuse et infertile qu'on trouvait dans ces régions au sein de la terre et que nous appelons pétrole. « Bitumeux » est l'adjectif V 392, C 576.

Bizarre, bisarre. Bigarré. *Arc bizarre* : arc-en-ciel, L 469.

Blanc. Cible, butte, V 255, L 448, T 49, 743.

Blandices. Manières délicates, S 696.

Bled. Céréale. — **Bledier.** Porteur de céréales, de récoltes ; fertile.

Bluetter. Etinceler, lancer des étincelles.

Boiaux : voir Boyaux.

Bois (long). Lance, V 319, C 464, 568. Pieu, D 842.

Boiteux. *Être boiteux* : ne pas marcher, ne pas venir assez vite, D 13.

Bonasse. D'un caractère bon et doux, S 504.

Bondon. Bonde, P 248.

Bonet. Bonnet (coiffure masculine), M 751.

Bonheur. Chance, sort heureux, bonne fortune, M 61, T 3, 489, 580 (ici opposé à *mal-heur*, mauvaise chance, mauvaise fortune).

Bord. Rivage, pays.

Bordeau. Bordel.

Bosquel. Bosquet, D 442.

Bosse (en). En relief, C 729. — **Bos(s)el.** Relief, ciselure, travail en relief, M 178, 1009. — **Contre-bossel**, travail en creux, M 1010.

Bosser (se). S'enfler, J 25.

Bouc. Peau de bouc, récipient, S 391.

Bouches. Bouches à feu, canons, V 586.

Bouçon. Morceau empoisonné, poison, T 662.

Bouffi. Gonflé (par le vent), T 800.

Bouillon. Bouillonnement, ardeur, T 737. — **Boüillant.** Bouillant de colère, S 240. — **Bouillonnant.** Dévoré d'ambition, D 5.

Boulet. Grêlon, L 459.

Bouquin. Luxurieux, D 882.

Bourdon. Bâton de pèlerin, V 161. Partie d'un instrument de musique, V 604.

Bourgeois. Habitant, citoyen, concitoyen. *Celestes bourgeois* : habitants du ciel, les oiseaux, L 908.

Bourguignote. Casque, V 350, C 243.

Bourreler. Tourmenter, torturer, supplicier.

Bourrer. Maltraiter, malmener, V 430.

Boutees (à). Par à coup, par bonds, V 378. — **Boutte hors.** *Jouer au boutte hors* : lutter pour la possession d'un avantage, D 28.

Bouton (de roue). Moyeu, L 650, S 261. **(De geine).** Marque laissée par la torture, T 618.

Bouveau. Jeune bœuf.

Boyaux, boiaux. Entrailles, intestins.

Brancher. Se poser sur une branche, M 24.

Brandiller. Bercer, balancer.

Brandon. Flambeau, astre. *Brandon porte-jour* : le soleil, V 1281.

Branle. Mouvement. — **Bran(s)ler.** Bouger, agiter.

Brassal. Pièce d'armure protégeant les bras, V 329.

Brasse. Mesure de longueur (environ 1,50 m).

Brasser. Préparer, tramer, T 1029, M 1220. — **Brasseur.** Celui qui trame, qui complote, fomenteur, T 736.

Bravache. Faussement brave, fanfaron, V 274. — Courageux. *Horriblement bravache* : courageux à inspirer la terreur, D 727 — **Braver.** Défier, affronter.

Breché. Fendu, T 266.

Brillonner. Briller très fort, L 1057.

Brocatel. Sorte de brocard.

Broche. *Couper broche aux querelles* : couper court..., V 206.

Broncher. Trébucher.

Brosser. Se frayer un chemin, M 33.

Brouillas. Brouillards denses, L 38, 495.

Broyer. Anéantir, L 5.

Bruire. Faire du bruit, émettre un bruit, V 340, L 5. — **Bruiant.** De Bruire, S 737.

Bruit. Réputation, V 436, M 1269.

Brutal. Bestial, comme une bête.

But(t)e. Cible, butte. — Butte, colline, T 528, L 857, 969.

Çà. Par ici, T 93,109.

Çà bas. Ici-bas.

Cabasset. Casque.

Cabinet. Petite chambre retirée, V 1149, M 655, D 101. — Meuble où l'on enferme des choses précieuses. *Le cabinet de Dieu* : l'Arche, C 168. — Espace ombragé, M 30.

Cacique. Chef de tribu, L 883.

Calandre. Sorte d'alouette, M 867.

Calfeutrer. Calfater, boucher, obturer, P 50.

Camelot. Etoffe de laine et de soie, V 467.

Camp. Armée, C 639, 701, D 428.

Campagnes. *Campagnes salees* : les mers, les étendues marines, M 380.

Canal. Lit (d'un cours d'eau), S 369.

Carboucle. Escarboucle, rubis, M 912.

Carmes. Vers, chants, poèmes. Charmes, sortilèges.

Carol(l)e. Danse en rond, ronde, M 891, 940.

Carquan. Collier.

Carraque. Grosse nef peu maniable, T 280.

Carreau. Projectile, C 783. — Pierre, D 733. Voir aussi Quarreau.

Carriere. Piste, course, V 521, M 27.

Casine. Cabane, D 996.

Cassé. Lassé, L 120.

Catastrophe. Dénouement, T (p. 189).

Cauteleux. Rusé, D 242.

Caver. Creuser.

Caymande. Mendiante, V 162.

Cendroyer. Réduire en cendre.

Ceps. Entraves, liens ; chaînes, fers.

Cerceau. Plumes (du bout de l'aile), T 803. Ailes, V 535, M 650, S 581.

Cercher. Chercher.

Ceruse. Fards, S 298.

Ceste. Ceinture, L 1209, M 851.

Chable. Cable.

Chabot. Sorte de poisson appelé aussi meunier, J 109.

Chamailler. Frapper à grands coups, C 356. — Attaquer, C 823.

Chambreure. Cambrure, voûte, C 522.

Chambrillé. *Les plis chambrillez d'un mont caverneux* : les replis de la caverne qui y découpent comme des salles, comme des chambres, T 480. *Le rayon chambrillé* : le rayon garni de miel, T 806. *Chambrillé crouteau* : croute, rayons de la ruche garnis de miel, C 334.

Champ. Pays, étendue. *Aux champs* : en campagne, T 799. *Le champ* : le camp, D 518.

Champion. *Un champion aislé* : un ange, D 510.

Chancellant. Hésitant, M 508.

Chapeau, chapelet. Couronne.

Charme. Sortilège, L 338, 676. — **Charmer.** Jeter des charmes, des sortilèges, L 554. — **Charmeresse.** *La troupe charmeresse* : le monde des sorcières, T 621.

Charnure. Teint, chair, T 930.

Charte. Acte, papier, T 676.

Chartier. Charretier.

Chassieux. Aux yeux gonflés, V 480.

Chattemite. Hypocrite, L 420.

Chef. Tête. Aussi sens mod. *Deux chefs de deux chefs* : deux têtes appartenant à deux chefs, V 628.

Chenu. Blanc, d'où âgé, vieux, d'où sage.

Chetif. Malheureux, misérable.

Cheu. Chu.

Chevance. Richesse.

Cheveux. *Cheveux d'un pré* : les plantes, la moisson, la végétation, L 27.

Chevron. Pièce de bois, T 73. Pièce en forme de V placée (*encochée*) dans la tige de la flèche, D 61.

Choir, chet, cherroit. Tomber, tombe, tomberait.

Cholere. (N.) Colère. (A.) En colère, courroucé.

Choper. Heurter.

Choquer. Cogner, heurter.

Chourme. Chiourme, équipage, J 92.

Chrysocole. Borax, minerai, autres richesses, M 534.

Chrystal, crystal. Transparent (s'applique souvent à l'eau), L 626. — Eau, L 878.

Cil. Celui.

Cisterne. Citerne.

Clair. Brillant, T 79.

Clicquant. Cliquetant, V 468.

Clocher. Boiter.

Clytie. Sorte de tournesol, M 908 (de Clythie, nymphe dédaignée d'Apollon et que le désespoir métamorphosa en fleur).

Coche. (Fém.) Voiture, L 656. (Masc.) Char, voiture, S 550.

Cœur. Cœur. Courage.

Cognoit. Reconnaît, M 1026.

Cole-bas. Qui habite ici-bas, M 1076.

Coller. Lier, unir, réconcilier, D 328.

Colombin. Gris, couleur gorge de pigeon, V 492.

Combourgeois. Concitoyen, V 1060.

Compas. Mesure. *Par compas* : de façon calculée, mesurée.

Compassé. Réglé, ordonné.

Compter. Compter ou conter.

Conference. Comparaison, P (n. du v. 27).

Conseil. Réflexion, S 85.

Consommant. Consumant, ardent, brûlant, S 384.

Conter. Conter ou compter.

Contrebattre. Défendre, D 809.

Contrefait. Imité, représenté, M 844.

Contreroler. Enregistrer. Contrôler, L 977.

Corcelet. Pièce d'armure, T 187, 196.

Corner. Jouer du cornet, C 166. — **Cornet.** Instrument de musique, C 178.

Cornette. *Une cornette espece* : une espèce d'étendart (Holmes, III, p. 221), V 725.

Cornu. *Cyniphes cornus,* L 488 : voir à l'Index. *Un dieu deux fois cornu* : une idole, L 1091. *Laboureurs cornus* : sots paysans, paysans armés de piques (?), C 647. Pourvu d'antennes, papillon : *oiseau cornu,* M 637. *Cupidons cornus* : les Amours, M 642.

Corps. Corsage, D 89.

Corrival. Rival, concurrent.

Corsage. Corps, J 115.

Corserot, courcerot. Coursier, V 751, S 375.

Cottonee. *Cottonnees bandes* : troupeaux de moutons, L 1165.

Coulpe. Faute.

Coup(p)eau. Sommet. *Les chevelus coupeaux* : les coteaux couverts d'arbres, M 997.

Coupelle. Instrument et procédé pour séparer l'or et l'argent des autres métaux, P 40.

Courage. Cœur.

Coural. Corail.

Cour(r)e. Courir.

Courtine. Remparts, D 840. Front de rempart compris entre deux bastions, D 807.

Cousteau. Coteau.

Couvertes. Couvertures, L 401.

Couvrir. Cacher, dissimuler.

Coy. Tranquille.

Cracquant. Qui fait un bruit sec, une sorte de craquement.

Cramoisin. *L'ame cramoisine* : le sang, V 705. *Les ondes cramoisines* : les eaux rouges de sang, S 265.

Cranequin. Sorte d'arbalète, D 808.

Craqueter. Crépiter.

Craquetis. Claquement, S 787.

Crasseusement. Comme un rustre, comme pour un rustre, T 58.

Cresiner. Grincer, V 464.

Cresper. Brandir (une arme), C 657, T 74, M 229.

Crespine. Ruban, galon, ornement, M 843.

Cresté. Hérissé d'une crête, L 356.

Crin. Chevelure. Eventuellement : plumage, M 926. — **Crineux.** Chevelu.

Crise (masc.). Accès (de fièvre), T 681.

Croc. Crochet. *Pendre au croc* : laisser en suspens, rester en attente, S 472.

Croche. Crochue, C 818.

Croistre. Augmenter, J 40.

Crouler. Faire tomber, faire écrouler, V 819.

Crouteau. Croûte. Voir Chambrillé.

Cuider. Penser, croire (à tort), V 373.

Cuir. Fouet, L 653.

Curieux. Soigneux, V 7. Souvent sens mod.

Dace. Impôt, taxe.

Dactil. Dattier, L 479.

Dædales. Tours et recoins, dédales, M 80.

Dæmon. Demon. Faux dieu, idole. Parfois sens ordinaire.

Dam, dan. Dommage.

Damereau. Jeune homme effeminé.

Dard, dart. Arme de trait. — **Dardeur.** Lanceur de javelot, V 261.

Dardillant. Qui lance des flèches, des piques, des venins, etc.

Debiffé. Mis à mal, en mauvais état, V 394.

Debile. Faible, T 359.

Debonnaire. Noble, généreux.

Debrider. Lâcher la bride à, C 533.

Deceu. Déçu, trompé, abusé. — **Decevant.** Trompeur.

Dechet. 3e pers. du sing. de Dechoir.

Deceinte. Débridé. *Les licences deceintes* : les libertés auxquelles on se laisse aller, M 611.

Decider. Trancher, M 423, 1181.

Decoulante. ? Complaisante, T 1004.

Dedaler. Parcourir en tous sens, T 847.

Defau(l)t. (Verbe) Manque.

Degre(z). Marche, escalier, L 499. Grade, C 25.

Delivrer. Remettre, livrer, P 116.

Deluger. Envahir comme au Déluge, V 74.

Demourroit. Demeurerait, L 118.

Denoncer. *Denoncer la guerre* : déclarer la guerre, S 449.

Dentelé. Piquant, orné de piquants, armé, L 214.

Departir. Répartir, C 926.

Desarçonner. Faire tomber, mettre à mal, D 202.

Desastré. Abandonné des astres, D 767.

Desbander. Détendre, T 313. Disperser, J 105.

Desbondonné. Débondé, sans retenue, P 253.

Desbraillé. Défait, déshabillé, en désordre, C 747.

Desceptrer. Ôter la royauté à, détrôner, P 66.

Desciqueté. Déchiqueté, déchiré, S 749.

Desenlacer. Délacer, ôter les liens à, détacher, P 399.

Deshonnorer. Ôter ce qui fait la beauté, la grandeur, la valeur de. Voir Honneur.

Deslascher. Lancer, T 359, 658, J 33.

Deslier. Détacher, D 733.

Desloger. S'en aller, partir, T 55.

Desloyal. Révolté, infidèle à la maison de David, traître, S 116, D 30, 265.

Desmembrer. Arracher, séparer, C 192. Détacher, D 714.

De(s)mentir (se). S'ébranler, C 187. S'écrouler, C 471. Contredire, C 1081. Déroger, D 45.

Despendre. Dépenser, gaspiller.

Despité. Furieux, en proie à la colère, C 799.

Despiter. Susciter le dépit, la colère, L 63. — Braver, défier, mépriser, C 599, S 335.

Desvoyer (se). Se perdre, s'égarer, C 574.

Detraquer (se). Sortir du chemin, s'égarer, C 574.

Deval(l)er. Descendre.

Dextre. Main droite. *A dextre* : à droite, T 289. — **Dextrement.** Adroitement.

Diamantin. Dur comme le diamant, T 784.

Diaphaner. Purifier, clarifier, L 415.

Diapré. Lumineux, éclatant, M 749. Coloré, S 48.

Diette. Régime.

Diffamer. Accuser, porter une accusation injurieuse, infamante contre, T 544. — **Diffamé.** Perdu de réputation, M 112. — **Diffame.** Perte de réputation, déshonneur, M 208.

Dique. Digue, S 103.

Discourir. Raisonner. — Courir dans, parcourir, D 175. Sens moderne, M 54. — **Discours.** Raisonnement, réflexion. Parfois sens mod., L 1232, T 510, M 1193.

Don(c)que(s). Donc. Alors.

Donra, donray. Donnera, donnerai.

Dos. *A dos* : par derrière, C 357.

Douillet. Délicat, sensible, tendre.

Douteux. Incertain, pris de doute, M 507.

Doux-flairant. Odorant, parfumé.

Dragon. *Dragon escaillé* : serpent, C 57.

Dridiller. Tinter, L 273.

Duc. Chef de guerre, de peuple, conducteur (cf. lat. *dux,* ou le titre de III, 4 : « Les Capitaines »).

Dueil. Douleur.

Effect. Réalité réalisation ; résultat matériel, tangible.

Efficace. Efficacité, effet, V 901, 985.

Effleurer. Effeuiller, S 7.

Efforcement. Viol, V 939.

Effort. Effet, D 534. Travaux, T 748.

Effronté. Impudent, infidèle, S 464.

Embesongné. Occupé.

Embler. Enlever. Ravir, dissimuler. *A l'emblée* : à la dérobée, en cachette.

Emmonceler. Amonceler, accumuler.

Empenner (s'). S'envoler.

Empenné. Ailé (pour bien voler, fendre l'air en silence), L 903, C 320. Ailé, aérien, S 515. Garni de plumes, D 64.

Emplotonner (s'). Se mettre en boule, L 896.

Emplumé. Ailé. *Courriers emplumez* : les anges, P 314. *Peuples emplumez* : les oiseaux, S 400.

Empunaisir. Empuantir.

Encharner (s'). S'enfoncer dans la chair, T 315. *Encharné* : incarné, T 645.

Enclos. Enfermé.

Endaim. Andain, étendue que le faucheur coupe de pas en pas, L 1037.

Enfelonné. Devenu cruel, C 208.

Enfiler. Enchaîner, T 796.

Enfleurer (s'). S'enfler, augmenter, P 232.

Enfondrer. Enfoncer, M 1023.

Engin. Instrument, T 659.

Enjamber. Empiéter.

Ennui, ennuy. Tourment, douleur, peine.

Enreter (s'). Se prendre au piège, au filet, M 193.

Enter. Greffer, attacher.

Entomber. Ensevelir.

Entortiller. Impliquer, enchaîner, T 668.

Entourner. Entourer, M 850.

Entr'agasser. Quereller.

Entreglisser. Glisser, enfoncer l'un contre l'autre, S 102.

Entreprendre sur. Attaquer, J 26.

Entretisser. Tisser de façon mêlée, D 86.

Envenimer, envenimé. Empoisonner, empoisonné.

Erreur. *La non errante erreur* : la course sans hasard, sans erreur, M 343.

És. Dans les, aux.

Esbaudi. Hardi, D 790.

Escadre. Escadron, D 379.

Escadron. *Escadron aime-nuict* : les Furies, L 406. *Escadrons plumeux* : troupes d'oiseaux, L 802.

Escailleux. Allusion aux écailles métalliques du gantelet (peut-être anachronique pour Nabusardan ?), D 731.

Escarbouiller. Ecrabouiller, écraser.

Escarlate. Riche étoffe (de couleur variable), M 736.

Escarmoucher (s'). Attaquer, C 455.

Eschaf(f)au(l)t. Estrade, scène.

Escharse, escharsement. Econome, avare ; avec économie, maigrement. *Escharse despence* : maigre dépense, S 668.

Eschigne. Echine, dos. Surface.

Esconduit. Refusé, V 386.

Escrevisser. Remonter à reculons, C 560.

Escu. Bouclier.

Escueil. Rocher, promontoire de grande taille, T 214.

Esgayer (s'). S'égailler, S 227.

Esgrailler. Ecarter.

Esguillette. Aiguillette, cordon attachant les chausses au pourpoint. *Courre l'esguillette* : se soumettre à tous les hommes, D 889.

Eslire. Choisir.

Esmail. Les couleurs variées. *L'esmail des campagnes* : les prairies colorées, M 679.

Esmailler, esmaillé. Colorer, coloré.

Esmeu. Emu, agité.

Esmouvoir. Agiter.

Espanché. Répandu, épars, D 680.

Espardre. Disperser, L 1319.

Espeaute. Epeautre, sorte de froment, V 406.

Espreint. Pressé, foulé (tellement que son sang, son « suc », sorte), L 792.

Espris. De Esprendre : allumés, embrasés.

Esprits. « En termes de Medecine, se dit des atomes legers et volatils, qui sont les parties les plus subtiles des corps, qui leur donnent le mouvement, et qui sont moyens [*intermédiaires*] entre le corps et les facultez de l'ame, qui luy servent à faire toutes ses operations » (Furetière), S 388, M 164. — *Noirs esprits* : fantômes, S 677.

Esrener. Ereinter.

Essay. Epreuve, mise à l'épreuve.

Estable. Ecurie.

Estacade. Estocade, coup d'épée, T 753.

Estançonner. Soutenir.

Estats. Charges, positions, C 943.

Estendis. Etendue, D 824.

Esteuf. Balle.

Estoc. Epée, arme pointue. Souche, lignée, M 984. — **Estocader.** Abattre à coups d'épée, D 530.

Estoffe. Matière, matériau, M 1051. Qualité, D 901.

Estoffé. Orné, D 467.

Estoilles. *Estoilles chevelues* : comètes, S 349.

Estomac(h). Poitrine, cœur.

Estonner. Frapper de stupeur. — **Estonné.** Paralysé (par l'étonnement), réduit à l'immobilité.

Estorpé. Mutilé, estropié, C 846.

Estouble. Etoupe, D 515.

Estrain. Paille, paillasse.

Estrange. Etranger. *En l'estrange maison* : dans un pays étranger, D 211.

Estrener. Donner en cadeau, faire un cadeau à.

Estriver. Lutter, combattre.

Estuc. Stuc, T 914.

Etamine. *Passer par l'etamine de.* Passer à l'épreuve de, P 41.

Ethnique. Etranger, païen, V 542, T 371, M 760, C 351, 484, 645, 653, S 221, D 911.

Evohé. Cri des prêtres de Bacchus, cri païen, S 489.

Exercice. Activité, M 989.

Exercite. Armée.

Exercité. Exercé, habile, M 938.

Exploiter. Accomplir, exécuter, D 370.

Exquis. Recherché, raffiné, excellent ; extrême.

Faconde, facond. Eloquence, éloquent.

Faint. Mensonger, P 135. Voir aussi : Feint.

Faire de, faire du. Se donner l'air de, feindre d'être, affecter les apparences de.

Fait. Forfait, crime, T 704.

Faix, faiz. Charge, poids.

Fantaisie. Imagination. Esprit.

Fantastique. Qui se laisse entraîner par son imagination, ses rêveries, L 74, 813. — **Fantasque.** Capricieux, L 807. Voir Phantasque.

Faquin. Portefaix, homme de la plus basse espèce, D 881.

Fascheux. Désagréable, pénible (à entendre), D 240. — **Fasché.** Affligé, M 712.

Faussable. Trouable, C 633.

Faut. (Verbe, 3e pers.) Manque, V 1169.

Feauté. Loyauté, fidélité, C 1039.

Feindre. Imaginer, créer (en poésie, en peinture), P 404.

Feint. Fictif, représenté, décrit, peint, imaginé...

Felon. Traître, déloyal.

Fenestrer. Percer de fenêtres, T 904, M 1003.

Fere. Bête sauvage.

Ferme. Fixé sur, attentif à, S 470. *Faire ferme* : s'arrêter, C 501.

Ferré. De fer. *Sommeil ferré* : sommeil de fer, de plomb, T 689.

Feste. Faîte, D 525.

Festu. Fétu.

Fiance. *A fiance* : en confiance, C 814.

Fient. Fiente, S 655.

Fier, fierement. Féroce, cruel ; avec férocité, cruellement.

Figuré. Illustré, D 89.

Fil. Tranchant, D 459. *A droit fil* : tout au long, L 647.

Filet. *Filet de mon age* : fil de ma vie, T 666.

Fin, finement. Rusé, habile, fourbe ; avec finesse, avec ruse.

Flairant, flayrant. Odorant, parfumé.

Flambeau. Astre, étoile.

Flammeux. Entouré de flammes, J 177.

Fleureter. Tenir des propos galants, M 870.

Fleute. Canon, D 798.

Flisquer. Claquer, faire un bruit sec, T 313 (cf. Holmes, III, p. 344, qui explique *en flisquant* par les mots « with a twang »). Huguet ne cite que cet exemple et propose, avec un point d'interrogation : lancer, qui nous paraît moins satisfaisant que l'interprétation de Holmes.

Flocon. Petite houppe. Ornement ressemblant à un pompon, M 864.

Flottans. Errants, C 42, T 704.

Flouette. Fluette.

Flus. Flot.

Fonde. Fronde. — **Fondier.** Combattant armé d'une fronde, V 726. Voir aussi Frondier.

Forain. Etranger.

Forbanir. Exclure, exiler, bannir.

Forcener. Se déchaîner. — **Forcené.** Fou, hors de lui.

Forligner. S'écarter des vertus de ses ancêtres, C 875.

Forment. Froment.

Fort. *En ce fort* : en cette extrême, S 729.

Fortune. *De fortune* : par hasard, par chance, L 47.

Fossoyer. Creuser un fossé, D 779.

Fouchet. ? Holmes propose : fougère, L 386. (Les deux vers 385-386 sont d'ailleurs peu clairs.)

Fouler. Ecraser du pied, piétiner.

Fourrer (se). S'introduire.

Foy. *Faire foy de* : donner témoignage de, D 30.

Franc. Libre. — **Franchise.** Liberté.

Frayer. *Frayer son sentier* : suivre son chemin, D 294.

Fredons. Airs, mélodie, accents, T 379. — **Fredonné.** Chanté, musical, V 300.

Frimeux. *S'estant rendu frimeux* (à force d'épreuves) : étant devenu maître de son visage, de son apparence (cf. *frime* : mine), P 61. (Expression peu claire.)

Frisser. Siffler, passer avec une sorte de sifflement, T 809.

Froid. *Froid à* : répugnant à, P 218. *A froid battu* : trempé à froid (pour l'acier), d'où : trempé comme l'acier, P 58.

Froisser. Fracasser, D 68.

Frondier. Combattant armé d'une fronde, frondeur, T 361. Voir Fonde.

Front. Visage, face, V 164, D 598. Façade, M 1008. Orgueil, S 120.

Fuie. Petite volière où l'on met les pigeons, V 769.

Fuitif. Fugitif.

Fumeux. Enfumé, C 927.

Fumiere. Fumée.

Fureur. Inspiration divine, S 500. Produit de cette inspiration, M 2, 50.

Fusil, fuzil. Allume-feu, D 1, T 859.

Gabelleur. Percepteur de la gabelle, collecteur d'impôts, S 29.

Gaillard. Vigoureux, audacieux, joyeux, libre.

Galion. Vaisseau rapide, T 279.

Garrot. Bois de la flèche, D 64.

Garrotter. Lier, attacher, P 453.

Gars. Soldat, valet, S 253.

Gauche. Sinistre, néfaste, T 539.

Gauchir. Se dérober, C 656.

Gaze. Tissu de voile, D 907.

Gehenne. Question, torture.

Geiner, gesner. Tourmenter, mettre au supplice, torturer.

Gelé. Immobilisé, engourdi. — **Geler.** Engourdir, figer, paralyser.

Gendarmeau. Petit soldat.

Genereux. Noble, brave.

Genet. Petit cheval rapide, S 797.

Gens. Gentils, païens, V 228.

Gentil. Gracieux, noble, T 38, M 943. — Païen, C 418.

Germain. Frère.

Gestes. Exploits, P 406.

Glace. Solidité, fermeté transparente, L 638. — Froideur, hostilité. *Paistre dessus leur glace* : tirer profit d'eux, les exploiter malgré leur hostilité, S 57.

Glaçon. *Glaçon craintif* : le froid, le frisson de la peur, D 175. *Les glaçons de son chef* : sa tête pleine d'eau, mouillée, C 110.

Glaire. Salive, T 982. *En glaire* : en gestation, dans l'œuf, M 617.

Glapier. Clapier, terrier, D 804.

Glener. Glaner.

Gloser. Blâmer, T 8.

Glouton. Gourmand, L 377.

Gluaux. Pièges (à la glu) pour attraper les oiseaux, M 625.

Go(u)beau. Gobelet.

Goderonné. Tuyauté, M 914.

Gonds. *Tien-toy sur tes gonds* : mesure tes limites, T 161.

Gorgotter. Faire du bruit en bouillonnant, V 1176.

Gouderon. Goudron (avec lequel on calfatait les coques), J 55.

Gourmander. Traiter durement, malmener, C 530.

Grailler. Croasser. *Ils font à grailler* : ils croassent à qui mieux mieux, V 1131. *Gra-graillantes troupes* : S 250.

Gravois. Sable, petits cailloux du rivage, P 576.

Grief. Douloureux.

Grillant. Glissant, D 711.

Grivelé. Tacheté de blanc et de gris-brun. *Les troupes grivelees* : les oiseaux, D 225.

Grommeler, groumeler. Gronder, S 332, J 71.

Grotesques. Figures ornementales en vogue au XVIe siècle, D 90.

Guerdonner. Récompenser. — **Guerdon.** Récompense, ou parfois punition.

Gueret. Champs couvert de moisson, d'où : les récoltes, V 406, L 1174.

Guinder (se). Se hausser, s'élever.

Guiterne. Guitare.

Hachis. Fait de hacher, de couper au couteau ; meurtre à l'arme blanche, son résultat, P 124.

Haineux. Ennemi.

Haleine. *Sans haleine* : sans vie, S 246.

Hal(l)ecret. Corselet de fer, armure de poitrine, V 245, P 57.

Haras. Troupeaux, V 195.

Haults lieux. Lieux d'adoration, de culte, généralement païens.

Hautain. Altier, grandiose, sublime, T 743.

Hazardeux. Téméraire, T 964.

Heur. Bonheur.

Heure. *A l'heure* : alors.

Hiade. Hyade : nom d'une constellation dont la venue coïncide avec la saison des pluies. D'où, ici : pluie abondance, V 192.

Historié. Enluminé, brodé, D 96.

Hocqueton. Casaque, L 1060.

Hoiau. Houe, C 706.

Hoir. Héritier.

Hommeau. Petit homme, D 605.

Honneur. Ce qui fait le prix, la grandeur, la valeur, la beauté de quelqu'un ou de quelque chose.

Honnir. Déshonorer.

Horrible. Qui fait frémir, qui inspire la crainte, la terreur, T 280. — **Horribler (s').** Remplir d'horreur, de terreur, V 157, 230, T 583.

Hostel. Refuge, maison, V 503.

Hostie. Victime.

Houpe. Sommet (d'un arbre), D 384. — **H(o)uppé.** En touffe, T 597. *Crin hupé* : crinière, V 720.

Houseaux. Bottes.

Houssine. Baguette de houx, coup de baguette, T 119, 957.

Hucher. Appeler, crier. — **Huchet.** Cor, cornet, C 205.

Huillez. Oints, revêtus de l'onction sacrée, S 300.

Huis. Porte. Ouverture.

Humeur. Liquide. *L'incarnat humeur* : le sang, L 524. *L'escarlatine humeur* : le sang, T 1040. La rosée, L 1236. La sève, S 362. La sueur, S 380.

Hysope. Plante aromatique, M 367.

Hyver. Menace de mort, J 56, 95.

Iceux. Ceux.

Ieuse. Yeuse, chêne vert, D 826.

Ignorantement. A l'image de l'ignorance, D 643.

Imbecile. Faible.

Impetrer. Demander, M 128.

Impiteux. Cruel, impitoyable, T 960.

Impollu. Sans souillure, pur, L 1164.

Indice. Index, V 471.

Indigest. Sans résultat, sans profit, stérile, L 124.

Indiscret. Homme dépourvu de discernement, C 981.

Industrie. Activité, M 284.

Infame. De bas étage, S 232.

Ingenieux. Habile, avisé, intelligent.

Instrument. Acte, contrat, V 919.

Interiner. Intériner, accorder, J 178.

Isnel. Vite, rapide.

Ire. Colère. — **Iré, ireux.** En colère, coléreux, courroucé. — **Ireusement.** Furieusement, avec colère.

Jà. Déjà. — **Jà des-jà.** Déjà, dès maintenant.

Jacter. Jacasser, C 200.

Jallir. Jaillir.

Jap(p)er. Aboyer, D 157, T 90, 254.

Jaque. Cuirasse, M 918.

Jettons. Pour faire des opérations, pour compter, J 163.

Joug. *Faire joug* : se soumettre, L 551, T 756.

Journal. Mesure agraire, T 331.

Journee. Bataille, T 762.

Jupin. Jupon, robe, S 207.

Jusne. Jeûne.

Juste. Bien ajusté, D 95.

Kinotaphe. Cénotaphe, V 1265.

Là bas. Aux enfers, T 624.

Lacets, lacs, laqs. Liens, pièges.

Ladre. Lépreux.

Laineux. *Laineuse troupe* : troupeau de moutons, C 834.

Lairra. Laissera.

Lame. Pierre tombale.

Lamie. Sorte de baleine, gros animal marin, J 106.

Lamperon. Lampe, godet dans lequel trempe la mèche, M 321.

Languettes. *A languettes* : en jetant des rayons, L 154.

Languir. Etre souffrant, malade.

Largue. *Faire largue à* : céder la place à, C 118, 561.

Larmeux. Plein de larmes, D 601.

Larron. Voleur.

Leçon. Lecture, M 165. Tâche, M 1173.

Legat. Legs, L 1226.

Lezarde. L 397.

Liberal. Fertile, V 1278.

Lice, lyce. Chienne, M 455, D 189. — Pièce du métier à tisser, d'où métier, d'où tissage, M 788. — Piste, champ clos, V 5, 941, L 261.

Lieu. *Tenir le lieu* : occuper la place, M 89. *En son lieu* : à sa place.

Lignee. Génération, D 209.

Limande. Pièce de bois plate et étroite, M 999.

Lime. La lime dont use le poète pour améliorer ses vers (image traditionnelle), T 873.

Limon(n)ier. Cheval de trait, L 654, C 813.

Linseuls. Draps, V 1036.

Liqueur. Liquide.

Livree. Costume (révélateur de l'origine du porteur), V 438.

Loge. Abri, V 478, T 739.

Lord. Seigneur, T 295.

Los. Eloge. Gloire, réputation.

Loyer. Récompense.

Luc. Luth.

Luitter. Lutter.

Luné. Courbé, arqué, D 96.

Macheuré. Meurtri, égratigné, S 346.

Madrer (se). Se tacher, se colorer, L 339.

Mage. Magicien, faux prêtre, M 1193.

Maille. Cotte de maille, V 889.

Maillot. Vêtement (de l'enfant, du jeune), T 422. D'où abri (de l'enfant), C 6, T 864.

Main. *A toutes mains* : de tous côtés, V 616.

Malefice. Méfait, mauvaise action, P 324.

Malice. Méchanceté, inclination au mal.

Malin. Mauvais, méchant, malfaisant, inquiétant.

Malostru. Malheureux, misérable, L 883.

Malvoisie. Le vin le plus apprécié au XVIe siècle, T 849.

Mamuque. Oiseau fabuleux, plus ou moins comme l'oiseau de paradis, M 1193.

Man (masc.). La manne, D 466.

Manche. Filet du pêcheur, J 110.

Manier. Se mouvoir : « En termes de Manege, se dit des chevaux dressés qui ont de l'escole » (Furetière), V 13. Mouvoir, bouger, T 198, D 641.

Marche. Frontière, D 443.

Marches. Morceaux de bois des métiers à tisser que les tisserands actionnent avec leurs pieds, M 948.

Maree. Mer (sens fig.), S 190.

Marine. Mer. *La rouge marine* : la mer Rouge, L 834. — Eau, C 1050.

Marmotonner. Marmotter, murmurer, J 54.

Marqueté. Tacheté.

Marranes, marans. Terme injurieux : infidèle, renégat, L 115, C 259. (S'employait d'abord pour désigner les juifs et les musulmans espagnols mal convertis au christianisme puis, hors d'Espagne, s'appliqua aussi aux Espagnols, supposés eux-mêmes être des chrétiens douteux.)

Marrin. Bois de construction, D 826.

Mas. Mât, T 68.

Masse. Massue, T 761.

Mastic. Lien, S 574.

Mastin. Mâtin, gros chien féroce, personnage méprisable.

Matté. Abattu, affligé, T 1073.

Maudisson. Malédiction.

Maugreer. Jurer contre, D 777.

Meandriser. Sinuer, faire des méandres, T 845.

Mecanique. Avare, mesquin, C 905.

Meilleu. Milieu.

Mentelet. Abri mobile fait de madriers sous lequel les assaillants avançaient à couvert, T 85.

Merci. Grâce, T 1083.

Mere. Entrée du terrier, D 788.

Merveille. Chose, fait étonnant, extraordinaire.

Me(s)nager. Econome, gestionnaire, industrieux. Gérer, administrer (cf. angl. *to manage*).

Mesure. *Par mesure* : de façon mesurée, réglée, comptée, D 412. — **Mesuree.** Rythmée, cadencée, T 403.

Meu. Mu.

Meurir. Mûrir, S 617.

Meurtrir. Mettre à mort.

Mignard. Joli, délicat, favori ; affecté. — **Mignarder.** Caresser, traiter avec délicatesse, faire doucement — **Mignardement.** Gentiment, délicatement, gracieusement.

Mignon. Favori, bien-aimé, préféré.

Milord. Seigneur, D 284.

Mine. Mesure de capacité, L 781.

Minette. Petite mine, M 475.

Ministre. Serviteur, V 510. Officiant, P 264. — **Ministrer.** Administrer, servir sous, C 33.

Minuter. Rédiger les minutes, les brouillons ; préparer, programmer, T 898.

Mi-parti. Partagé en deux, M 495.

Mirobolan. Fruit exotique, auquel on attribuait toutes sortes de vertus merveilleuses (cf. notre éd. de *La Seconde Semaine*, « Eden », v. 67 et note), M 830, S 616.

Misane. Misaine.

Moillon. Moëllon.

Moironné. Moissonné, abattu, V 424. — **Moissonner.** Abattre, D 262.

Moite. Humide.

Monstre. De montrer : exposition, exhibition. *En la monstre* : bien en vue, D 645. — Monstre.

Montreux. Monstrueux.

Mont (double). Le mont Parnasse, séjour des Muses. —*A mont* : vers le haut, en remontant. — **Monteux.** Montueux.

Morceaux. *Tailler les morceaux* : donner des ordres, S 90.

Moreau. Cheval maure, au poil noir, D 59.

Morion. Casque.

Mortement. Comme mort, lourdement (à propos de l'air), S 343.

Moucheron. Abeille, V 287. — **Mouche.** Mouche, point noir posé sur le visage des femmes, M 48. — **Mousche.** Abeille, M 398.

Mousse, moussé. Emoussé. *D'un œil mousse* : d'un œil éteint, M 950.

Muer. Changer, C 1086.

Muglement. Mugissement.

Mumie. Remède, médicament, C 1029.

Murmure. Grondement, V 477. — **Murmurer.** Protester, se révolter, S 55.

Musaïque. Mosaïque.

Musc. Odeur, M 447.

Musser. Cacher.

Mute. Meute, M 865.

Mutin. Rebelle, révolté.

Muy, mui. Tonneau. A l'origine, mesure pour les grains, M 1131, D 801.

Nager. Naviguer. Nager, L 649.

Naïf. Naturel.

Nais, nez. Nés.

Nard. Plante aromatique, parfum, J 148.

Nareau. Naseau.

Naucher : voir Nocher.

Navrer. Blesser.

Nef. Bateau. — **Naus** (plur.). Navires.

Nege, negeux. Neige, neigeux (blancheur, blanc, d'où âgé, vieux : cf. Chenu).

Nerf. Corde d'instrument de musique (V 600, 821, T 20, M 1168) ou d'arc (C 253, T 20, D 63). Force, vigueur, C 935, 1056.

Neveux. Descendants, postérité. — **Ne(p)veu.** Sens mod. (Loth, neveu d'Abraham), V 210, 764.

Nitreux. De Nitre, salpêtre. *Pleurs nitreux* : larmes salées, T 1080.

Nocher, naucher. Pilote marin.

Noisilles. Noisettes.

Nom. Renom, réputation, C 626, 1054, D 702.

Nombre. Harmonie, proportion, rythme, T 397, 398, 399. — **Nombrer.** Nombrer. Mesurer, L 295. Compter, C 980. — **Nombrant.** Le fait de compter, la faculté de compter. *Le nombre et le nombrant* : la quantité et la faculté de compter cette quantité, T 716.

Nopcier. Nuptial.

Nort. Vent du nord. — Boussole, C 978.

Noüer. Nager, flotter. Aussi : nouer, M 1242.

Nuau, nue. Nuage.

Nuitteux. De nuit, ténébreux, S 293.

Œillade. Regard, M 720. — **Œillader.** Regarder, L 863, M 954.

Offencer. Blesser.

Oir, ois, oit, orra, oy, oyez, oyant. Entendre, entend(s), entendra, entendez, entendant.

Omer. Mesure (voir Exode, 16, 13), L 743.

Onc, On(c)que(s). Jamais.

Ondant. Ondulant, D 547. Aquatique. *Ondante plaine* : étendue d'eau, L 14. — **Onder.** Sinuer, M 863. — **Ondeux.** Humide, aquatique, M 357. Ondulant, M 739, D 748. — **Ondoiant, ondoyant.** Hésitant, versatile, instable, T 418. Humide. *Rougement ondoyant* : rempli de liquide rouge, de sang, ensanglanté, V 623. *L'ondoyante escarlate* : la mer Rouge, L 654.

Or(es). Maintenant. Répété : *or... or...,* tantôt... tantôt...

Orager. Déchaîner l'orage. — **Orage** : fureur déchaînée, T 793.

Oraison. Prière.

Ord. Sale.

Oree. Pluie, L 1238.

Oreiller. Ecouter, entendre, T 609, 825. — **Oreillé.** Pourvu d'oreilles, entendant, T 825.

Orfanté. Etat des gens qui n'ont pas d'enfant, M 492.

Orgueillir (s'). S'enorgueillir.

Orin. D'or, M 643.

Ost. Armée.

Ou(l)trer. Percer, transpercer, blesser.

Ourdir. Préparer les fils pour tisser ; tisser, tresser, péparer, V 832, C 13, M 253.

Outrager. Blesser.

Paistre. (Se) nourrir.

Panne. Peau, D 782.

Panneret. Piège, T 156.

Pantois. Haletant.

Paravant. Auparavant.

Parer. Se protéger, détourner les coups, V 658.

Pard. Léopard, panthère, M 924.

Pardon. *Faire pardon* : épargner, D 894.

Pare-pié. Pièce de fortification, D 728.

Parfin. Extrême fin, D 775.

Part. Accouchement, M 446. — **Part.** Côté, partie. *En la part où* : du côté où, L 385. *Des deux pars* : des deux côtés, des deux pieds, L 625, S 511.

Partir. Partager, séparer, répartir. — **Mi-parti.** Coupé en deux.

Pas. Passage, C 197, J 112, D 679. *Doubler le pas* : accélérer, marcher plus vite, D 41.

Pasquis. Pré où mener paître les animaux, M 315.

Passager. Voyageur. *Passageres bandes, passageres troupes* : groupes de voyageurs, V 1211, S 612.

Passe (fém.). Passereau, M 623.

Patins. Souliers à semelles épaisses et à talons, V 468, L 628.

Patron. Modèle. Sens mod. : patron, protecteur, D 463.

Paus. Pals, pieux, S 102.

Pavé. Dallage, T 916, 917.

Pavillon. Etendart. Tente.

Pavois. Bouclier. Protection.

Peine. Châtiment. Fatigue.

Peint. Coloré.

Pelerin. Voyageur.

Pendre. Etre suspendu, placé en haut, en l'air, L 479, 631. —**Pendant.** Suspendu, D 725, 880. — **Pendant.** Pente, côte, D 522. Chaînes (bijou), L 558. Tout ce qui pend, qui est accroché : dans un harnachement par exemple, T 204.

Pennache. Panache, V 273, M 477.

Pennader. Piafer, voltiger, gambader, L 296.

Pennage. Plumage. — **Pennes.** Plumes de la flèche, V 704.

Penon. Enseigne, drapeau, étendart, M 350.

Percer à jour. Transpercer, V 366.

Perennel. Durable, permanent, S 409.

Perruque. Chevelure. — **Perruqué.** Chevelu.

Pers. Bleu. — **Persement.** Avec du bleu.

Pertuiser. Trouer. — **Pertuisé.** Percé de trous, D 801.

Pesle. Poêle.

Pesle-mesler. Mélanger, mêler, confondre, rassembler.

Pe(s)trir. Piétiner, L 596. Fouler, M 414. Ecraser, T 182.

Peu. Pu (part. p. de Pouvoir). Peu (indéfini).

Phantasque. Capricieux, L 779. Voir Fantasque.

Philomel(l)e. Rossignol, M 20, 867 (banalisation mythologique).

Phiole. Coupe, T 909.

Piafer. Se pavaner, se vanter, D 277, 546.

Picques. *Entrer en picques* : se quereller, V 202.

Pierre blanche. Pierre calcaire, M 1005.

Pigné. Raffiné, M 616.

Pigre. Paresseux.

Pinceter. Pincer, écraser (avec des tenailles), P 348.

Piolans, piolez. Bariolés, tachetés, L 43, 66.

Piper. Tromper, abuser. — **Pipeur.** Trompeur.

Piste. Trace de pas, M 370.

Plagiaire. Voleur, M 460.

Plancher. Sol. v. 98.

Planier. De plaine, plan, uni, C 504.

Plastron. Pièce d'armure protégeant la poitrine, V 889.

Platan. Platane, M 594.

Platine. Fine plaque, mince couche, D 683.

Playé. Couvert de plaies, labouré, S 622.

Pleureux. En pleurs, M 714.

Plomber. Frapper à coups redoublés en signe de deuil, de pénitence, C 275.

Plume. *Sur la plume* : dans leur lit, D 556. — **Plumeux.** *Plumeuse bande* : bande d'oiseaux, L 606.

Plus (à). Au mieux, pour le mieux, T 200.

Poignant. Piquant, hérissé, M 833.

Poil. Cheveux, chevelure, V 700.

Poin(g)t. Piqué, aiguillonné, V 1132, P 437.

Pointeler. Marteler, J 142. Frapper d'un coup de pointe, percer, crever, D 970.

Pointes. (à). Avec des pointes, L 266.

Poise(nt). Pèse(nt).

Poitral. Armure du cheval, V 707.

Pole. Ciel, C 442, 533, M 17, S 342, D 182, 509, 591.

Police. Gouvernement, système politique, organisation politique.

Populaire. Peuple, populace.

Porter. Supporter, soutenir, T 104. — **Port.** Grossesse, M 446. Comportement, attitude, T 262.

Port. Arrêt, point d'arrivée, abri, L 843.

Porte-laine. *Troupeau porte-laine* : les moutons, V 638, T 44.

Poste. Rapide, vite, L 423. *A sa poste* : à sa volonté, selon son caprice, L 1012. *En poste* : rapidement, L 1343. *Postes emplumez* : oiseaux, M 1066. — **Poster.** Aller vite, C 811. S'arrêter, M 806.

Postillonner. Courir, V 336.

Post-poser. Faire passer en second lieu, abandonner, V 118, 332.

Poudre. Poussière. — **Poudreux.** Poussiéreux, en poussière. — **Poudroyer.** Réduire en poudre, en poussière, détruire.

Pou(l)ce. Le pouce avec lequel on pince la corde de la lyre (au propre ou au figuré), T 22, 723, 801, 874.

Pour. En échange de. *Pour le, pour de* : en guise de, S 399, 503.

Pourfil. Profil.

Pourmener. Promener.

Pourprer. Empourprer. *Ancre pourpree* : sang, V 709. *La mer pourpree,* L 1025.

Pourtrait. Portrait.

Pree. Prairie.

Prefixement. Par avance, L 504.

Presse. Accablement, P 342.

Preuve. *A preuve de* : à l'épreuve de, capable de résister, P 58.

Prime. Printemps, M 1135. — **Primevere.** Printemps, V 26.

Priser. Apprécier, S 46.

Priste. Baleine, L 658.

Privez. Apprivoisés, T 826. (Nom) Particuliers, S 43.

Profane, prophane. Païen, infidèle, étranger.

Prou. Assez, T 452. Très, T 601.

Prudent. Sagesse. — **Prudent.** Sage.

Puis. Ensuite, S 774.

Punais. Puant, malodorant.

Purger. Purifier.

Pyrauste. Papillon qui se brûle à la lumière, M 220.

Pyrique. *Pyrique bal* : danse guerrière (la pyrrhique était l'ancienne danse guerrière des Spartiates), M 836.

Quand et quand. En même temps, L 1031, S 159, D 309.

Quarreau. Carré dans un jardin, V 29. Bloc de pierre, L 644, M 1034, 1042. Voir aussi Carreau.

Queux. (fém.). Pierre à aiguiser, L 1362.

Quintessencer (se). Se purifier, M 1098.

Quitter. Abandonner, renoncer à.

Racler. Effacer, rayer du monde, C 555.

Raffle. Peau (du serpent), L 325.

Rai. Rayon.

Rainseau. Branchage, rameau, M 634.

Raisineux. Résineux, plein de résine, D 817.

R'amasser. Glisser aussi vite qu'en traîneau (en « ramasse »), M 32.

Rameux. Branchu, touffu, D 729.

Rang. *De rang* : tour à tour, V 1289, D 634. — **Ranger.** Arranger, disposer.

Rapineux. Rapace.

Rassis. Ferme, réfléchi, S 504.

Ratelle. Maladie (de la rate), S 41.

Ravine (d'eaux). Grande pluie, torrent d'eau, D 521. — **Ravineux.** Impétueux, rapide, S 101. Violent, destructeur, S 630, D 714.

Ravir. Enlever, arracher. — **Ravissement.** Enlèvement.

Reboucher. Emousser, T 516.

Rebours. *Au rebours* : au contraire.

Receler. Cacher, dissimuler, C 141.

Recercher. Rechercher.

Reclarci. Rendu à la lumière, à la vue, T 925.

Reconduire. Ramener, M 1258.

Recourre. Sauver, D 292. Trouver du secours, T 439.

Reculer. Ecarter, abaisser, C 914, 995.

Redarguer. Réprimander, reprendre, T (p. 190).

Refait. Ayant repris des forces, S 67.

Refrayer. De Frayer : suivre son chemin.

Regorger. Regurgiter, recracher, V 598, D 944.

Reguinder. Remonter.

Reis. Rais, rayons, S 261.

Reliques. Restes, V 191, C 510.

Remparer. Renforcer, M 86.

Rencontrer. Trouver, T 679.

R'enfantillant. Jouant avec un enfant, M 466.

Renfro(n)gné. renfrogné. La première attestation du mot au XIIIe siècle s'applique au diable (*Dict. hist.*) : en situation ici, S 728. Aussi L 77.

Renom. *Renoms parleurs* : rumeurs, L 41.

Renoüer. Raccommoder, D 330.

Republique. Etat ; régime politique. La chose publique, C 921.

Ressuivre. Parcourir, traverser, C 325.

Restaurant. Mets ou remède reconstituant, V 123.

Reste. *A toute reste* : en risquant le tout pour le tout, D 155.

Resveur. Extravagant, délirant.

Ret(s). Filet(s), instrument(s) de chasse.

Retaillé. Accablé, chargé d'impôts, L 82, 671.

Retif. Rebelle.

Retirant sur. Tirant sur, ressemblant à, M 828.

Retouller : voir Tou(i)ller.

Retraict. Lieu d'aisance, odeur nauséabonde, T 1050.

Retube. Voûte, S 342.

Revolee. Renvolée, L 266.

Rez-pié. A ras de terre, C 198, T 133, J 64, D 840. — **Rez-terre.** A ras de terre, T 333, D 840, J 64.

Rha. Rue (la plante), M 364.

Ribleur. Filou, débauché, V (p. 15).

Rhombes. Losanges, mailles du filet, L 699.

Rien. Quelque chose, V 45, D 452.

Rodomonter. Faire des rodomontades, se vanter, promettre l'impossible, D 172.

Rogue. Arrogant, S 73.

Rollet. Rôle, P 432.

Rondelle. Bouclier rond, C 15.

Roseau. Jonc, baguette, S 745.

Rosoiant, rosoyant. Couvert de rosée.

Rosti. Hâlé, au teint cuit par le soleil, M 912.

Roué. Attaché, cloué à une roue, S 566. — **Rouer.** Tourner, S 613.

Roüer (se). Se précipiter, se ruer, J 68.

Route. Déroute, S 641.

Ruer. Jeter, lancer, V 275.

Sagette. Flèche.

Saigneux, seigneux. Ensanglanté, meurtrier, P 195, S 534. Sanglant, C 143.

Sal(l)ade. Casque, C 670, T 187, 196.

Sang blanchy. Lait, M 482.

Sanglanter. Ensanglanter, V 268, P 129.

Saoul. Rassasié. — **Saouler (se)** : voir Souler.

Saquer. Frapper violemment, brandir, S 225.

Sarbatane. Sarbacane, L 40.

Sça-vous. Savez-vous.

Sceptrer. Faire roi, P 66.

Scintille. Etincelle.

Scismatique. Schismatique, S 466.

Scofion. Escofion, coiffe, M 751.

Scopette. Escopette, sorte d'arquebuse, L 2.

Seau. Sceau. — **Seeller, seller.** Sceller, mettre son sceau.

Seigneux : voir Saigneux.

Seille. Baquet, seau, L 876.

Seillonné. Ridé, D 102. — **Seillonnner.** Sillonner, labourer, M 562. Peigner, 658.

Sembler (à). Ressembler à, P 105, T 221, M 13, 48, 249, J 73, S 285.

Seree. Soirée, L 45.

Serener. Rasséréner, apaiser, P 274, 383.

Serpentine. Pierre comportant des veinules, M 1040.

Seulement (tant). Seulement.

Seur. Sûr.

Si. Pourtant, V 352, M 39. — **Et si.** Et aussi, L 309. — **Si que.** Si bien que.

Siller. Fermer les yeux, V 601. Aveugler, D 644.

Sion. Scion, rejeton, pousse, M 97, 729.

Sobre. Simple, mesuré.

Soin. Souci, L 96.

Solatre. Plante aromatique, V 488.

Soldoyé. Soudoyé, S 793.

Sonneur. Chanteur, musicien, T 2.

Soüef. Doux, agréable, M 358.

Souler (se). Se rassassier, S 711, D 595, 979.

Souler. Avoir l'habitude de, avoir accoutumé de.

Soudar(t). Soldat.

Sourdastre. Assourdi, étale, L 385. (Huguet cite ce mot, avec la citation de Du Bartas, sans donner de sens : simplement un « ? ».)

Sourcilleux. Très élevé.

Souris. *La volante souris* : la chauve-souris, D 232.

Sponde (à). De côté, obliquement, T 282 (note de Holmes, III, P 343 : « Sideways »). Huguet donne : « bord d'un lit ; flanc d'un navire », en citant ce vers de Du Bartas.

Stramasson. Estramaçon, épée lourde à deux tranchants, coup donné avec cette épée, V 680.

Stribord. Tribord. T 282.

Subject. *Prendre subject de* : prendre prétexte de, prendre appui sur, P 24.

Subtilizer. Se montrer subtil, M 419. — **Subtil.** Rusé, perfide, T 8. Habile, T 29. Fin, T 950.

Succez. Résultat, issue, J 11.

Sucrin. Doux.

Suif. Graisse, T 594.

Suitte (de). Tour à tour, progressivement, C 28.

Superbe, superbement. Orgueilleux, fier. Orgueilleusement.

Suranner. Dépasser, excéder, P 8.

Surgeon, surjon. Source, V 879, M 117, S 409.

Tabour. Tambour.

Taboutin. Tambour. — **Tabut(t)er.** Tambouriner, C 722, D 584. Piétiner, D 324.

Tailler. Voir Morceaux.

Talusser. Descendre une pente, T 86. Construire en pente, D 825.

Tan. Taon, aiguillon, S 500.

Tandis. Cependant, pendant ce temps, M 987.

Tanné. Brun, V 492.

Tant. Autant, D 547.

Targe. Bouclier, protection, M 471, D 53.

Tarots. Cartes, C 469, 472.

Tavan. Taon, L 426, D 679.

Tavelé. Taché, tacheté, L 324.

Telier. Cylindre d'un métier à tisser. Huguet cite cet exemple, emprunté à Godefroy et extrait d'une Bible de

1566 : « Duquel le bois de la lance estoit comme le telier des tisserans » (II Samuel, 21, 19) puis il cite notre vers de Du Bartas : on peut donc comprendre *telier* comme signifiant « lance », T 73.

Temperament. Equilibre, M 309. Mélange, équilibre, M 330.

Tempesteux. Tempêtueux, violent, puissant, impressionnant comme la tempête.

Teste. *Faire teste à* : tenir tête à, résister à, L 1019, J 61.

Terme. *Au terme* : à la date échue, fixée, C 47.

Ter(r)oir, ter(r)ouer. Territoire, pays, région.

Theatre. Spectacle.

Thiare, tiare. Couronne, symbole du pouvoir, T 15, C 107, M 64, S 110, 273, D 984.

Tillac. Pont supérieur d'un bateau, J 72, 99.

Timbré. Surmonté d'une crête, V 473. — **Tymbrer.** Surmonter, M 926.

Timide. Effrayé, T 91.

Tirasse. Piège, L 697.

Tirer. Dessiner, M 687, 902. Entraîner, D 908. *Tirer à* : aller, marcher vers, T 754.

Toilles. Pièces de toiles tendues pour attraper des bêtes telles que les sangliers ; piège, V 370.

Tortisse. Entortillée, tordue, M 596.

Touche. Procédé pour éprouver les métaux précieux, P 40.

Tou(i)ller. Remuer, salir, P 204, D 659.

Tourte. Tourterelle, M 840.

Tout d'un coup. En même temps, à la fois, L 112. Sur-le-champ, C 24. — **Tout à soy.** A part soi. — **Tout (du).** Totalement, complètement.

Tousjourmais (à). A jamais, S 181, D 998.

Trac. Trace.

Traffiqueux. Voué au commerce, C 1052.

Tragule. Flèche, D 723.

Trait. Arme de lancer. — *D'or-trait* : tissé d'or, M 915.

Tramail. Filet, J 111.

Tramer. Négocier, vendre, C 803.

Tranche-plume. Coutelas, canif, S 482.

Tranquiler. Apaiser, T 381.

Transport. Transfert, délégation, D 452. — **Transporter.** Transférer, L 926.

Travaison. Ensemble de poutres, D 808.

Travaux. Efforts, peines, V 616.

Trebuschet. Balance, M 183, J 160.

Trecté. Tiré, extrait, P 102.

Tremousser. Trembler, L 579.

Trepigner. Frapper du pied, sauter, danser, C 662, M 763, 797, 938.

Trie (fém.). Tri, V 34, C 989.

Tripot. Jeu de paume, C 479.

Trousse. Carquois.

Truchement. Interprète.

Tuf. La matière, la teneur cachée, V 41. Pierre, C 98.

Tuyau. Tige, V 653. Pipeau, T 847.

Usure. Intérêt, L 444. — **Usurier.** Qui rapporte de l'intérêt. *Usurieres plaines* : plaines, régions fertiles, S 619.

Vaguer. Errer, V 161.

Vagueux. Qui a rapport avec les liquides, l'eau, la mer, M 386. *Non vagueuses* : sans vagues, T 825. — **Vagueusement.** Avec des vagues, T 714.

Vaisseau. Récipient, baquet, M 1021, D 868.

Val (à). Vers le bas, en descendant.

Vanter (se). Se louer soi-même, T 26.

Vau-de-routte (à). En se débandant, C 493, S 795.

Vefve, vefvage. Veuve, veuvage.

Veloux. Velours.

Venin. Poison.

Venir. Devenir.

Vent. Souffle, D 534.

Vergongne, vergongneux. Honte, honteux.

Vers. Charme, sortilège, T 605.

Viande. Nourriture.

Vif. Vivant.

Vilain. Paysan, L 306. Vil personnage, méchant, L 1246. — (Adj.) Vil, avili, V 301.

Vineux. De vendange, d'automne, D 82.

Viste. (Adj.) Rapide, V 267.

Volte. Tour, D 242.

Voyager. (N.) Voyageur, L 1058.

Voyant. Prophète d'Israël, S 411, 759, D 163, 619.

Vuider. Vider.

Vulgaire. (N.) Foule, peuple, C 1011.

Vyresole. Sorte de tournesol, M 908.

Yors. Origan, D 347 (? Voir Holmes, III, p. 453).

Yvroye. Ivraie.

BIBLIOGRAPHIE SOMMAIRE

Pour la bibliographie se rapportant aux *Semaines,* on consultera les volumes précédemment publiés chez le même éditeur (*La Sepmaine* et *La Seconde Semaine*). Ne figurent ci-après que les titres portant sur les *Suittes* ou ceux, concernant des études générales sur Du Bartas ou des questions diverses, qui ont paru après 1992 (date de la dernière remise à jour de notre édition de *La Sepmaine*).

TEXTES

— *éditions anciennes.*

1588 : *La Seconde Semaine* (avec « Les Peres » et l'« Histoire de Jonas »), La Rochelle, Haultin.

1591 : *La Seconde Semaine* (avec « Les Trophees » et « La Magnificence »), La Rochelle, Haultin.

1593 : *La Seconde Semaine* (avec « La Loy »), Genève, Jacques Chouet ; 1601 : rééd., même éditeur.

1603 : *La Seconde Semaine* (avec « La Vocation », « Les Capitaines », « Le Schisme » et « La Decadence », Paris, Houzé — ou Heuzé).

1610 : *Les Œuvres...,* Paris, éd. partagée, J. de Bordeaulx, T. Du Bray et C. Rigaud

— *édition moderne*

U.T. Holmes, J.C. Lyons et R.W. Linker, *The Works of Guillaume de Salluste Sieur du Bartas,* Chapel Hill, Univ. of North Carolina Press, 3 vol., 1935-1940 ; t. III, 1940.

ÉTUDES

— sur les éditions de Du Bartas :

ARBOUR (R.), *L'Ère baroque en France. Répertoire chronologique des éditions de textes littéraires (1585-1643),* Genève, Droz, 4 parties en 5 vol., 1980-1985.

DESGRAVES (L.), *Les Haultin (1571-1623)* [*L'Imprimerie à La Rochelle,* 2], Genève, Droz, 1960.

VAGANAY (H.), « Pour la bibliographie des éditions françaises de Du Bartas », in *Bull. du Bibl.,* 1928, p. 311-313 et 398-400.

— sur la langue, le style, la rhétorique, la poétique

BRUNOT (F.), *Histoire de la langue française. II. Le seizième siècle,* Paris, A. Colin, réimpr. 1967.

CASTOR (G.), *Pléiade Poetics. A Study in Sixteenth-Century Thought and Terminology,* Manchester UP, 1964.

CAVE (T.), *The Cornucopian Text. Problems of writing in the French Renaissance,* Oxford, Clarendon Press, 1979.

CHARPENTIER (H.), « Ambiguïté syntaxique et usage rhétorique de "si" dans l'"Eden" et dans l'"Imposture", in *Du Bartas poète encyclopédique,* p. 93-1077.

CREORE (A.E.), « The Scientific and Technical Vocabulary of Du Bartas », in *BHR,* 1959, p. 131-160.

— « Word-Formation in Du Bartas », in *BHR,* p. 192-208.

— « Du Bartas : a reinterpretation », in *Modern Language Quarterly,* vol. 1, 1940, p. 503-526.

DEIMIER (P. de), *L'Academie de l'art poétique...,* Paris, J. de Bordeaulx, 1610.

GOUGENHEIM (G.), *Grammaire de la langue française du XVIe siècle,* nouv. éd. posthume, Paris, Picard, 1974.

GREIMAS (A.J.) et KEANE (T.M.), *Dictionnaire du Moyen Français. La Renaissance,* Paris, Larousse, 1992.

HUGUET (E.), *Dictionnaire de la langue française du XVIe siècle,* Paris, Champion, puis Didier, 1925-1967.

LA NOUE (O. de [Attribué à]), *Un Amas d'Epithetes recueilli des œuvres de Guillaume de Salluste Seigneur du Bartas* [vol. relié avec *Le Dictionnaire des rimes françoises*], Genève, Vignon, 1596 ; réimpr. sous le titre *Les Epithetes tirés des Œuvres de Guillaume de Salluste, Sieur du Bartas,* à la suite du *Grand Dictionnaire des rimes françoises,* Genève, M. Berjon, 1623.

LANUSSE (M.), *De l'Influence du dialecte gascon sur la langue française, de la fin du XVIe siècle à la seconde moitié du XVIIe,* Grenoble, impr. F. Allier, 1893.

REY (sous la direction d'A.), *Dictionnaire historique de la langue française,* Paris, Robert, 2 vol., 1992.

Traités de poétique et de rhétorique de la Renaissance [Sébillet, Aneau, Peletier, Fouquelin], éd. F. Goyet, Paris, Livre de Poche classique (n° LP 14), 1990.

— *Ouvrages généraux*

BAÏCHE (A.), *La Naissance du baroque français,* PU Toulouse, 1976.

CALVIN, *Institution de la Religion chrestienne,* p. p. J.D. Benoît, Paris, Vrin, 5 vol., 1957-1963.

DUBOIS (C.-G.), *Le Baroque, profondeurs de l'apparence,* PU Bordeaux, 1993.

— *Le Maniérisme,* Paris, PUF, 1978.

— *L'Imaginaire de la Renaissance,* Paris, PUF, 1985.

— *Mots et règles, jeux et délires. Études sur l'imaginaire verbal au XVIe siècle* (préface de G. Durand), Caen, Paradigmes, 1992.

HAGIWARA (M. P.), *French Epic Poetry in the XVIth Century : Theory and Practice,* La Haye-Paris, Mouton, 1972.

JEANNERET (M.), *Poésie et tradition biblique au XVIe siècle,* Paris, Corti, 1969.

SAYCE (R. A.), *The French Biblical Epic in the Seventeenth Century,* Oxford, Clarendon Press, 1955.

STAUFFER (R.), *Dieu, la création et la Providence dans la prédication de Calvin,* Berne, Lang, 1979.

VIANEY (J.), « La Bible dans la poésie française depuis Marot » in *Revue des Cours et Conférences,* Nouvelle série, t. I, 1922, p. 485-495 et 598-604 ; t. II, 1992, p. 97-113.

WILSON (D. B.), *Descriptive Poetry in France from blason to baroque,* Manchester UP, 1967.

— sur Du Bartas et sur les Semaines

BENSIMON (M.), « L'"Histoire de Jonas" de *La Seconde Semaine* [dans les *Suittes*] de Du Bartas », in *Du Bartas poète encyclopédique,* p. 77-91.

CÉARD (J.), « La transformation du genre du commentaire », in *L'Automne de la Renaissance. 1580-1630,* éd. J. Lafond et A. Stegmann, Paris, Vrin, p. 101-115.

DU VERDIER (A.), *La Bibliothèque,* Lyon, 1585.

LEE (R. W.), *Ut pictura poesis. Humanisme et théorie de la peinture. XVe-XVIIIe siècles,* Paris, Macula, 1991.

PELLISSIER (G.), *La Vie et les œuvres de Du Bartas,* Slatkine Reprints, 1969.

PRIEUR (M.), *Le Monde et l'homme de Du Bartas,* Paris, SEDES, 1993.

RAYMOND (M.), *L'Influence de Ronsard,* 1927 ; réimpr. Genève, Droz, 1965 : II, chap. XXVI.

REICHENBERGER (K.), « Das epische Proömium bei Rondard, Scève, Du Bartas. Stilkritische Betrachtungen zum Problem von "klassischer" und "manieristischer" Dichtung in der zweiten Hälfte des 16. Jahrhunderts », in *ZRP,* 1962, p. 1-31.

ROSS (I.), « Verse translation at the Court of King James VI of Scotland », in *Texas Studies in literature and language,* 1962, p. 252-267.

TABLE DES MATIÈRES

SOCIÉTÉ DES TEXTES FRANÇAIS MODERNES (S.T.F.M.)

Fondée en 1905
Association loi 1901 (J.O. 31 octobre 1931)
Siège social : Institut de Littérature française
(Université de Paris-Sorbonne)
1, rue Victor Cousin. 75005 PARIS

Président d'honneur : † M. Raymond Lebègue, Membre de l'Institut.

Membres d'honneur : MM. René Pintard, † Jacques Roger, Isidore Silver, † Robert Garapon.

BUREAU : Juin 1993

Président : M. Roger Guichemerre.
Vice-Présidents : Mme Yvonne Bellenger.
M. Jean Céard.
Secrétaire général : M. François Moureau.
Secrétaire adjoint : M. Georges Forestier.
Trésorier : M. Alain Lanavère.
Trésorier adjoint : Mlle Huguette Gilbert.

La Société des Textes Français Modernes (S.T.F.M.), fondée en 1905, a pour but de réimprimer des textes publiés depuis le XVIe siècle et d'imprimer des textes inédits appartenant à cette période.

Pour tout renseignement et pour les demandes d'adhésion : s'adresser au Secrétaire général, M. François Moureau, 14 *bis,* rue de Milan 75009 Paris.

Demandez le catalogue des titres disponibles et les conditions d'adhésion.

LES PUBLICATIONS DE LA SOCIÉTÉ DES TEXTES FRANÇAIS MODERNES SONT EN VENTE AUX ÉDITIONS KLINCKSIECK
8, rue de la Sorbonne 75005 Paris

EXTRAIT DU CATALOGUE

(janvier 1994)

XVIe siècle

Poésie :

4. HÉROËT, *Œuvres poétiques* (F. Gohin)
5. SCÈVE, *Délie* (E. Parturier).
7-31. RONSARD, *Œuvres complètes* (P. Laumonier), 20 tomes.
32-39, 179-180. DU BELLAY, *Deffence et illustration. Œuvres poétiques françaises* (H. Chamard) *et latines* (Geneviève Demerson), 10 t. en 11 vol.
43-46. D'AUBIGNÉ, *Les Tragiques* (Garnier et Plattard), 4 t. en 1 vol.
141. TYARD, *Œuvres poétiques complètes* (J. Lapp.)
156-157. *La Polémique protestante contre Ronsard* (J. Pineaux), 2 vol.
158. BERTAUT, *Recueil de quelques vers amoureux* (L. Terreaux).
173-174, 193, 195. DU BARTAS, *La Sepmaine* (Y. Bellenger), 2 t. en 1 vol. *La Seconde Semaine (1584),* I et II (Y. Bellenger *et alii*), 2 vol.
177. LA ROQUE, *Poésies* (G. Mathieu-Castellani).
194. LA GESSÉE, *Les Jeunesses* (G. Demerson et J.-Ph. Labrousse).
198. SAINT-GELAIS, *Œuvres poétiques françaises*, I (D. Stone).

Prose :

2-3. HERBERAY DES ESSARTS, *Amadis de Gaule (Premier Livre),* 2 vol. (H. Vaganay-Y. Giraud).
6. SÉBILLET, *Art poétique françois* (F. Gaiffe-F. Goyet).
150. NICOLAS DE TROYES, *Le Grand Parangon des Nouvelles nouvelles* (K. Kasprzyk).
163. BOAISTUAU, *Histoires tragiques* (R. Carr).
171. DES PERIERS, *Nouvelles Récréations et joyeux devis* (K. Kasprzyk).
175. *Le Disciple de Pantagruel* (G. Demerson et C. Lauvergnat-Gagnière).
183. D'AUBIGNÉ, *Sa Vie à ses enfants* (G. Schrenck).
186. *Chroniques gargantuines* (C. Lauvergnat-Gagnière, G. Demerson *et al.*).

Théâtre :

42. DES MASURES, *Tragédies saintes* (C. Comte).
122. *Les Ramonneurs* (A. Gill).
125. TURNÈBE, *Les Contens* (N. Spector).
149. LA TAILLE, *Saül le furieux. La Famine...* (E. Forsyth).
161. LA TAILLE, *Les Corrivaus* (D. Drysdall).
172. GRÉVIN, *Comédies* (E. Lapeyre).
184. LARIVEY, *Le Laquais* (M. Lazard et L. Zilli).

XVIIe siècle

Poésie :

54. RACAN, *Les Bergeries* (L. Arnould).
74-76. SCARRON, *Poésies diverses* (M. Cauchie), 3 vol.
78. BOILEAU-DESPRÉAUX, *Épistres* (A. Cahen).
123. RÉGNIER, *Œuvres complètes* (G. Raibaud).
151-152. VOITURE, *Poésies* (H. Lafay), 2 vol.
164-165. MALLEVILLE, *Œuvres poétiques* (R. Ortali), 2 vol.
187-188. LA CEPPÈDE, *Théorèmes* (Y. Quenot), 2 vol.

Prose :

64-65. GUEZ DE BALZAC, *Les premières lettres* (H. Bibas et K.T. Butler), 2 vol.
71-72. Abbé de PURE, *La Pretieuse* (E. Magne), 2 vol.
80. FONTENELLE, *Histoire des oracles* (L. Maigron).
132. FONTENELLE, *Entretiens sur la pluralité des mondes* (A. Calame).
135-140. SAINT-ÉVREMOND, *Lettres* et *Œuvres en prose* (R. Ternois), 6 vol.
142. FONTENELLE, *Nouveaux Dialogues des morts* (J. Dagen).
144-147 et 170. SAINT-AMANT, *Œuvres* (J. Bailbé et J. Lagny), 5 vol.
153-154. GUEZ DE BALZAC, *Les Entretiens* (1657) (B. Beugnot), 2 vol.
155. PERROT D'ABLANCOURT, *Lettres et préfaces critiques* (R. Zuber).
169. CYRANO DE BERGERAC, *L'Autre Monde ou les Estats et Empires de la Lune* (M. Alcover).
182. SCARRON, *Nouvelles tragi-comiques* (R. Guichemerre).
191. FOIGNY, *La Terre Australe connue* (P. Ronzeaud).
192-197. SEGRAIS, *Les Nouvelles françaises* (R. Guichemerre), 2 vol.
199. PRÉCHAC, *Contes moins contes que les autres*. Précédés de *L'Illustre Parisienne* (F. Gevrey).

Théâtre :

57. TRISTAN, *Les Plaintes d'Acante et autres œuvres* (J. Madeleine).
58. TRISTAN, *La Mariane. Tragédie* (J. Madeleine).
59. TRISTAN, *La Folie du Sage* (J. Madeleine).
60. TRISTAN, *La Mort de Sénèque, Tragédie* (J. Madeleine).
61. TRISTAN, *Le Parasite. Comédie* (J. Madeleine).
62. *Le Festin de pierre avant Molière* (G. Gendarme de Bévotte - R. Guichemerre).
73. CORNEILLE, *Le Cid* (G. Forestier et M. Cauchie).
121. CORNEILLE, *L'Illusion comique* (R. Garapon).
126. CORNEILLE, *La Place royale* (J.-C. Brunon).
128. DESMARETS DE SAINT-SORLIN, *Les Visionnaires* (H. G. Hall).
143. SCARRON, *Dom Japhet d'Arménie* (R. Garapon).
160. CORNEILLE, *Andromède* (C. Delmas).
166. L'ESTOILE, *L'Intrigue des filous* (R. Guichemerre).
167-168. *La Querelle de l'École des Femmes* (G. Mongrédien), 2 vol.

176. SCARRON, *L'Héritier ridicule* (R. Guichemerre).
178. BROSSE, *Les Songes des hommes esveillez* (G. Forestier).
181 et 190. DANCOURT, *Comédies* (A. Blanc), 2 vol.
185. POISSON, *Le Baron de la Crasse, L'Après-soupé des auberges* (Ch. Mazouer).
196. G. DE SCUDÉRY, *Le Prince déguisé. La Mort de César* (E. Dutertre, D. Moncond'Huy).

XVIIIe siècle.

80-81. P. BAYLE, *Pensées diverses sur la Comète.* (A. Prat, P. Rétat).
131. DIDEROT, *Éléments de physiologie* (J. Mayer).
162. DUCLOS, *Les Confessions du C[te]de N**** (L. Versini).
159. FLORIAN, *Nouvelles* (R. Godenne).
148. MABLY, *Des Droits et des devoirs du citoyen* (J.-L. Lecercle).
112. ROUSSEAU J.-J., *Les Rêveries du Promeneur solitaire* (J. Spink).
190. SEDAINE, *Le Philosophe sans le savoir* (R. Garapon).
87-88. VOLTAIRE, *Lettres philosophiques* (G. Lanson, A.M. Rousseau), 2 vol.
89-90. VOLTAIRE, *Zadig* (G. Ascoli), 2 vol.
91. VOLTAIRE, *Candide* (A. Morize).

XIXe siècle.

124. BALZAC, *Le Colonel Chabert* (P. Citron).
119-120. CHATEAUBRIAND, *Vie de Rancé* (F. Letessier), 2 vol.
129-130. CHATEAUBRIAND, *Voyage en Amérique* (R. Switzer), 2 vol.
127. MAUPASSANT, *Notre Cœur* (P. Cogny).
115-116 MICHELET, *La Sorcière* (L. Refort), 2 vol.
110. MUSSET, *Lorenzaccio* (et : *La Genèse de Lorenzaccio)* (P. Dimoff).
94-95. SENANCOUR, *Rêveries sur la nature primitive de l'homme* (J. Merlant et G. Saintville), 2 vol.

Collections complètes actuellement disponibles

43-46. D'AUBIGNÉ, *Les Tragiques,* 4 t. en 1 vol.
32-38 et 179-180. DU BELLAY, *Œuvres poétiques françaises* et *latines* et la *Deffence...,* 9 t. en 11 vol.
7-31. RONSARD, *Œuvres complètes,* 20 t.
144-147 et 170. SAINT-AMANT, *Œuvres,* 5 vol.
135-140. SAINT-ÉVREMOND, *Lettres* (2 vol.) et *Œuvres en prose* (4 vol.).

Photocomposé en Times de 10
et achevé d'imprimer en Mai 1994
par l'Imprimerie de la Manutention à Mayenne
N° 166-94